Allie Larkin

Blijf!

the house of books

Oorspronkelijke titel
Stay
Uitgave
DUTTON, published by Penguin Group, New York
Copyright © 2010 by Allie Larkin
Copyright voor het Nederlandse taalgebied © 2011 by The House of Books,
Vianen/Antwerpen

Vertaling
Ellis Post Uiterweer
Omslagontwerp
marliesvisser.nl
Omslagfoto
Getty Images
Foto auteur
Jeremy Larkin
Opmaak binnenwerk
ZetSpiegel, Best

ISBN 978 90 443 3072 4
D/2011/8899/59
NUR 302

www.thehouseofbooks.com

Voor Jeremy, Joan en Argo.
Zonder jullie was het me niet gelukt.

Proloog

Zes jaar geleden gingen Peter en ik wekelijks eten in een Italiaans tentje net buiten de campus. Het eten was niet geweldig en de bediening was een verschrikking, maar we konden een fles wijn bestellen zonder dat er naar ons identiteitsbewijs werd gevraagd.

We waren halverwege onze tweede fles omdat we toch lopend waren gekomen, de laatste tentamens achter de rug waren en alles op de creditcard van zijn vader kwam te staan.

We praatten en lachten. We kregen het warm. Peters wangen gloeiden, en zijn haar zat door de war omdat hij er steeds doorheen streek. 'Volgens mij heb ik politicologie heel goed gemaakt. Misschien krijg ik wel een topcijfer,' zei hij. Zijn haar viel weer voor zijn ogen. Hij ging maar door over de cijfers die hij dacht behaald te hebben, en hoe geweldig zo'n cijferlijst zou zijn wanneer hij rechten ging studeren, hoewel we nog maar net het voorbereidend programma hadden afgesloten. Peter regelde zijn zaakjes graag zoveel mogelijk op tijd.

Ik zou graag elk woord in me hebben willen opnemen, maar ik werd afgeleid door zijn krachtige kin. Ik moest steeds denken aan hoe het zou zijn om mijn lippen op die enigszins stoppelige kin te drukken, en dan naar beneden te gaan, naar zijn hals. Ik dacht aan zijn handen, sterk van al dat tennissen, en hoe die op mijn rug zouden voelen nadat hij de kleren van mijn lijf had gerukt.

'Hoe denk je dat je bij retoriek hebt gescoord?' vroeg Peter. Daarmee rukte hij me ruw uit mijn pornografische dagdroom. Ik was nog niet eens bij het gedeelte waar hij de borden van tafel veegde en me nam, midden in het restaurant.

'Och...' zei ik. Ik vermeed oogcontact, want als ik hem in de ogen keek, zou hij misschien weten waaraan ik dacht. 'Het was niet te... Het viel wel mee.'

'Ik had erger verwacht,' zei Peter. Hij knikte, en begon toen een heel verhaal over de stageplaats die hij deze zomervakantie in de advocatenpraktijk van zijn vader zou hebben. En ik dacht weer aan handen, kinnen en monden. Vooral aan die prachtige, vierkante kin.

We waren klaar met eten. We hadden allebei een toetje besteld en aten van elkaars bord tot er geen kruimeltje meer over was. De andere gasten waren al vertrokken, en de serveerster haalde steeds dingen van onze tafel af in een poging ons weg te krijgen. Zelfs de suikerzakjes waren verdwenen. We hadden alleen nog die fles en de glazen op ons witte tafelkleed vol vlekken van de wijn en de tomatensaus.

'Ik vind het altijd geweldig met jou,' zei Peter, terwijl hij het laatste restje wijn over onze glazen verdeelde.

'Ik heb het ook erg naar mijn zin,' zei ik. Eindelijk durfde ik hem weer in de ogen te kijken.

'Ik wilde iets voorstellen, Van,' zei hij. Hij hief het glas en trok zijn hoofd een beetje in om er formeler uit te zien.

Mijn hart sloeg over. Ik hief mijn glas. Met trillende hand.

Hij lachte breed. Zijn onderlip was een beetje paars van de wijn, maar zijn tanden waren parelwit. Net een rij kauwgumpjes. 'Wil je met me trouwen?' vroeg hij terwijl hij met me klonk. 'Als we op ons dertigste nog niet getrouwd zijn?'

Weer sloeg mijn hart over. Ik vond het beledigend om tweede keus te zijn. In een oogwenk gedegradeerd van zijn verloofde naar troostprijs.

'Tweeëndertig,' antwoordde ik met een geforceerd lachje. 'Geef me in elk geval een kans.'

1

Het was een mooiere bruiloft dan ik ooit had kunnen dromen. De kerk was heel eenvoudig, met glazen kandelaars met witte kaarsen erin langs de grijze muren. Een enorme kroonluchter zette het altaar in een gouden gloed. Aan de kerkbanken waren met bruine en oranje linten takjes bitterzoet en lampionplant gebonden.

Het was een perfecte bruiloft, afgezien van twee dingen. De kaneelkleurige jurken voor de bruidsmeisjes werden twee dagen voor de bruiloft geleverd en bleken knaloranje. En in plaats van stralend tegenover de bruidegom te staan, stond ik met een geforceerde lach om mijn lippen tegenover zijn neef Norman.

Die twee dingen dus. En misschien had ik niet moeten instemmen met die bruine rozen. Ik had mijn best gedaan Janie om te praten.

'Janie, bruin is de kleur van dode bloemen.'

'Maar Van, ze zien er niet dood uit. Ze zijn prachtig, heel chic.'

Het was een verloren zaak. In een populair bruidsblad hadden foto's van herfstboeketten gestaan, en Janies moeder was naar Connecticut gegaan om bij de in het tijdschrift genoemde bloemist boeketten voor Janies bruiloft te bestellen.

Uit mijn ooghoeken zag ik Janies nichtje Libby naast me met haar kanten zakdoekje haar ogen deppen. Ze kon niet alleen geweldig waterig lachen, maar dat knaloranje stond haar ook goed. Bethany, Janies vriendin uit haar studietijd, kon ik vanaf mijn plek niet zien, maar ik wist zeker dat zij ook gepast weende. Zo iemand was ze wel. Gelukkig zag zij er ook vreselijk uit in die jurk.

De hele plechtigheid stond ik met het boeketje bitterzoet en bruine rozen in mijn hand geklemd, zo stevig dat de nagels door het oranje satijn van de handschoen in mijn andere hand stonden.

Mij ontging het gedeelte waarin wordt gevraagd of iemand bezwaar had tegen een huwelijk tussen deze twee, blablabla. Mij ontging ook het uitspreken van het jawoord en al dat gezeur. Ik stond daar maar mezelf met mijn nagels door twee lagen satijn pijn te doen.

Ik deed mijn best niet naar Peter te kijken, in dat grijze jacquet en die glimmende schoenen. Hij was net zo volmaakt als het porseleinen bruidegommetje dat Janie voor boven op de bruidstaart had besteld. En ik deed ook mijn best niet naar Janie te kijken, die straalde in het licht van de kroonluchter. De kristallen rond de hals van haar jurk fonkelden. Ik keek naar de bruine rozen en probeerde eruit te zien alsof ik diep nadacht over de betekenis van het huwelijk en de band die voor mijn ogen werd gesmeed.

En toen kusten ze elkaar en was de zaak beklonken. Janie legde haar hand op Peters borst om hem ervan te weerhouden haar al te lang te zoenen, of haar vast te houden op een manier die de fotograaf beter niet kon vastleggen. Ik zou hem zo lang ik maar kon dicht tegen me aan hebben gehouden, maar daar kon ik beter niet aan denken. Ik plakte de lach weer op mijn gezicht en gaf Janie haar bruine bloemen.

Norman en ik liepen achter het bruidspaar aan over het middenpad, met mijn hand net boven zijn gebogen elleboog, zoals me was voorgedaan. We liepen in een raar tempo, stap, stil. Norman legde zijn andere hand op de mijne. Tijdens zo'n moment van stilstaan gaf ik hem een trap tegen zijn schenen, en fluisterde: 'Haal je maar niks in je hoofd, Norman.' Maar ik bleef lachen. Hij haalde zijn hand weg.

Tijdens de receptie in Kittle House hield Norman een lange, warrige toespraak over hoe Peter en hij vroeger dachten dat meisjes luizen hadden, en eindigde met schampere opmerkingen over zijn scheiding, en dat Peter hem door die moeilijke periode had geholpen. We hieven ons glas champagne, en stapten toen over op de punch bij de Thanksgiving-maaltijd die als een toonbeeld van vraatzucht op de tafels stond uitgestald.

Ik was blij dat Janies vader het niet gepast vond voor een vrouwelijke getuige om een toespraak te houden. Waarschijnlijk vond hij dat pas ongepast toen hij erachter was gekomen dat ik Janies getuige zou zijn. Charles Driscoll had al de pest aan me sinds ik Janie in groep 4 lelijke woordjes had geleerd. Janie werd naar huis gestuurd omdat ze ze tegen de juf had gezegd, waardoor ze een slechte aantekening op haar eerst zo smetteloze leerlingenkaart kreeg.

Charles gaf mij de schuld dat Janie niet naar Harvard kon, maar moest uitwijken naar Brown. Hij zal altijd blijven denken dat dat door die slechte aantekening kwam. In werkelijkheid stopte ze het aanmeldingsformulier in mijn schooltas in plaats van in de brievenbus. Elke keer dat ik Charles Driscoll zag, had ik willen gillen: 'Het komt niet doordat ik uw dochter lelijke woordjes heb geleerd, maar omdat ze niet naar Harvard wílde, stomkop!' Maar omdat het een bruiloft was, zei ik maar: 'Meneer Driscoll, u bent vast heel trots.'

Na de eerste gang stond Peter op en hield een korte toespraak. Hij zei dat Janie een engel was. En hij noemde haar voortdurend Jane. En hij gebruikte het woord 'vreugdevol' wel een paar keer, en dat was echt te veel van het goede.

Net toen ik dacht dat hij eindelijk was uitgepraat, zei hij: 'Ik wil ook graag Savannah Leone bedanken omdat ze zo'n geweldige vriendin van mijn echtgenote en mij is.' Hij lachte zacht en keek naar zijn champagneglas. 'Wauw, mijn echtgenote. Het is vreemd en geweldig om dat te kunnen zeggen.' Hij zoende Janie op haar wang. De fotograaf kon wel plaatjes blijven schieten. 'Nou ja,' ging Peter verder, 'zoals ik al zei, Van is een echte vriendin, en ik had haar graag als míjn getuige gehad. Dat bedoel ik niet beledigend, hoor, Normy. Maar Van had er vast veel mooier uitgezien in die smoking, denk je niet?' Weer lachte hij, en hij wachtte totdat de aanwezigen ook zouden lachen. 'Weten jullie, zonder Van zouden Jane en ik elkaar nooit zijn tegengekomen. Dus als we het glas willen heffen op dit huwelijk, moeten we ook het glas heffen op Van, die de aanzet hiertoe heeft gegeven.'

Iedereen klonk en de driehonderd beste vrienden en vriendinnen van het bruidspaar mompelden iets. Janie proostte met Peter en toen met mij. Vervolgens sloeg ze haar armen om me heen en fluisterde in mijn oor: 'Ik hou van je. Ik zou niet weten wat ik zonder jou moest.' Haar ribben prikten in de mijne, en ze haalde bibberig adem.

'Ik hou ook van jou, maar niemand houdt van een bruid die steeds in tranen is,' zei ik terwijl ik me terugtrok en mijn best deed een lachje op te brengen. 'Kom tot jezelf, dame!' Ik pakte mijn servetje. 'Kijk omhoog.' Janie keek omhoog en ik hield een hoekje van het linnen servet tegen de traan die aan haar wimpers hing, zodat die haar make-up niet in gevaar kon brengen. 'Een andere keer kunnen we huilerig doen.'

Het liefst zou ik willen verdwijnen, door de grond willen zakken, en dan zou er niets anders van me overblijven dan een hoopje oranje satijn en schoenen in dezelfde kleur.

Toen Janie en Peter opstonden voor hun eerste dans als echtpaar, dacht ik er ernstig over me te verstoppen in de garderobe, met een fles champagne en stapels van die belachelijke witte netjes vol amandelen. Ik werd verondersteld blij voor hen te zijn. Ik werd verondersteld hen te steunen. Want zo gedraagt een getuige zich. Die hoort blij te zijn en het bruidspaar te steunen op hun mooiste dag. En ik kon er niet eens tegen hen te zien dansen.

'Zeg, Vannie, ik heb je in tijden niet meer gezien.' Peters tante Agnes kwam naast me zitten. Zelf had ze geen kinderen, en ze adoreerde Peter. Peter was ook zeer op haar gesteld, maar ik noemde haar altijd tante Ellende. Toen we nog studeerden, heeft ze ons een paar keer mee uit eten genomen, maar een goed maal was het niet waard om naar haar te luisteren. 'We hebben elkaar zoveel te vertellen! Wat is er allemaal gebeurd, lieverd?'

'De eerste dans.' Ik wees naar de dansvloer, waarop Peter en Janie naar elkaar toe liepen om elkaar in het midden tegen te komen. 'Ik moet gaan. Ik ben getuige.' Ik lachte gejaagd en ging vervolgens langs de dansvloer staan. Ik wist niet goed uit welke twee kwellingen ik moest kiezen.

Terwijl ik daar met de anderen stond te kijken naar het bruidspaar dat ronddanste op de tonen van 'The Way You Look Tonight', kwam Diane Driscoll naar me toe en sloeg haar arm om me heen. Vervolgens liet ze haar hoofd op mijn schouder rusten.

'We hebben het goed gedaan met ons meisje, hè, Vannie?' zei ze.

Ik wist niet of ze doelde op deze avond, of meer in het algemeen. En ik wist ook niet of dat 'we' sloeg op haarzelf en mij, of alleen op haarzelf en Charles.

Maar toen zei ze: 'Het spijt me dat Natalie dit niet kan zien.' Toen drong het tot me door dat dat 'we' sloeg op haarzelf en mijn moeder. 'Weet je, je lijkt sprekend op haar zoals ze was toen ik haar leerde kennen,' zei ze, en ze hief haar hoofd om me een zoen op mijn wang te geven. Ze legde haar hoofd weer op mijn schouder, en ik voelde een traan over mijn arm lopen terwijl we keken naar Janie en Peter die eindigden met de ingewikkelde draai die ze van Vanessa hadden geleerd.

Gauw droogde ze haar ogen en greep me bij mijn armen. 'Je komt toch straks bij ons logeren?' vroeg ze. 'Ik heb allemaal hapjes en video's in het koetshuis. Ik dacht dat we een feestje zoals vroeger konden bouwen.'

Mijn moeder en ik woonden vroeger in het koetshuis van de familie Driscoll. Dat stond tweehonderdtweeëntachtig stappen bij de voordeur van het grote huis vandaan. Janie en ik hadden dat geteld in de zomervakantie voordat we naar groep 4 gingen. De Driscolls hadden een enorm terrein rond hun huis in Chappaqua. Gek dat Diane daar een feestje wilde bouwen... Het was natuurlijk háár koetshuis, al had ik het altijd eerder beschouwd als van mijn moeder en mij.

Ik had tegen Diane willen zeggen dat ik geen plaatsvervanger voor mijn moeder was. Maar dat deed ik niet. 'Ik moet vanavond terug naar Rochester,' zei ik. 'Ik heb volgende week van alles te doen met een grote subsidie, en ik heb mijn laptop niet bij me.'

'O nee, niemand werkt in het weekend van Thanksgiving, Savannah Leone. Zelfs jij niet.' Ze wreef over mijn arm en kneep toen haar ogen tot spleetjes, alsof ze in de zon keek. 'Jammer van die jurk,' zei ze terwijl ze aan de rok van mijn satijnen jurk voelde. 'Het is toch niet te geloven dat die idioten van de bruidswinkel met een verkeerde kleur zijn gekomen. Ik snap niet dat ze die kleur in huis hebben. Wie kiest er nou voor knaloranje?'

'Och, zo erg is het niet,' zei ik vergoelijkend. Voor de plechtigheid hadden we al uren ellende met die jurken gehad. Diane was woest geweest. Ze had gebeld, ze had gedreigd, ze had gehuild en ze had gevloekt. En nog steeds waren de jurken even oranje.

Hoofdschuddend slaakte Diane een gekwelde zucht. 'Je lijkt sprekend een pompoen, liever,' zei ze toonloos. Vervolgens kreeg ik een zoen op mijn wang. 'Tot straks in het koetshuis. Het wordt vast heel leuk.' Ze knikte lachend alsof het nu vaststond en haastte zich daarna weg om Janie te omhelzen.

Ik miste de rimpeltjes rond Dianes ogen wanneer ze lachte. Mijn moeder had Diane na haar facelift verzorgd, en een paar maanden later had Diane mijn moeder verzorgd tijdens de chemokuur.

Ik stond te kijken naar Diane die een lok haar uit Janies gezicht streek. Ik zou graag willen dat er bij mij dingen werden weggestreken, zodat ik blij kon zijn voor Janie en niet steeds aan Peter zou hoeven denken. Of, mocht ik over Peter heen komen en op iemand anders verliefd worden, aan het feit dat mijn moeder op de bruiloft nooit mijn haar goed kon doen.

Ik voelde een koude hand op mijn schouder.

'Van?' zei Peter. 'Wil je iets voor me doen?'

Ik draaide me om en keek hem aan. Zijn das zat los en het bovenste knoopje van zijn overhemd stond open. Zijn wangen en zijn neus zagen rood, en ik vroeg me af hoe het zou zijn als al deze ademloze opwinding betrekking zou hebben op mij, en niet op Janie.

'Tuurlijk,' antwoordde ik zonder hem aan te kijken. Als ik in Peters blauwgrijze ogen zou kijken, zou mijn hart ongetwijfeld breken.

'Ik weet dat je geniet van de bruiloft, maar...' Hij zweeg en keek naar Norman, die tegen de bar aan hing en boze woorden van de vrouw achter de bar over zich heen kreeg. 'Norman zou de kamer in orde brengen. Maar hij is niet...' Hij trok een wenkbrauw op. 'Zou jij misschien...'

'Geen probleem,' zei ik. Ik hoopte dat niet aan mijn gezicht te zien was dat ik dolblij was om weg te kunnen.

'Je bent top, Van.' Hij grijnsde van oor tot oor en klopte me op de rug alsof we samen in een voetbalelftal zaten. 'Ik zou niet weten wat ik zonder jou moest.' Hij gaf me een setje sleutels met een Playboy-bunny met een diamanten oogje eraan. 'Van Normans auto,' zei hij met een geërgerde blik. 'De doos staat op de passagiersstoel. Nadere uitleg overbodig.' Hij sloeg zijn armen om me heen en liet zijn kin even op mijn blote schouder rusten. 'Je kunt toch nog wel autorijden?' Zijn adem was warm. Even hield hij me een eindje van zich af om eens goed te kijken of ik nog wel tot autorijden in staat was.

'Ja, hoor,' zei ik met een blik op zijn nieuwe, glimmende trouwring van platina.

'Dank je wel, Van. Ik sta bij je in het krijt.' Hij gaf me een kusje op mijn wang en snelde weg. Ik voelde zijn lippen nog op mijn wang toen hij allang weer in de mensenmassa was verdwenen.

Janie en haar vader waren net gaan dansen op 'Thank Heaven for Little Girls'. Best eng. Ik beschouwde het maar als een teken dat ik beter kon vertrekken. Ik dook de garderobe in en pakte de stola van nepbont die ik als bruidscadeautje van Janie had gekregen, en ontsnapte naar het parkeerterrein.

Ik liep een beetje rond en klikte op de afstandsbediening totdat de lampen van een zilverkleurige BMW oplichtten. Het nummerbord was: LADEZMAN. Rokkenjager...

Toen ik het sleuteltje in het contact had omgedraaid, schalde Michael Bolton uit de speakers van de cd-speler. Ik haalde de cd eruit en gooide die op de achterbank. Vervolgens snuffelde ik tussen de andere cd's totdat ik er eentje van Boston had gevonden. Ik stopte die in de cd-speler en reed op de tonen van 'More Than a Feeling' achteruit de parkeerplaats af.

Mijn moeder en ik waren stiekeme Boston-fans geweest. We hadden al hun lp's onder haar truien op de bovenste plank van haar klerenkast bewaard, en we luisterden er alleen naar als we echt heel zeker wisten dat er niemand zou langskomen.

Ik scheurde over de grindweg, weg van Kittle House. Met piepende banden draaide ik de weg op. Normans auto had een uitstekende wegligging in de bochten van de Saw Mill River Parkway, en ik legde de afstand tussen Chappaqua en Tarrytown in recordtempo af.

Ik was al vroeg naar Westchester gegaan, en Janie en ik hadden de twee avonden voor de bruiloft doorgebracht in de bruidssuite van een hotel in Tarrytown dat Castle on the Hudson heette. Het was een verschrikking. Ik werd geacht naast haar te zitten in het wellnesscentrum terwijl mijn nagels werden gelakt in de kleur van een zonsondergang, en te luisteren naar echt álles wat Peter en zij tegen elkaar over de bruiloft hadden gezegd. Ik had mijn best gedaan de goede vriendin te zijn die ze verwachtte. Gelukkig was ze zo in alles opgegaan dat ze niet had gemerkt dat ik me ellendig voelde.

'O, Van,' kwetterde ze. Ze wuifde met haar hand met de ongelakte nagels, terwijl het meisje haar best deed de hand stil te houden waarmee ze bezig was. 'Wanneer val jij nu eens voor iemand?'

Mijn maag kromp ineen. Als ik niet heel erg mijn best deed, zou ik er de waarheid nog uit kunnen flappen. Ik dacht aan mijn mond waar de woorden uit zouden komen, per tekstballon een lettergreep, om uiteindelijk de zin te vormen: ik ben verliefd op je verloofde. Ondertussen zou Janie geschokt toekijken.

'Ik gun je zo dat jij je ook zo voelt,' ging Janie verder. 'Dat er maar eentje de Ware is, en dat die van jou is. Toen ik hem die eerste avond bij jou zag, wist ik het meteen. Zulke dingen wéét je gewoon, Van.'

Maar stel dat jij het weet, maar de ander niet? Ik dacht aan alle plaatsvervangers, de vriendjes die ik stiekem had gehad om Peter niet te ontmoedigen. Het vriendje dat een leguaan in zijn kamer had, hoewel dat niet was toegestaan. En het vriendje dat een Mr. Spock-kostuum in de kast had hangen. En het vriendje dat het hele periodiek systeem kon boeren. Het vriendje dat zijn wenkbrauwen plukte en bezwoer dat dat niet het geval was. De schattige vriend die na de studie wilde gaan samenwonen, net op het moment dat het niet zo lekker ging tussen Janie en Peter, en ik dacht dat ik heel misschien eindelijk een kansje maakte. Allemaal verbleekten ze bij Peter. Het was alsof ze niet eens kerels waren. Ze waren van een heel ander soort. Ik voelde niets bij hen. Maar Peter hoefde me alleen maar aan te kijken en er ging van alles door me heen. Ik voelde me mooi, bijzonder, belangrijk en slim. Wanneer hij naar me keek, bestonden alleen wij tweetjes nog.

Ik keek naar Janie, die babbelde over de plannen voor de huwelijksreis. Meteen voelde ik me het belabberdste bruidsmeisje annex getuige ooit. Stilletjes nam ik me voor nooit meer aan haar toekomstige echtgenoot te denken, ook al wist ik dat ik me er niet aan zou kunnen houden. Ondertussen was het meisje met mijn nagels bezig, en ik deed mijn best me daarop te concentreren en al het andere uit mijn hoofd te zetten. Steeds die drie haaltjes met het kwastje. Een, twee, drie, mijn duimnagel was goudbruin. Een, twee, drie, de wijsvinger. Een, twee, drie, de middelvinger.

'Wanneer we jouw bruiloft gaan regelen,' zei Janie, waardoor ik in de war raakte, 'kunnen we alles doen wat bij de mijne niet kon.'

Ik kon niets bedenken wat niet was gedaan. Er was een sculptuur van ijs, op elke tafel stonden orchideeën, alles was met uiterste precisie geregeld. Zoals altijd was Janie vergeten dat er een groot verschil bestond tussen de dochter van Charles en Diane Driscoll, en de dochter van Charles en Diane Driscolls huishoudster.

Als ik ooit zou houden van iemand anders dan Janies echtgenoot, zou mijn bruiloft waarschijnlijk worden gehouden op het gemeentehuis, en daarna iets bij Best Western. Misschien zouden er schalen met lauw geworden pasta zijn, of met een beetje uitgedroogde vis met een klonterige saus, dit alles beschenen door waxinelichtjes. Maar zeker geen diner dat werd besloten met drie desserts, en al helemaal niet met een tien man sterke jazzband.

Nadat onze nagels waren gedaan, moest ik met Janie lingerie voor de bruidsnacht uitzoeken.

'Ik ben zo blij dat jij bij me bent,' zei ze ademloos terwijl ze de nachtponnen van het rek haalde en ze in mijn armen duwde. 'Mijn moeder wilde mee, maar dit is niet iets om samen met je moeder te doen! Ik droom al vanaf mijn zevende dat ik met jou inkopen voor de bruiloft zou doen.' Ze keek me aan. Even dacht ik dat er waterlanders zouden komen, maar ze herstelde zich snel bij het zien van het volgende rek. 'O, die moeten we nog allemaal bekijken!'

Ze was dolgelukkig. Ik voelde me vreselijk omdat ik me zo vreselijk voelde.

'Waarom ga je deze niet vast passen?' Ik loodste haar naar een paskamer. 'Dan kijk ik naar de andere en breng je de leukste.'

Ik haalde alle nachtponnen in haar maat van het rek en overhandigde ze een voor een over het deurtje. Het waren kleine nachtponnetjes. Ik hield er voor de spiegel eentje voor mezelf. Het leek wel een poppenjurk. Maar goed, Janies taille had ongeveer de omtrek van mijn bovenbeen. We leken uit totaal ander hout gesneden. Vergeleken met iemand van normaal postuur was ik aan de lange kant, en er konden een paar pondjes af. Maar vergeleken met Janie was ik een dragonder. Zij had mooie botten, ik was rond. Zij was petit, ik was fors. Ik stak een kop boven haar uit. Ze had ook de irritante gewoonte om altijd op ballerina's te lopen. Ze vond het helemaal niet nodig om langer te lijken. Ze legde juist de nadruk op haar kleine gestalte, alsof ze dat wel prima vond. Janie was het soort meisje dat er in een jutezak nog uitzag alsof ze haute couture droeg. Bij mij zou het gewoon een jutezak zijn. Bovendien zou die te kort zijn, en zo strak om mijn borsten en billen spannen dat het ongepast zou zijn.

Ooit kon me dat allemaal niets schelen. Janie was jongensachtig gebouwd, en ik kreeg al jong vrouwelijke vormen. Op de middelbare school keurden de jongens haar geen blik waardig, maar mij liepen ze kwijlend achterna. Maar nu was ze een elegante vrouw geworden. Alles aan haar was klein maar fijn, en bij mij was alles net iets te veel. Zij had prachtig kastanjebruin haar. Het mijne was zwart, en bij het verkeerde licht kreeg het een blauwachtige glans. Na uren in de zon kreeg Janie een mooi kleurtje en wangen met een blosje. Ik werd poepbruin. Als Janie er niet bij was, voelde ik me als ieder ander. Soms zelfs mooi. Maar bij haar in de buurt waren mijn oren te groot, mijn neus te rond en mijn handen te mannelijk. Wanneer ik liep, wreven mijn dijen tegen elkaar. En het was allemaal erger geworden omdat Peter Janie leuk vond.

Janie zag wel iets in een witsatijnen nachtgewaad met een hoge hals en gekruiste banden op de rug, maar toen gaf ik haar een roodsatijnen gevalletje dat was afgezet met zwart kant.

'Maar Van, dit is toch niets voor een bruidje?' zei ze, en ze sloeg haar armen om zich heen toen ik even in het pashokje keek. Ze zag er geweldig in uit, en dat wist ze zelf ook. Met haar donkere haar in een rommelige wrong, en het rood en zwart contrasterend met haar blanke huid, zag ze er zowel koninklijk als sletterig uit. Ze gebruikte mij als smoesje om dat ponnetje aan te schaffen.

'Je gaat toch aan mijn hoofd zeuren totdat ik het koop, dus kan ik dat net zo goed meteen doen,' had ze hoofdschuddend gezegd. Met een zucht had ze me aangekeken alsof het allemaal mijn schuld was, maar ze had erbij gelachen.

Ik had me afgevraagd of er in de hel een plaatsje werd vrijgehouden voor jaloerse bruidsmeisjes.

Toen ik bij Castle on the Hudson kwam, was ik luidkeels aan het meezingen met 'Rock and Roll Band'. Maar ik hield mijn mond toen ik eenmaal voor de deur tot stilstand kwam. Ik zette de cd-speler uit en overhandigde Normy's sleuteltjes aan de parkeerwacht. Vervolgens pakte ik de kartonnen doos van de achterbank. Niemand bood aan die voor me te dragen terwijl ik door de lobby naar de liften liep. De hakken van mijn schoenen klikklakten over het marmer, en een van de oranje handschoenen viel uit mijn tasje. Een piccolo holde erop af en raapte hem voor me op. De portier keek me vuil aan. In dat knaloranje en met de nepbont stola zag ik er vast uit als een goedkoop escortmeisje. Ik popelde om bij de lift te zijn.

Eenmaal in de kamer maakte ik gauw de doos open. Dit moest geen seconde langer duren dan nodig was. Er was een doosje vol rozenblaadjes, er waren naar vanille geurende kaarsen met kristallen kandelaars, een boekje lucifers, en een satijnen banier waarop stond: JUST MARRIED. Pasgetrouwd...

Ik gooide een paar handjes rozenblaadjes over het bed, de vloer en de fauteuil, en ik maakte de banier vast aan de beddenstijlen. Dit had Peter best door het personeel kunnen laten doen.

Ik wist niet goed of ik de kaarsen moest aansteken. Waarschijnlijk ging het erom dat iemand de kamer in orde maakte zodat Peter Janie over de drempel kon dragen van een ruimte die baadde in kaarslicht. Maar ik vond het geen goed idee de bruidssuite in vlammen te laten opgaan, dus zette ik de kaarsen maar in een kringetje op de toilettafel en legde het luciferboekje erbij.

Onder in de doos lag een witsatijnen nachtpon met gekruiste banden op de rug. Ik haalde het prijskaartje eraf en spreidde hem uit op het bed. Vervolgens ging ik de badkamer in, waar Janies rode niemendalletje aan een hangertje hing. Ik stopte het onder in haar koffer.

2

Ik was met Janie in de limousine naar de kerk gegaan, dus stond mijn auto nog bij het Castle. Het was de enige middenklasser. De parkeerwacht had me de sleuteltjes gegeven en was weggesneld nog voordat ik hem had kunnen bedanken. Ik werd beter ontvangen toen ik in Normans auto kwam aanzetten, die niet alleen vier keer zo duur was als de mijne, maar ook vanbinnen niet rook naar ouwe friet en koffie.

Ik deed er lang over om terug te rijden. Eigenlijk had ik het einde van de receptie willen meemaken, maar in plaats van de grote weg nam ik achterafweggetjes. Ik reed langs onze oude middelbare school. Sinds ik daar eindexamen had gedaan, waren er drie nieuwe gebouwen bijgekomen.

Voorbij de middelbare school lag de doodlopende weg waar Kevin Ritter en ik vaak de auto wegzetten. Gedurende onze schooltijd was die weg aangelegd om er later een nieuwe wijk te bouwen. Op zwoele avonden stapten we uit en gingen we de huizen in aanbouw bekijken. Nu waren het echte huizen, met brievenbussen en deurkloppers van koper. Langzaam reed ik langs het huis waar op de brievenbus in krullerige cijfers 15 stond geschilderd. In de woonkamer flakkerde het blauwachtige licht van een tv.

Ik wilde de oprit oprijden, de koperen deurklopper op de rode deur laten neerkomen en de bewoners vertellen: 'Ik heb het voor het eerst gedaan op de vloer van jullie woonkamer.' Ik zag al een geschokte dame met een parelsnoer de oren van haar zoontje bedekken, en haar man de deur in mijn gezicht dichtslaan. Ik draaide de auto en reed verder.

Ik reed naar Gedney Park, waar ik vroeger met mijn moeder naartoe ging, beladen met strandstoelen en een tas vol romantische zwijmelboekjes. Dan gingen we bij het meer zitten om 'er eens helemaal uit te zijn'. Ik zette de auto op het parkeerterrein en liep naar de vijver die ooit was uitgegraven. De hakken van mijn schoenen verzonken in de net niet bevroren grond. Toen vond ik ons plekje, in de bocht van de niervormige vijver. Het was maar een klein stukje van het paviljoen waarvan we altijd hadden gedaan alsof het ons huis was.

Diane begreep nooit waarom we niet liever bij het zwembad gingen zitten. Maar wanneer we bij het zwembad van de Driscolls zaten, was mijn moeder nog aan het werk. Ook als ze eigenlijk vrij had, was er altijd nog iets te doen. In Gedney Park had je geen last van Driscoll-dingen, en dat was fijn. Het was zo fijn dat het ons niets kon schelen dat we er mal uitzagen met onze honkbalpetjes, afgeknipte joggingbroeken en goedkope teenslippertjes. We zaten bij de vijver en wierpen oudbakken cornflakes naar de eendjes terwijl we uitvogelden wie welk boek al had gelezen.

Mijn moeder las altijd een paar hoofdstukken en vroeg daarna aan mij: 'En? Hoe is het, lieverd?' Ze leunde dan naar me toe, met haar voet om de poot van mijn stoel, en luisterde naar me of er verder niets meer bestond.

Thuis was mijn moeder altijd gespannen. Wanneer ik daar iets vertelde, konden we worden gestoord door de kokkin die dreigde weg te gaan, of door de tuinman die het verkeerde soort rozen had aangeplant, of door Janie die belde dat ze bij een vriendinnetje moest worden gehaald. Maar in Gedney Park waren geen telefoons, er was geen kokkin en er was geen Janie. Ik had mijn moeder voor mezelf, ik hoefde haar met niemand te delen.

De eerste keer dat we naar het park gingen, vertelde ik haar dat Karen van haar moeder highlights in haar haar mocht, en dat Missy Gribaldi van haar ouders een paard zou krijgen als ze een heel erg goed rapport had. De laatste keer dat we er waren, hadden we het over Peter. Het was al ver in de zomer, vlak voordat ik aan mijn laatste studiejaar zou beginnen. Het was niet zonnig en ook niet echt warm. Er dreigde regen, maar mijn moeder wilde toch gaan.

'Het is onze laatste kans voordat je vertrekt,' zei ze. 'Morgen moet ik Janie helpen met inpakken.'

Dus stopten we boekjes in de tas en sjouwden de strandstoelen naar ons plekje. Mijn moeder deed niet eens of ze wilde lezen. Ze haakte meteen haar voet om mijn stoelpoot en zei: 'Kunnen we het erover hebben?' Haar stem klonk zacht, maar niet aarzelend. Het was geen vraag, maar een bevel.

Ik keek haar niet aan, maar was me ervan bewust dat haar blik op mijn gezicht rustte.

'Waarover?' vroeg ik zo neutraal mogelijk.

'Ik snap niet wat het pijnlijkst is,' zei ze. Ze streek een lokje haar achter mijn oor. 'Dat Pete verliefd is op je beste vriendin, of dat Janie verliefd is op de man die jij al drie jaar adoreert.'

Ik trok mijn wenkbrauwen omhoog en keek haar aan alsof ik niet begreep waarover ze het had, maar daar trapte ze niet in.

'Kom op.'

'Ik adoreer hem niet,' zei ik. 'Ik loop heus niet als een hondje achter hem aan of zo.' Ik haakte mijn voeten achter de dwarssport. 'Ik ben gewoon Janie niet.'

'Kijk me aan,' had ze gezegd, en ze had haar voeten op de grond gezet en haar ellebogen op haar knieën. 'Janie is van alles en nog wat, maar ze is niet jij.' Ze had mijn hand gepakt. Er waren tranen in haar ogen gesprongen. 'Jij bent heel bijzonder.' Ze had een traan van haar wang geveegd. 'Het is maar kort. Het is echt maar kort, Van. Je... je moet hem niet laten gaan. Je moet hem niet laten gaan omdat het Janie is.'

Terwijl ik hier alleen in de kou stond, besefte ik dat ze toen al moest hebben geweten dat het terminaal was. En ik dacht dat het misschien makkelijker is om goede raad te geven als je weet dat je er toch niet meer bent om te kijken hoe het uitpakt.

Ik keek naar het water dat de oranje lichtvervuiling van de stad weerkaatste. Mijn tenen deden pijn en mijn vingers waren verkleumd. Om nog wat langer te kunnen blijven, stak ik mijn handen in de stola die ik van Janie had gekregen, maar het was gewoon te koud. Ik liep terug naar de auto. Stap, zink, stap, zink.

Terug in de auto zette ik de verwarming op de hoogste stand, maar het ontdooien was hoogst onaangenaam.

Tegen de tijd dat ik weer bij Kittle House kwam, was het al na middernacht. Vanuit de auto zag ik Peter en Janie nog net in de limousine stappen. Iedereen zwaaide. Ik zette de auto stil met de lichten uit, opdat ze me bij het langsrijden niet zouden zien.

Norman liep langs de rijen auto's. Hij struikelde steeds en moest zich dan vastgrijpen aan de dichtstbijzijnde auto, waardoor er voortdurend een alarm klonk. Hij had zijn jasje uitgetrokken, de bovenste knoopjes van zijn overhemd zaten los en zijn mouwen waren opgerold. Toen hij langs mijn auto liep en even op de motorkap leunde, zag ik dat hij geen onderhemd droeg. Zijn borst was rood en er was geen borsthaar te zien. Ik dacht erover hem te vertellen waar zijn auto zich bevond, maar toen kotste hij over een zwarte Mercedes heen. Dus startte ik de motor maar en reed naar het koetshuis.

3

De sleutel paste nog in het slot, maar van de deurknop waren al onze krasjes weggepoetst. Toen ik de deur opende, zag ik dat binnen ook alles was opgeruimd. Alles was nog zoals het was geweest, maar dan netter, als het decor van een serie die zich afspeelde in het koetshuis. De stukgelezen romannetjes van mijn moeder zaten niet meer in de tas, maar stonden keurig op de plank van de ingebouwde witte boekenkast. De vloeren waren geschuurd en gelakt, onze krasjes waren verdwenen. Het kleed in de woonkamer was gereinigd door iemand die er verstand van had, of vervangen door een nieuw.

Onder de salontafel stonden drie rieten mandjes vol oude nummers van *People,* waarop mijn moeder een abonnement had gehad. Het waren niet onze mandjes, deze moest Diane hebben aangeschaft. Er lagen meer tijdschriften op de salontafel die we van een oude deur hadden gemaakt. Op het omslag van het bovenste tijdschrift stond iets over de meest sexy man van het jaar, en een foto van Hugh Jackman. Ik pakte het nummer op en keek naar het adres. Het abonnement stond nog steeds op naam van Natalie Lion.

'Natalie Lion!' riep ik altijd wanneer ik de post had gehaald. 'Je tijdschrift is er!'

'Grauwr!' riep ze dan terug, en dan rukte ze het uit mijn handen.

Meestal waren de bladzijden bobbelig omdat ze de bladen in bad las. En ze gooide ze altijd weg wanneer we ze uit hadden.

In de keuken lagen plastic sinaasappels en bananen in het hangmandje waarin wij altijd bananen met bruine plekken bewaarden.

'Zeg, Diane?' riep ik. 'Waarom al dat nepfruit?' Het was raar om mijn eigen stem te horen. Ik verwachtte bijna dat er iemand uit een slaapkamer zou komen om me te begroeten. Een actrice die mij speelde, of misschien mijn moeder.

Ik trok de deur van de ijskast open. Diane had die inderdaad volgepropt met dingen die we graag aten. Er was aardappelsalade en pasta van Bueti. Op de tweede plank stond een pizzadoos. Ik haalde die eruit en keek er even in. Het was een pizza met zwarte olijven. Ik vroeg me af of een koude pizza net zo lekker was als een koud geworden restje. Wie koopt er nou een hele pizza en zet die in de ijskast? Het was echt raar, net zo raar als alle moeite die ze had gedaan om alles er net zo uit te laten zien zoals het altijd was geweest. Alsof mijn moeder nog leefde, alsof er niets was gebeurd en koude pizza en pasta alles weer in orde konden maken. Meestal was Diane niet erg sentimenteel. Ik vroeg me af wat ze van plan was.

Er zaten geen spettertjes tandpasta op de badkamerspiegel. Er hing een keurig nieuwe wc-rol, en er lag een zachte badhanddoek klaar, een kleinere handdoek en een waslapje. Het waren niet onze handdoeken. Deze waren hagelwit en zacht, zonder malle rafels eraan. Er stond ook een mandje met toilet-spulletjes.

'Wat is dat toch met al die mandjes?' vroeg ik hardop. Ik snuffelde tussen de flesjes en zag producten waar ik vroeger dol op was: Love's Baby Soft, en de Oil of Olaz van mijn moeder.

Er was ook een flesje 5th Avenue. Ik trok de dop eraf en rook aan het spuitstuk. Vervolgens spoot ik een beetje in de lucht, en meteen rook het naar haar. Ik kon bijna haar kno-kige, warme hand tegen mijn wang voelen. Ik kon bijna de zwarte streepjes in haar blauwe irissen zien, en het stipje op haar neus waar twee sproetjes in elkaar overliepen. Dit was het enige waar mijn moeder veel geld aan uitgaf. Ze kocht het zelf, en dan kon ik het haar met Kerstmis geven. Ze voelde zich schuldig om zoveel geld aan zichzelf te besteden, daarom deed ze dat via een sluipweggetje.

Ze wist waar ik de cadeautjes verstopte die ik haar wilde geven, en elk jaar deed ze daar zo'n flesje bij. En elk jaar ver-pakte ik het flesje in goedkoop cadeaupapier en wachtte op haar verraste gezicht wanneer ze het uitpakte. Het was een prettige traditie geworden. 'Maar Van, dat had je niet moeten doen!' zei ze dan met een knipoog. Met zo'n flesje deed ze het hele jaar. Dit flesje was nog driekwart vol. Ze was gestorven drie maanden nadat ik was afgestudeerd.

Ik hoorde iemand bij de voordeur. De deurknop werd om-gedraaid en de onderkant van de deur schoof over de mat. Het spookachtige piepen waaraan mijn moeder en ik gewend waren geraakt, was verdwenen.

'Diane, het is gewoon eng,' riep ik vanuit de badkamer.

'Watte?' Het was Diane niet. Het was een zware stem, een krachtige stem.

'Peter?' Ik liep de woonkamer in. Hij stond voor de bank, met zijn haar alle kanten op en zijn das in zijn jaszak gepropt.

De knoopjes van zijn jasje en overhemd zaten los, en op zijn hemd zat een wijnvlek.

'Peter, wat doe jij nou hier?'

Hij zei niets. Hij keek me met open mond aan, alsof ik iets was uit een griezelfilm en hij niet kon wegkijken.

Terwijl ik naar hem keek, stelde ik me voor dat hij me in zijn armen nam en kuste, en zei dat hij een afschuwelijke vergissing had begaan en dat hij al die tijd eigenlijk van mij had gehouden. Ik haalde diep adem en nam me voor dat als ik me echt in een soort realitysoap bevond, ik me netjes zou gedragen.

'Kijk niet zo, Peter,' zei ik terwijl ik met mijn rok wapperde. 'Ik heb dat oranje niet zelf uitgekozen.'

Ik had een lach verwacht, of minstens een geamuseerde blik, maar die kwam niet. Hij kneep zijn lippen op elkaar.

Ik liep naar hem toe. En toen ik dichterbij kwam, zag ik de glazige blik in zijn ogen, en ook dat hij moeite had zijn tranen binnen te houden.

'Ga zitten, Peter.' Ik plofte op de bank en klopte op een plekje niet direct naast me. Wankelend liep hij naar de bank. Hij rook als een communiebeker.

'Je bent niet teruggekomen,' zei hij. 'Ik dacht dat je zou terugkomen, Van.' Hij keek me aan, en ik zag hoe hij er als klein jongetje moest hebben uitgezien. Zijn ogen waren groot en verdrietig, en hij had zijn wenkbrauwen opgetrokken. 'Ik kon geen afscheid van je nemen.'

'Je hoort hier niet te zijn,' zei ik. Ik dacht aan Diane, die waarschijnlijk al in een limousine onderweg hiernaartoe was. 'Waar is Janie?'

'In het Castle,' zei hij. Hij wreef over zijn kin alsof hij die op stoppeltjes controleerde.

'Waarom ben jij dan hier, Peter?' Ik keek naar zijn schoenen. Er zaten geen krasjes op. 'Je moet hier weg.'

'Je bent niet teruggekomen,' zei hij. 'Je hebt geen afscheid genomen. Ik ga veertien dagen weg, en je hebt niet eens afscheid genomen.' Hij boog zich naar me toe en stak zijn armen uit om me te omhelzen.

Ik zou me graag in die uitgestoken armen hebben geworpen om heel dicht bij hem te zijn, maar ik drukte me juist heel stevig tegen de armleuning van de bank om maar afstand te scheppen. Het kostte me moeite me niet op hem te storten. Ik kon me voorstellen hoe dat zou zijn. Ik wist dat hij warm was, en dat hij nog naar aftershave zou ruiken. Ik wist dat als ik met mijn gezicht langs het zijne wreef, ik de stoppeltjes zou voelen. En ik wist ook dat als ik mezelf door hem liet omhelzen, het heel anders zou zijn dan alle voorgaande keren. Het zou geen vriendschappelijke knuffel zijn.

'Het duurde behoorlijk lang,' zei ik terwijl ik met mijn vingers friemelde. 'Al die rozenblaadjes en kaarsen en zo.'

Hij zette zijn ellebogen op zijn knieën en verborg zijn gezicht in zijn handen. Dit was een heel andere Peter. Hij trilde over zijn hele lichaam, en huilde met hese uithalen. 'Je bent mijn beste vriendin en je hebt niet eens afscheid genomen.' Even keek hij me tussen zijn vingers door aan.

'Janie was er. Dat is het belangrijkste, Peter.' Ik legde mijn hand lichtjes op zijn rug, klaar om die terug te trekken zodra Diane kwam of de bliksem me trof.

Meteen schoof hij naar me toe en verborg zijn gezicht in mijn schoot.

'Hoeveel heb je eigenlijk gedronken?' vroeg ik terwijl ik één keertje door zijn haar streek.

'Veel te veel,' antwoordde hij. Zijn adem voelde warm tegen mijn benen.

Shit.

'Het komt allemaal goed.' Ik streek toch nog maar een keer door zijn haar. Het voelde zacht en bij zijn hals veerden de korte haartjes terug. 'Je moet terug naar Janie,' zei ik terwijl ik mijn hand terugtrok. Mijn jurk werd vochtig van zijn tranen en plakte tegen mijn bovenbeen. Het was allemaal veel te dichtbij.

Ik werd een beetje duizelig van het in cirkels denken. Ik wilde weten waarom hij was gekomen en tegelijkertijd wilde ik het niet weten. Als hij zei dat hij van mij hield en bij mij wilde blijven, wat kon ik er dan aan doen? Ik kon moeilijk zeggen: 'Hé, ik hou ook van jou. Kom op, we laten Janie stikken en gaan samen op huwelijksreis.'

Ik boog me voorover en deed mijn best overeind te komen, om Peter van mijn schoot te krijgen. Hij gaf geen krimp. Ik dacht dat het heel makkelijk zou zijn om hem te kussen. Als ik daar eenmaal aan zou beginnen, kon ik vast niet meer ophouden. Ik verschoof een beetje, haalde diep adem en zei: 'Je moet terug naar Janie.'

Toen ik opstond, viel hij van de bank en stootte zijn hoofd tegen de salontafel. Hij ging op zijn knieën zitten en wreef over zijn hoofd.

'Jezus, Van! Wat...'

'Ik ga een taxi voor je bellen,' zei ik vastberaden. Ik liep de keuken in en pakte de hoorn van de telefoon aan de muur. Door het raam zag ik de limousine buiten staan wachten. 'Ben je met de limousine? Wat heb je gedaan? Heb je haar afgezet en ben je toen meteen doorgereden?'

Pete knikte.

'Waar denkt ze dat je bent?'

'Ik heb gezegd dat ik bij de receptie iets had laten liggen,' antwoordde hij. 'Ik moest nadenken. Het voelde alsof ik stikte.' Hij huilde nu heel hard. Zijn gezicht was vertrokken en zijn schouders hingen verslagen omlaag. Weer zou ik hem in mijn armen willen nemen en over zijn haar strijken. Ik wilde hem zeggen dat alles in orde zou komen. Ik wilde hem zeggen dat ik van hem hield, maar steeds moest ik aan Janie denken, alleen in een bruidssuite vol rozenblaadjes, in die witsatijnen nachtpon wachtend op haar echtgenoot.

'Je kunt haar niet laten wachten in de huwelijksnacht,' zei ik. Ik beet op mijn lip om de tranen binnen te houden. Ik keek hem streng aan, in de hoop dat ik tot hem zou doordringen. 'Je kunt later nog genoeg nadenken.' Er sprongen toch tranen in mijn ogen, die ik gauw wegveegde. Hopelijk was Peter te dronken om ze te zien. 'Je hebt gewoon koudwatervrees. En je hebt te veel gedronken. Het gaat allemaal over.'

Nog steeds op zijn knieën keek hij me aan. 'Van...' Hij stond op. 'Savannah, ik...'

'Hou je kop, Pete!' riep ik uit. 'Hou in vredesnaam je kop!' Ik sloeg met mijn vlakke hand zo hard op het aanrecht dat het pijn deed.

Peter pakte mijn hand en hield die heel stevig vast. Toen boog hij zich zo dicht naar me toe dat ik zijn warme adem op mijn wang kon voelen. Ik wist dat ik mijn hand los moest trekken en dat ik moest weglopen, maar dat kon ik niet. Ik kon me niet bewegen. Ik sloot mijn ogen.

'Savannah,' fluisterde hij, 'ik wil...'

De deurknop bewoog. Peter liet mijn hand los. De deur zwaaide open en mijn hart sloeg over. Gauw stapten we bij elkaar weg.

Diane kwam binnen. Had ze ons gezien? Was er iets te zien geweest? Ik trok een keukenla open alsof ik iets zocht.

'Pete?' zei Diane. 'Wat... Waar is Jane?' Ze zag er moe uit.

Pete keek me aan alsof hij een verdwaald jongetje in de supermarkt was. Hij haalde zijn neus op en veegde zijn ogen af.

'Pete had me de bruidssuite in orde laten maken,' zei ik terwijl ik de la dichtschoof. 'Er was een armbandje dat ik had moeten neerleggen...' Ik zweeg, in de hoop dat Diane iets zou zeggen en ik de zin niet zou hoeven afmaken. Maar ze zei niets. Met opgetrokken wenkbrauwen keek ze naar Peter. 'Ik moest het achterlaten in een champagneglas, maar ik... ik heb het vergeten.'

'O,' zei Diane. Ze trok haar jas uit, eerst de ene mouw en toen de andere. Vervolgens legde ze de jas netjes over de rugleuning van een stoel. Ik wist niet goed of ze me geloofde; ze had altijd al een pokerface.

'Het zat in mijn tasje, en nu kan ik het niet meer vinden.' Zoekend ging ik naar de bank. 'Toen ik binnenkwam, gooide ik mijn tasje op de bank...'

'Pete,' zei Diane, 'zo'n armband maakt Jane niets uit.' Ze ging achter Peter staan en legde haar handen op zijn schouders. 'Het is het niet waard om zo van streek te raken.' Haar stem klonk vastberaden, scherp.

Ze keek naar mij. Ik trok een gezicht en maakte een gebaar van veel drinken. Ze lachte vermoeid, gaf Peter een schouderklopje en zei: 'Opstaan, jongen.'

Pete steunde op de salontafel om overeind te komen.

'Zo,' zei Diane, 'en nu huppekee naar je vrouw.'

Peter keek naar de grond. Verdomme, Pete, dacht ik, kijk naar haar, kijk niet zo schuldig.

'Van en ik gaan wel op zoek naar dat armbandje,' zei Diane. 'Dan kun je het Jane geven wanneer jullie terug zijn van de huwelijksreis.'

Ik herkende die toon. Shit, dacht ik, ze weet dat er helemaal geen armbandje is...

Pete knikte naar haar. Vervolgens liep hij met gebogen hoofd naar de deur en mompelde: 'Bedankt.'

Toen de deur achter hem dichtviel, verwachtte ik dat Diane me het vuur na aan de schenen zou leggen. Maar ze liet zich op de bank ploffen, trok haar hooggehakte schoenen uit en zei: 'O, Van, wil je alsjeblieft iets voor me inschenken?'

Ik pakte een glas uit de kast, deed er twee ijsblokjes in en vervolgens whisky uit de fles onder de gootsteen en bracht het naar haar. Ik zette het glas op de salontafel, met een tijdschrift als onderzetter.

'Dank je wel, schat,' zei ze. Onderzoekend keek ze naar me op voordat ze een slok nam. Ik keek uitdrukkingsloos terug. Toen Janie en ik nog op de middelbare school zaten, had ik Janie dronken gevoerd en mijn best gedaan Diane te laten geloven dat Janie iets verkeerds had gegeten. Toen had Diane me ook zo aangekeken.

Ze klopte op de bank, en ook al was ik het liefst gevlucht, toch ging ik naast haar zitten.

'Het komt vast goed,' zei ik, in de hoop dat het overtuigend klonk. 'En dat armbandje komt ook wel weer boven water.'

'Het komt allemaal goed,' beaamde Diane. Ze staarde in haar drankje alsof ze daar een gesprek mee voerde.

'Hoor eens, Diane, ik weet ook niet wat hij hier kwam doen. Ik heb geen flauw idee wat er aan de hand is.'

Diane zette haar glas op tafel en voelde in een van de mandjes met tijdschriften. Vervolgens haalde ze er een glazen asbak uit, een zilverkleurige aansteker en een pakje Camel zonder filter. Ze stak er twee tegelijk op en gaf er eentje aan mij. 'Nee?' vroeg ze met een lachje.

'Wat?' Ik nam een haal en zocht naar iets om te zeggen. 'Diane, ik...'

'O, Vannie...' Ze sloeg een arm om me heen en gaf me haar glas. 'Kom op, we worden samen dronken.'

4

Ik werd wakker met mijn gezicht platgedrukt tegen de armleuning en met een knallende koppijn. Diane lag bewuste-
loos in de enorme leunstoel, met haar hoofd rustend op de
ene armleuning en haar voeten bungelend over de andere. Met
haar mond wijd open snurkte ze als een oud mannetje.

Ik liet me van de bank glijden en steunend op de salontafel
kwam ik overeind. Mijn laatste glas whisky stond nog op de
tafel, in een plasje condens. Het was vol. Dianes glas was leeg.
Ze had aldoor drie glazen op me voorgelegen.

Ik deed mijn best stilletjes naar de badkamer te sluipen, maar
ik struikelde over een van mijn schoenen en met veel lawaai
wist ik me staande te houden. Diane gaf geen krimp.

Ik sloot de badkamerdeur met een klikje achter me. Ik dacht
dat als Diane niet wakker was geworden van mijn luidruchtige
struikelpartij, ze ook niet zou ontwaken van een klikje.

Er zat een rode streep op mijn gezicht van het biesje op de

bekleding van de bank. Mijn mascara zat in de plooitjes onder mijn ogen. Ik had mijn bruidsmeisjesmake-up er niet af gehaald, en in mijn haar zaten nog allemaal schuifspeldjes die alle kanten op stonden. Ik probeerde er eentje uit te trekken, maar het ding zat muurvast. Met al dat getoupeer en al die haarlak voelde mijn haar als een schuurspons.

Ik droeg de knaloranje jurk nog. Na het tweede glas had ik de rits op mijn rug losgemaakt. De strapless beha zat om mijn middel. Ik maakte de haakjes los en trok het ding uit mijn jurk.

Vroeger kon ik aangeschoten op de bank slapen en de volgende dag toch als een echte vamp ontwaken. Na mijn drieëntwintigste werd het nodig mijn gezicht te reinigen en vochtinbrengende crème te gebruiken om er niet als iets uit een rariteitenkabinet uit te zien.

Toen Janie en ik op het Castle hadden gelogeerd, was ze in slaap gevallen zonder iets aan haar gezicht te doen, en toen ze wakker werd, oogde ze als een engeltje en geurde ze als een bloementuintje. Haar donkere haar had niet door de war gezeten, het was gewoon golvend om haar gezicht gevallen. En de veegjes mascara onder haar ogen hadden eruitgezien alsof ze door een stylist waren aangebracht.

Het leek heel onwerkelijk dat Peter de vorige avond door de woonkamer had gezwalkt. Diane had er met geen woord meer over gerept. Ik had aldoor gewacht op een fikse ruzie. Ze had wel aangegeven dat die eraan zat te komen; ze had bermbommetjes gelegd, maar die niet tot ontploffing gebracht. En tussen twee slokken whisky door had ze me veelbetekenend aangekeken, en ondertussen had ze maar gekwebbeld over Janie en Peter die veertien dagen lang door Europa zouden trekken. Blijkbaar had Diane voor reisagent gespeeld, ze had alles gepland, tot aan reserveringen in restaurants aan toe.

'In de Loire-vallei heb ik de mooiste kamer van het Château de Coligny voor ze gereserveerd, aan de rue Condé,' had ze gezegd. Ze had iets te veel haar best op de Franse uitspraak gedaan, zodat ze had geklonken als een Frans hoertje in een slechte film. 'Op die manier blijven ze lang in de huwelijksreissfeer. Ze hoeven zelf helemaal niks te doen.' Ze had nog een slok genomen. 'Ze hoeven amper uit bed te komen.' Ze had gesnoven en me over haar glas heen doordringend aangekeken.

Ik liet water in de wasbak lopen. Het werd eerder warm dan bij mij thuis. Ik waste mijn gezicht met een zacht waslapje en de Franse zeep uit het zeepbakje. De zeep was van het merk dat Diane gebruikte. Hij rook naar citroengras. Diane had altijd een hekel gehad aan ons roze stuk Dove. Gek dat ze sommige dingen precies zo hield als vroeger, en andere juist niet. Zo was het niet perfect. Ik droogde mijn gezicht met de kleine handdoek. Toen ik daarmee onder mijn ogen wreef, kwamen er zwarte vegen op het smetteloos wit. Vervolgens pakte ik de Oil of Olaz van mijn moeder uit het mandje en deed dat op mijn gezicht.

Ik had Diane niet altijd irritant gevonden. Vroeger waren we bevriend, we waren handlangers, maar sinds de dood van mijn moeder wisten we niet goed hoe we met elkaar moesten omgaan.

Vroeger had Janie niet gegeven om kleren, schoenen of dure restaurants, dus had Diane mij meegenomen om jurken voor het zoveelste liefdadigheidsbal te kopen. Ze vond die gelegenheden verschrikkelijk, maar ze hoorden er nu eenmaal bij. De Driscolls waren een oude familie met oud geld. Dat hadden ze uiteraard verdiend aan de spoorwegen, maar tegenwoordig gebruikte Charles Driscoll het geld om meer geld te genereren. Elke ochtend ging hij per auto naar de stad, en eenmaal weer thuis trok hij zich terug in zijn werkkamer, waar hij verhitte telefoongesprekken voerde over termijncontracten, ruwe olie en varkensmarkten. Wanneer hij klaar was met schreeuwen in de hoorn, schreeuwde hij tegen Diane, bijvoorbeeld over het feit dat hij het niet eens was met de manier waarop de heggen waren gesnoeid, of dat de nieuwe overhemden die ze voor hem had gekocht te ruw waren, of dat hij meer vlees wilde bij het avondeten in plaats van de verdomde liflafjes die de kokkin op tafel liet verschijnen.

Als echtgenote van een Driscoll moest Diane naar elk liefdadigheidsevenement, waar de opbrengst ook voor was. Ze moest er natuurlijk piekfijn uitzien, en ze moest over koetjes en kalfjes praten met mensen die ze uitermate saai vond. Ze zag tegen elk evenement op, en popelde altijd om terug naar huis te kunnen, op de bank te ploffen en ons alles te vertellen over de niet erg geslaagde facelift van Claudia Von Hoeffing, en over Richard Wertlinger die was betrapt in de garderobe terwijl hij een serveerster betastte. Hoewel Diane een grote hekel aan deze evenementen had, vond ze het heerlijk om er jurken voor te kopen. Ze vroeg een dagje vrij van school voor me aan, en dan gingen we de hele dag winkel in, winkel uit, van Neiman Marcus tot de chicste boutique. En aan het eind van de dag lieten we ons verwennen in een wellnesscentrum.

Dat hadden we mijn moeder en Janie nooit verteld. Dat hadden we niet eens hoeven afspreken, dat deden we gewoon niet. De eerste keer kwam mijn moeder tegelijk met ons de oprit opgereden. Diane had mijn moeder verteld dat de school had gebeld dat ik niet lekker was en moest worden gehaald, en dat de school haar had gebeld omdat er in het koetshuis niet werd opgenomen.

Bezorgd had mijn moeder het haar uit mijn gezicht gestreken.

Diane had gezegd: 'Ik ga thee voor haar maken, een speciale thee waardoor ze zich gauw beter zal voelen. Ga jij maar gauw naar bed, Van, meisje.' Ze had mijn moeder aangekeken met een blik die duidelijk moest maken dat ze met me meeleefde. 'Kom mee, Nat, dan geef ik je het.' Toen ze waren weggelopen, had ze even omgekeken en naar me geknipoogd.

Ik was naar het koetshuis geld, en daar had ik het bandje

uit ons antwoordapparaat gehaald, zodat het leek of het kapot was.

Er was ook iets wat Diane voor mij geheim had gehouden. Wel meer dan een jaar. En mijn moeder had het me ook niet verteld. En toen ze het uiteindelijk vertelden, en ik naar huis kwam, was mijn moeder heel broos en teer geworden, en verborg ze haar kale hoofd onder een duur rood designermutsje.

Ik was het koetshuis in gelopen, en daar hadden ze gezeten in de slaapkamer van mijn moeder. Ze hadden me niet gehoord, en ik had geschokt geluisterd naar hun gesprek over de voering van haar kist.

'Satijn is veel te chic, Diane,' zei mijn moeder. 'Dat is niets voor mij.' Ze hield een lapje op van een grijswollen stof.

Diane trok een heel zuur gezicht en schudde haar hoofd. Vervolgens hield ze lachend een ander lapje op.

'Dit is heel klassiek, Nat,' zei ze. 'En zo'n donkere kleur roze is heel...' Toen zag ze me en hield ontzet haar mond.

Ze hadden een heel eigen manier ontwikkeld om erover te praten. Ze hadden ook een routine opgebouwd. Diane wist precies hoe alle pillen in de oranje potjes in de badkamer heetten. Ze herkende ze aan de vorm en de kleur, en ze kende de dosering uit haar hoofd. Voordat ik hen had zien overleggen over de bekleding van de kist alsof het voor een nieuwe auto was, had ik alleen gehoord over een knobbeltje dat was weggehaald, en een heel gewone operatie. En ik had mijn moeder geloofd toen ze had gezegd: 'Het komt allemaal goed, lieverd.'

De begrafenis was een verschrikking geweest. Diane had mijn moeder overgehaald tot alles wat met Driscoll-geld te koop was. Ze waren er heel erg mee bezig geweest. Elk detail was doorgenomen, vanaf het moment dat het woord 'terminaal' was gevallen. Ik raakte er erg door van streek, van de vazen vol gele rozen tot de omslag van grijze zijde van het gastenboek, passend bij de bekleding van de kist. Ze hadden gedaan alsof het heel normaal was je eigen begrafenis tot in de puntjes te regelen. Door al die details leken ze heel ver weg, alsof ik hen niet kende. Ik weet niet wat ik erger vond, die grote afstand tussen mijn moeder en mij of de grote afstand tussen Diane en mij. In elk geval moest Diane ervoor opdraaien.

Ik gilde tegen haar. Ik huilde. Ik schold haar uit voor alles wat mooi en lelijk was. Ik gooide met dingen. En toen reed ik terug naar Rochester en nam de telefoon niet meer op.

Janie vertelde me dat Diane erbij was toen ik afstudeerde, met een enorm boeket, en dat ze naar mijn gezicht had gezocht tussen al die in zwarte gewaden geklede studenten. Dat weekend bracht ik door in Ithaca, waar ik in het Holiday Inn naar verschrikkelijke tv-films keek. Later, wanneer Diane op bezoek kwam bij Janie, ging ik de stad uit. Het was makkelijker om Diane te ontlopen dan haar te spreken. Want hoe ik ook mijn best deed, ik kon het haar niet vergeven dat ze me niet had verteld hoe ziek mijn moeder in werkelijkheid was. Dan zou ik zijn opgehouden met mijn studie, dan zou ik voor mijn moeder zijn gaan zorgen. Dan zou ík hebben geweten welke pil voor wat was, dan zou ík haar hand hebben vastgehouden tijdens de chemo, dan zou ík haar waterijsjes hebben gebracht en dan zou ík haar aan het lachen hebben gemaakt. Ik zou meer herinneringen aan mijn moeder hebben gehad, en die zou ik hebben gekoesterd.

Diane bleef het een hele tijd proberen. Elke zondag belde ze. Ze sprak opgewekte berichtjes in, zoals: 'Hopelijk heb je een fijne tijd.' En dat terwijl we elkaar in maanden niet hadden gesproken. Ze stuurde me van die kaarten die oude dametjes in de tv-reclame elkaar sturen, met daarop de tekst: 'denk aan je'. Op de eerste sterfdag van mijn moeder liet ze zelfs bloemen bezorgen. Ik ging nergens op in, en uiteindelijk belde ze nog alleen rond de feestdagen, en de ingesproken berichtjes waren helemaal niet meer opgewekt, eerder afgemeten. Op mijn verjaardag kreeg ik een kaart, en met Kerstmis ook. De sterfdag van mijn moeder ging een paar keer zonder gedoe voorbij.

Tijdens de voorbereidingen voor de bruiloft had ik zo goed mogelijk afstand gehouden. Voor Diane had ik een bijzondere neplach op mijn gezicht geplakt. Tot ze me uitnodigde in het koetshuis was ze alleen beleefd tegen me geweest, alsof ik gewoon een van Janies studievriendinnen was. Alsof we geen gezamenlijke geschiedenis hadden.

Ik trok mijn oranje jurk uit en liet die op de vloer liggen. Daarna ging ik op de rand van het bad zitten, deed de stop in het bad en draaide de kraan open. Ik stroopte mijn zwarte panty af. Om mijn middel had die een rode striem achtergelaten, waardoor het leek alsof ik met een te strak verband om had geslapen.

Diane klopte op de deur en deed die meteen open.

'Ik moet verschrikkelijk nodig pissen, Van.' Ze waggelde naar binnen, trok haar jurk op en nam plaats op de wc-bril. 'Hopelijk vind je het niet erg,' zei ze met een lachje. 'Jezus, Van, ik zou een moord doen voor jouw tieten. Ik wist niet dat de natuur ze zo kon maken.'

Ik werd er verlegen van. Diane had mijn eerste behaatje gekocht, en terwijl ik het paste, had ze over het deurtje meegekeken. Maar toen kende ik haar goed...

'Wanneer jij de jouwe laat vervangen, zal ik je een foto geven van de mijne,' zei ik, en meteen voelde ik me verschrikkelijk. Vroeger maakten we sarcastische opmerkingen. Dit soort dingen zeiden we voortdurend tegen elkaar, en dat was dikke pret. Maar nu klonk het vals. Het was niet mijn bedoeling om vals te klinken, ik kon er niets aan doen. Misschien had Diane last van hetzelfde. Ik vroeg me af of er een manier was om het venijn weg te krijgen. Even voelde ik aan het water dat uit de kraan stroomde om de temperatuur te controleren.

Diane bloosde, maar ze ging niet weg. Ze liet het wc-deksel

terugvallen en ging daarop zitten. Ik wendde me af en trok snel mijn ondergoed uit.

'Leuk ondergoed, Vannie. Had je gedacht dat iemand het zou zien?' Het kwam er gladjes uit.

'O, dank je, Diane,' zei ik net zo gladjes terug. Ik stapte in bad en trok het gordijn dicht.

De achterkant van het gordijn, een beetje vaag te zien door de plastic binnenvoering heen, was vertrouwd en veilig. Mijn moeder en ik hadden het tijdens een uitverkoop gekocht. Het was lelijk en tegelijkertijd troostgevend. Vette paarse vissen bliezen oranje bellen terwijl ze zwommen in een groene zee. De vissen hadden wimpers, en hun felroze lippen zagen eruit alsof ze lippenstift hadden opgedaan.

Ik ging zitten en zette mijn voeten tegen de andere kant van het bad om niet te ver onderuit te zakken.

'Mooi,' zei Diane. 'Nu kunnen we praten.'

'Jezus, Diane, ik wil helemaal niet praten. Ik zit in bad en straks moet ik weg. Morgen is voor mij een gewone werkdag.'

'Nou, maak jij je maar schoon, dan praat ik wel.' Ineens klonk ze streng. Even stak ze haar hoofd om het douchegordijn. 'Multitasking, Savannah.'

Ik schoof het gordijn dicht, pakte een handje schuim en klapte in mijn handen. Een klodder belandde op mijn neus. Het was lastig om die scherp in beeld te krijgen, en nog lastiger om erlangs te kijken.

'Je woont nu al heel lang in Rochester, hè?' Diane tikte met haar nagels tegen het marmer.

Ik deed mijn best de belletjes op mijn neus uit elkaar te zien spatten.

'Nou en?' Ik veegde het schuim weg.

'Ik heb nooit aan je gedacht als iemand die daar zou wonen. Ik dacht dat je wel iets spannenders zou uitkiezen. Londen, Parijs, een studio in SoHo. Niet Rochester.'

'Diane...'

'Waarom blijf je daar eigenlijk? Ik bedoel, dat hoeft toch niet? Je hebt er geen familie. Peter en Janie hebben er Peters familie. Peter heeft er de praktijk van zijn vader. Zij hebben een reden om daar te wonen. Jij niet.'

'Ik heb er mijn baan. En hier heb ik ook geen familie.'

'Het is geen echte baan,' snauwde Diane. Ze begreep niets van wat ik deed. Ik werkte thuis in makkelijke kleren, en dat telde niet voor haar. Toen Janie had verteld dat ik ging freelancen, sprak Diane een bericht van meer dan een kwartier in waarin ze de lof zong van een goede kantoorbaan met goede vooruitzichten. Vreemd, want zelf had ze nooit zulk soort werk gedaan. Ze had Charles leren kennen toen ze serveerster was op de Larchmont Yacht Club, in de zomervakantie tussen haar eerste en tweede jaar op Manhattanville. Halverwege dat tweede jaar werd ze zwanger van Janie en gaf ze haar studie op. Ondanks de bezwaren van Charles' ouders trouwden ze, en vervolgens had Diane nooit meer hoeven werken.

'Het is wel een echte baan,' zei ik. Ik voelde me als een kind, en had bijna 'welles' gezegd.

'Je hebt niet eens een kantoor.'

'Maar wel cliënten. Ik heb allerlei banden met Rochester, Diane. Ik ben daar gesetteld.'

Diana tikte niet meer met haar nagels. 'Maar je bent vast heel eenzaam.' Ze legde extra nadruk op het woord 'eenzaam'. 'Ik bedoel, je kent daar toch niemand meer? Iedereen uit je studietijd is vast al weggetrokken.' Ze begon weer te tikken. 'Janie en Pete zullen het druk hebben met het huis. Met hun kinderen. Getrouwde stelletjes hebben geen vrienden die single zijn, Van. Jullie hebben niets meer gemeen, en ik weet dat jij geen vijfde wiel aan de wagen zou willen zijn.'

Achter het gordijn stak ik mijn middelvinger op. En met mijn voeten maakte ik golfjes in het water.

'Wat doe je?' vroeg ze.

Ik gaf geen antwoord. Zij zei ook niets. Het was stil, afgezien van het geluid van de golfjes. Ik kon er minder goed tegen dan zij.

'Ik probeer rustig in bad te zitten, zodat ik straks niet acht uur in de auto hoef te zitten terwijl ik stink als een zuipschuit.' Ik kuchte even. 'Dat bedoel ik niet beledigend, hoor.' Vroeger zouden we om zoiets hebben gelachen, maar Diane lachte niet.

'Wat wil je eigenlijk van me?' vroeg ik ineens.

'Ik wil niet dat je achteropraakt, Van. Misschien moet je eens iets nieuws gaan doen. Misschien moet je eens ergens anders iets nieuws beginnen, nieuwe kennissen opdoen.'

'Hoe bedoel je?'

'Sinds de begrafenis hebben we niet meer echt gepraat,' zei ze.

'Nou, ik had het druk,' zei ik, en ik hoopte dat ze een ander onderwerp zou aansnijden. Hier kon ik niet over doorgaan, dat kón ik gewoon niet.

'Je moeder heeft je geld nagelaten.'

'Mijn moeder had geen geld.' Het badwater werd koud, maar ik wilde niet uit bad komen, want achter het douchegordijn was ik veilig.

'Ze had vijftienduizend gespaard. En dan was er nog de levensverzekering. Die staat op jouw naam.'

'Levensverzekering? Ze had geen levensverzekering.'

'Hoe weet jij dat nou? Jij hebt geen weet van zulke dingen, Van,' reageerde ze alsof ik een klein kind was.

'Wat wil je nou?' vroeg ik. Het schuim was grotendeels verdwenen, en had het water een vieze grijsgroene tint gegeven. Mijn benen zagen er dik en bleek uit. 'Moet ik nu dankbaar zijn?' Ik trok mijn knieën op tegen mijn borst, zodat ik mijn benen niet meer hoefde te zien.

'Je hoeft niet dankbaar te zijn, Savannah. Die levensverzekering hoorde bij de arbeidsvoorwaarden van je moeder.' Ze had heel even gehaperd voor: arbeidsvoorwaarden.

'Waarom heb ik er dan nooit iets over gehoord?'

'Je neemt de telefoon nooit op. Je wilt niet met me lunchen wanneer ik bij Jane op bezoek kom.'

'Janie had het me toch ook kunnen vertellen!'

Diane haalde hoorbaar diep adem. 'Je weet hoe ze is. Dit is niet iets tussen jullie, dit is iets tussen ons.'

'Alleen...' Ik stond op. Het water droop van me af en maakte een kletterend geluid. 'Hoort een man in een fout pak me dit niet te komen vertellen?'

'Je hebt te veel films gezien.'

'Noem de dingen bij de naam, Diane.' Ik schoof het gordijn opzij en stapte op de badmat.

Diane leunde achterover tegen het badkamerkastje, en rustte op haar handen. Haar rechterhand kwam tegen de wasbak aan, en met een vinger van die hand maakte ze dat tikkende geluid. Ze had haar enkels over elkaar geslagen. Diane had voeten als die van een barbie. Ze had zo vaak schoenen met hoge hakken gedragen dat ze haar voeten niet meer plat op de grond kon zetten. Ik keek haar onderzoekend aan, maar ze verborg haar gevoelens achter een nors glimlachje.

'Moet ik de dingen bij de naam noemen? Nou, het is verzekeringsgeld. Wilde je dat horen?'

Ik ging dicht bij haar staan. Zo dichtbij dat er waterdruppels op haar rode jurk terechtkwamen, die donkere vlekken achterlieten. Ik reikte langs haar heen om een handdoek te pakken.

We hielden elkaars blik vast terwijl ik de handdoek om me heen sloeg. Ik hoopte op een verzachting, maar haar ogen bleven hard.

Ik stampte op blote voeten bij haar weg.

'Ik weet heus wel wat afkopen is, Diane,' zei ik.

'Misschien moet je je oren eens laten uitspuiten, meisje,' zei Diane. 'Je weet niet...'

Ik sloot de deur achter me zodat ik haar smoezen niet meer kon horen. Ik liet haar achter in de badkamer en ging zelf naar mijn oude kamer. Daar trok ik een la open, op zoek naar kleren die ik had laten liggen, want die knaloranje jurk wilde ik niet meer aan.

Ik trok de bovenste la van de kast drie keer open en deed hem drie keer dicht. Misschien dat als ik nog eens keek, er dan wel iets in zou liggen. Mijn handen trilden. Dit was niet de eerste keer dat ik had gezien dat Diane geld neertelde om een probleem uit de wereld te helpen. Het was wel de eerste keer dat ík het probleem was.

Toen Janie zeventien was, was ze in de zomervakantie stapelverliefd geweest op een van de jongens die het zwembad onderhielden. Elke keer dat hij de filters kwam schoonmaken, had Janie naast het zwembad liggen zonnen in een chic zwart badpak en een grote zonnebril op. Toen de jongen flirterige opmerkingen had gemaakt, was Diane woedend geworden. 'Ik betaal die jongen niet om mijn tienerdochter zwanger te maken,' had ze tegen mijn moeder gezegd toen ze dacht dat ik het niet kon horen. Hoewel de arme jongen niets had gedaan dan lachen en babbelen met Janie, vond Diane dat hij weg moest. De volgende keer dat hij was gekomen, had Diane me naar het zwembad gestuurd met een envelop die ik hem moest geven. Op dat moment was Janie nog in de badkamer geweest om zich in te smeren met zonnebrandcrème. Voordat ik de envelop had afgegeven, had ik er even in gekeken. Er had een cheque voor tweehonderd dollar in gezeten, en een briefje in Dianes krullerige handschrift waarin stond dat er geen gebruik meer van zijn diensten zou worden gemaakt, en dat hij geen contact met Janie mocht hebben. We hadden nooit meer iets van hem vernomen.

En toen mijn moeder na jaren van avondstudie was afgestudeerd in kunstgeschiedenis, had Diane haar een kaartje gestuurd en een cheque waardoor al dat leren en al het huiswerk een soort futiliteit werden. Een bedrag zoals de bonus en de opslag die ze van Diane had gekregen, zou ze nooit met lesgeven hebben kunnen verdienen.

'Het geeft niet, mam,' had ik gezegd. 'Met lesgeven kun je ook goed verdienen. Het komt allemaal goed. We hebben geen groot appartement nodig.'

Mijn moeder had gebroken geleken. Ze had daar maar gezeten en naar de letters gestaard: Natalie Mavis Leone.

'Ze is niet te koop, Diane!' had ik gekrijst. Ik had gedacht aan al die keren dat mijn moeder zich na het dagelijkse werk had moeten haasten om op tijd college te kunnen volgen. Ze was het huis uit gerend met in haar ene hand een leerboek en in de andere een boterham met pindakaas omdat ze geen tijd had gehad voor het avondeten. Ze had heel lang en heel hard haar best gedaan om lerares kunstgeschiedenis te worden, en ik had het Diane erg kwalijk genomen dat ze die droom van haar afpakte. 'We zijn niet te koop!'

Diane had aan haar toilettafel zitten roken. 'Ik ben echt een verschrikkelijk mens dat ik mijn huishoudster een bonus en opslag geef.' Vervolgens had ze een wolk rook uitgeblazen en die weggewuifd. Ze had gedaan alsof ik een dom kind was.

'We zijn niet te koop,' had ik nogmaals gezegd, omdat ik niets beters wist te verzinnen.

'Je bent niet goedkoop, Vannie,' had Diane lachend gereageerd. 'Kinderen zijn nooit goedkoop.' Via de spiegel had ze oogcontact met me gezocht, en ondertussen had ze haar haren opgestoken in een wrong. 'Je hebt eten nodig, en kleren. En over een hele poos moet je de wereld in en een goede baan zien te krijgen, en dat kan alleen als je hebt gestudeerd. Je moeder kan dat allemaal niet betalen van het salaris van assistent-leraar kunstgeschiedenis.' Ze had een lokje haar vastgezet. 'Dit is goed,' had ze met een lachje gezegd, alsof het maar dom van me was iets anders te denken. 'Ik doe iets goeds.'

En dus had mijn moeder haar droombaan bij de Rye Country Day School niet aangenomen, en was ik naar de universiteit van Rochester gegaan, gedeeltelijk met een beurs en gedeeltelijk met een toelage van de Driscoll Housekeeping Society.

Ik vond toch nog een ouderwetse onderbroek met vergeeld elastiek erin, een uitgelubberde grijze sportbeha, en een paar bruin-beige gestreepte sokjes met bij de grote teen knollen van gaten. De kast was nagenoeg leeg, afgezien van een zwarte ski-broek en een spijkerbroek op de bovenste plank. Ik pakte de spijkerbroek. Die stamde nog uit de tijd dat ik op de middelbare school superstoer had willen zijn. Er zat een gat onder de knie en er zat een gat op de kont dat slordig was hersteld met zwart garen. Die broek trok ik aan. Hij was koud, en de naden kraakten. Toch paste hij nog, al zat hij wel heel erg strak om de heupen. Dat was vroeger niet het geval geweest.

Omdat het niet anders kon, stapte ik mijn vroegere kamer uit. Ik moest een topje of trui hebben. De badkamerdeur stond open. 'Diane?'

Geen reactie. Haar jas hing niet meer over de stoel.

Ik ging naar het keukenraam en zag Diane met stevige pas naar het grote huis lopen. Ze had haar camel jas opengelaten, de panden wapperden achter haar aan.

Op het aanrecht lag een envelop met daarop in Dianes krullerige handschrift: Savannah Leone. De envelop was dichtgeplakt met een zilverkleurige sticker met een mooi versierde D erop. Ik stak mijn vinger tussen de flap. De sticker kwam los, maar scheurde niet. In de envelop zat een cheque ter waarde van honderdvijfenzeventigduizend dollar.

Ik haalde de cheque eruit en keek er met grote ogen naar.

Het was een lichtblauwe cheque met in de linkerbovenhoek het watermerk van de Manhattan Savings Bank. Het watermerk had wel iets weg van een oud Romeins paleis. De cheque was uitgeschreven voor Savannah Marie Leone, in eenvoudige blokletters geschreven in een kleur die van blauw naar paars naar rood ging. Verder stond er geen naam op, niet die van een verzekeringsmaatschappij, niet die van een Driscoll.

Ik verkreukelde de envelop toen ik ineens voelde dat er nog iets in zat: een strook opgevouwen papier. Het waren de foto's die in een automaat waren gemaakt toen ik dertien was. Ik had mijn pony opgebold met een krultang en een enorme hoeveelheid haarlak gebruikt. Ik deed mijn best mijn beugel niet te laten zien. Op de eerste twee foto's had ik geprobeerd er volwassen en sexy uit te zien. De derde foto was bewogen omdat ik even naar het gordijntje had gekeken. Op de vierde foto had ik mijn mond wijd open en mijn ogen dicht van het lachen. Mijn beugel fonkelde in het flitslicht.

'Niet met je blote tieten op de foto, jongedame!' had Diane opeens geroepen.

De foto was gemaakt tijdens een van de eerste keren dat ik had gespijbeld om met Diane kleren uit te zoeken. Diane had nog nooit een automatenfoto laten maken, en bij de damestoiletten had zo'n ding gestaan.

Ze had het niet fijn gevonden dat ik een grote aardbeiensmoothie had gewild. En ze vond het ook niet fijn dat ik naar de wc moest na al dat vocht. Daardoor zouden we te laat komen voor de afspraak met de personal shopper van Neiman Marcus. Ze was daardoor heel chagrijnig.

'Van, ik zei toch dat een kleine smoothie wel voldoende was?' had ze gemopperd in het hokje naast het mijne. Ik had kunnen horen dat zij ook moest plassen. 'We hebben toch al zo weinig tijd, en ik moet dit weekend een jurk hebben voor het Neuberger-bal,' had ze gezegd. Net alsof ik niet wist waarom we daar waren, of dat we thuis moesten zijn voordat mijn moeder iets zou merken.

Terwijl we onze handen wasten, had ze hoofdschuddend gezegd: 'Je bent net als je moeder. Drinken, plassen, drinken, plassen.' Met een zucht had ze een papieren handdoekje uit het apparaat gerukt.

Ik had me heel erg rot gevoeld, alsof ik iets had verpest wat nog niet eens was begonnen. Ik had haar geërgerd. Ik was een kleuter met een kleine blaas, een lastpost. Misschien zou ze me nooit meer meenemen.

Maar toen we terugliepen, was ze ineens gestopt bij de foto-automaat. Ze had aan het gordijntje gevoeld.

'Ik heb dit altijd al eens willen doen,' had ze gezegd. 'Als klein meisje al.'

'Heb je nog nooit een automatenfoto laten maken?' had ik gevraagd. Ik had het fijn gevonden dat ik dat al wel een keer had gedaan en voelde me heel even boven haar verheven.

Ik had een opgevouwen biljet van een dollar uit mijn broekzak gevist en tegen de wand van de automaat de kreukels eruit gewreven.

'Ga er maar in,' had ik gezegd terwijl ik het geld in de gleuf stak. 'Grijp je kans!'

Eerst had ze geaarzeld. We zagen de eerste flits. Ik pakte haar tas en duwde haar naar binnen.

Op de eerste foto had alleen het gordijntje gestaan. Op de tweede vielen haar haren voor haar gezicht terwijl ze ging zitten. Op de derde streek ze het haar uit haar gezicht. Maar op de vierde lachte ze breed en keek ze scheel. Ik vond dat een prachtige foto, en ik vond het heerlijk dat ik de enige was die van het bestaan ervan op de hoogte was.

We hadden elkaar onze foto's gegeven. We hadden plechtig gezworen ze nooit aan iemand te laten zien. Ik had het gevoel gekregen dat ze nog nooit met ingehaakte pinken had gezworen.

Ik vond het ongelooflijk dat ze die foto's al die tijd had bewaard. Misschien ook opgevouwen in haar portemonnee.

Ik haalde mijn foto's uit de envelop, vouwde ze open en keek ernaar.

Mijn knieën knikten. Ik zakte op de grond en bleef daar zitten. Ze had ons afgekocht toen mijn moeder lerares wilde worden. Ze had ons afgekocht om te blijven, en nu kocht ze me af om te vertrekken. Dit geld betekende: blijf uit de buurt van de echtgenoot van mijn dochter. Dit geld betekende: begin een nieuw leven en vergeet Peter. Dit geld betekende: ik heb het helemaal met je gehad. Ze wilde niet eens mijn foto houden.

Het papier van de cheque was zo dun als een uienschil. Ik sloot mijn ogen en bedacht hoe het zou voelen die cheque in kleine stukjes te scheuren en in de vuilnisbak te gooien. Maar dat deed ik niet. Ik vouwde hem op en deed hem in mijn tas. Ik zocht in mijn portemonnee en daar waren de foto's van Diane, opgevouwen in het vakje voor creditcards. Ik legde de foto's op het aanrecht, zonder nog een keertje te kijken naar die schele ogen.

De rit terug was een verschrikking. Ik stopte bij elke Dunkin' Donuts tussen Newburgh en Binghamton. Tegen de tijd dat ik bij Syracuse was, stond mijn blaas op springen. Ik moest met tegen elkaar gedrukte benen verder rijden, zwetend, hopend en vloekend.

Bij Chittenango was een wegrestaurantje. De toiletten waren bij al die enorme vrachtwagens. Op mijn hooggehakte oranje schoenen rende ik over het parkeerterrein, met die gestreepte bruine sokken aan, het zwarte Boston-sweatshirt van mijn moeder, met in lichtgevend roze en oranje een ruimteschip erop, en de spijkerbroek met gaten. De koude lucht drong via het gat langs je kont naar binnen. Iemand floot, en daar schrok ik van. Waarschijnlijk kon je mijn billen door dat gat zien, of misschien schemerde die grote witte onderbroek erdoorheen, misschien fladderde die er wel uit, als een soort vlag. Ik had het te veel gedoe gevonden om mijn tas uit de kofferruimte te halen en die naar het koetshuis te sjouwen om iets anders aan te trekken. Nu had ik daar spijt van.

'O gottegottegot, o gottegottegot,' zei ik zodra ik in de damestoiletten was en de knopen van mijn broek losmaakte. 'O gottegottegot!' Ik holde een hokje in, trok mijn broek naar beneden en plaste. Het duurde eindeloos, en ik kon op die stomme tegelvloer en op die stomme hoge hakken niet goed boven de bril hangen, dus moest ik op de natte bril zitten. Om de een of andere reden vond ik het allemaal Dianes schuld.

Ik ging terug naar de auto en zette de radio heel hard aan. Uren geleden al waren de New Yorkse radiozenders niets dan ruis geworden, en die van Rochester kon ik hier nog niet ontvangen, dus zocht ik naar iets leuks. Dat was er niet. Alleen een zender met veel country kwam goed genoeg door om hard te kunnen zetten. Maar zelfs een kerel die het betreurde dat zijn ijskast leeg was en dat zijn geliefde zijn auto had gejat, was niet voldoende om de stem in mijn hoofd te overstemmen die voortdurend herhaalde: het is niet eerlijk, hij was van míj.

5

Het eerste wat me aan Peter was opgevallen, waren zijn schoenzolen.

Niet alleen was ik die eerste dag op de universiteit van Rochester te laat voor mijn eerste college; toen ik binnenkwam, bleef ik achter de drempel haken met de hak van de Steve Madden-schoenen die ik als afscheidscadeau van Diane had gekregen.

Ik viel. Mijn boeken vlogen door de lucht, en ik landde op mijn buik. Toen ik opkeek, zag ik de zolen van een paar bootschoenen, van die bruine leren met de veters in grappige knoopjes in plaats van gewoon gestrikt.

Jezus, dacht ik. Wat beschamend voor hem dat hij zulke schoenen draagt. Ik verbeeldde me maar dat het erger was voor hem om oudemannenschoenen te dragen dan voor mij om mijn entree in de collegezaal met een enorme buikschuiver te maken. Maar die illusie kon ik niet lang volhouden, dat was onmogelijk met dat gelach dat uit die kelen opklonk.

De zolen van de bootschoenen kwamen neer op de grond. De eigenaar van de bootschoenen stond op en bood me zijn hand aan. Zijn vingers waren slank maar krachtig. Mijn moeder noemde dat altijd pianovingers. Hij pakte mijn hand alsof hij me een stevige handdruk wilde geven en trok me overeind.

'Maak je geen zorgen,' zei hij. 'Niemand heeft het gemerkt.' Zijn zware stem klonk geamuseerd, en om zijn lippen verscheen een vriendelijke lach. Zijn ogen waren grijsblauw en fonkelden onder zijn donkere wenkbrauwen. In zijn kin had hij net zo'n kuiltje als Cary Grant, en er stonden stoppeltjes op zijn kaken.

'Nou ja, we kunnen net doen of niemand het heeft gemerkt,' zei hij. 'Toch?' Hij haalde zijn tas van de stoel naast de zijne en zei: 'Ga zitten, dan raap ik je boeken wel op.'

Ik ging zitten, zette mijn tasje onder mijn stoel en sloeg mijn benen over elkaar.

Net toen ik dacht dat alles in orde was, keek ik op, recht in het boze gezicht van meneer Gurttle.

'Nou, u weet hoe een opvallende entree te maken.' Hij deed zijn bril af en trok zijn wenkbrauwen op. Iedereen begon weer te giechelen. 'Mevrouw...'

'Leone,' zei ik. Ik was blij dat ik geen tijd had gehad om te ontbijten, anders was alles er vast uitgekomen.

'Mevrouw Leone.' Meneer Gurttle zette zijn bril weer op. Vervolgens maakte hij een tuttend geluidje en bladerde door het boek op de lessenaar. Zodra hij de gezochte bladzijde had gevonden, schreef hij iets op. Vervolgens keek hij weer naar mij. 'Mevrouw Leone, ik verwacht dat u iets doet aan de eerste indruk die ik van u heb gekregen.'

De bootschoenjongen ging naast me zitten en overhandigde me mijn boeken. 'Maak je geen zorgen,' fluisterde hij. Zijn adem was warm en rook naar kaneel. 'Ik heb gehoord dat die man een ouwe zeur is.'

Hij legde zijn arm op de armleuning. Onze armen raakten elkaar. Nog voordat ik wist hoe hij heette, was ik stapelverliefd op hem.

Na dat college gingen we samen een beker koffie drinken. Hij betaalde voor me. Elk moment van die dag staat nog in mijn geheugen gegrift, want ik had het idee dat me nog nooit zoiets heerlijks was overkomen. Hij betaalde als een volwassen man. Hij haalde zijn leren portemonnee uit zijn kontzak, haalde er een briefje van tien uit en schoof dat naar de barista. Hij haalde dus niet een verkreukeld biljet uit zijn broekzak, zoals ik dat nog steeds doe. Ik bood niet aan voor mijn koffie te betalen. Dat zou stom hebben gestaan. Maar ik kreeg wel een kleur als een biet.

Ik stelde voor te gaan wandelen over het pad langs het kanaal, bij de kapel, omdat ik niet tegenover hem durfde te zitten, helemaal zweterig en blozend. Het was een prachtige nazomerdag, veel te warm voor mijn zwarte coltrui. In elk geval kon hij buiten naar de bomen, het kanaal en de wolken kijken in plaats van naar mijn blozende wangen, en naar mijn bezwete haar dat aan mijn gezicht plakte.

Ik wist niets te zeggen. Hij zei ook niets. Ik dacht ik hem wel teleurgesteld zou hebben, het geld voor de koffie niet waard.

De bladeren vielen al, en even dreven de wolken uit elkaar voordat het weer grijs en grauw werd. Daar was ik nog niet aan gewend, dat grauwe van Rochester. 'In Rochester regent het vaker dan in Seattle,' had mijn moeder gezegd, die liever had gezien dat ik me inschreef bij Sarah Lawrence.

'We zijn nog nooit in Seattle geweest,' had ik gezegd, en ik had gezwaaid met mijn lepel, waardoor er roze klodders yoghurt op de placemat terechtkwamen. 'Dus kunnen we niets echt goed vergelijken.'

'We kijken toch naar *Frasier?*' had ze geantwoord. Ze had

haar tong naar me uitgestoken, en me een klap op de arm gegeven met het informatieboekje van Sarah Lawrence. 'Ruim
straks wel je rommel op, hoor. Je denkt toch zeker niet dat je
personeel hebt?' Ze had gelachen om haar eigen grapje.

Ik dacht erover Peter te vertellen dat ik heimwee had, maar
dan zou ik zo zielig klinken. Ik dacht erover hem te vragen of
hij nog een goed feest wist, maar hij leek me niet iemand om
feesten af te lopen.

'Weet je, in Rochester regent het vaker dan in Seattle,' zei ik
tegen Peter, want dat leek me een veilig en volwassen onderwerp.

'Je meent het!' zei Peter met een zuur lachje. Zelfs een zuur
lachje was leuk bij hem, want dan kreeg hij een kuiltje in zijn
rechterwang.

'Pardon?'

'Nou, ik kom uit Mendon, en dat is hier een kwartier vandaan.' Hij gebaarde naar rechts, alsof het aan de overkant van
het kanaal lag.

'Woon je nog thuis?'

'Nee.' Hij lachte, een aangename lach. 'Mijn vader wilde dat
ik ging studeren, maar mijn moeder achtte me niet in staat
mijn eigen was te doen.'

Ik dacht aan het informatieboekje van Sarah Lawrence, en
dat we hadden gezegd dat, als ik daar ging studeren, ik thuis
zou kunnen blijven wonen.

'Ik kom niet uit deze streek,' zei ik.

'Nee, dat wist ik meteen,' zei hij. Toen ik vragend keek, zei
hij: 'Je accent. New York?'

Grappig dat hij dacht dat het New York was. In Westchester
hadden we het altijd over: de stad. Hier betekende dat het cen-
trum van Rochester, en iedereen zei het een beetje geringschat-
tend. Het was ook grappig dat hij vond dat ik een accent had.
Ik had geen accent. Mensen uit buitenwijken spraken met een

accent. Mijn moeder had een accent omdat ze was opgegroeid op Long Island. De mensen in Rochester hadden ook een accent, en sommige woorden spraken ze anders uit. Mijn kamergenote had me verteld dat ze uit een plaatsje kwam dat in mijn oren klonk als Tsjeelie. Maar in het jaarboek van haar middelbare school stond het geschreven als Chili.

'Ik kom uit Westchester,' zei ik.

'Aha.' Hij lachte alsof hij het nu helemaal begreep. Ik wist dat hij er niets van begreep, maar dat zei ik niet. 'Dan ben je een heel eind van huis.'

'Ja,' zei ik, blij dat mijn stem niet trilde.

Misschien trilde mijn stem toch een beetje en was hem dat opgevallen, want hij keek me meelevend aan en zei: 'Je went er wel aan. Op den duur.'

'Ja,' zei ik terwijl ik in zijn ogen keek. Mijn hart ging wild tekeer. De col van mijn trui leek te strak te zitten.

We liepen het park in en bleven staan op een boogbruggetje over het kanaal. Er dreven gele blaadjes in het water, en langs de oevers werden de gele blaadjes aan de bomen weerspiegeld. Dichter bij de universiteit was het roeiteam bezig het water op te gaan.

'Prachtig is het hier,' zei ik.

'Je moet hier niet in je eentje rondhangen,' zei hij terwijl hij zijn koffiebeker op de brugleuning zette en zelf tegen de leuning ging hangen.

'O.' Ik ging naast hem leunen.

'Het is hier niet altijd even veilig.' Hoofdschuddend schoof hij dichter naar me toe.

'Hoezo?' vroeg ik. Ik deed mijn best niet te lachen omdat hij zo ouderwets klonk. Toen ik mijn pony uit mijn ogen streek, kwam ik met mijn elleboog tegen zijn koffiebeker aan. Die viel in het water. 'Shit!' Ik stak er mijn hand naar uit, hoewel de beker al was weggedreven. Ik voelde me belachelijk.

'Maak je niet druk, de koffie was al bijna op.' Hij keek me aan wanneer hij iets zei, en lachte wanneer onze blikken elkaar ontmoetten.

'Ik wilde er geen puinhoop van maken.' Zodra ik dat had gezegd, kromp ik in elkaar. Het was echt iets voor een lief pubermeisje om te zeggen, zo'n wereldverbeteraar. Ik wilde niet dat hij aan me dacht als aan een braaf meisje uit Westchester, goed opgevoed voor een leven van liefdadigheidsevenementen. En dat de societyrubriek las. Ik wilde een interessante en verleidelijke student zijn.

'Ik ben ook geen voorstander van rommel, maar ik spring die beker niet na. Jij?' Een glanzende, donkere lok viel voor zijn voorhoofd. De lok was te kort om voor zijn ogen te hangen. 'Dus wat moet je dan?'

We liepen naar de andere kant van de brug om naar de dobberende beker te kijken.

Ik zag mezelf al voor me op de brugleuning, terwijl ik mijn Schots geruite rokje en zwarte coltrui uittrok om achter zijn koffiebeker aan te duiken. Het zou een gewaagde actie zijn, die me vagelijk deed denken aan iets wat in een videoclip van Aerosmith zou passen.

'Je gaat toch niet springen?' Hij lachte.

'Pardon?'

'Je zag eruit alsof je dat overwoog.'

'Op de middelbare school sprongen we van bruggen af,' zei ik, alsof ik daaraan had lopen denken. 'In zo'n spaarbekken. We sprongen van oude spoorbruggen af.'

'Ik wist niet dat je in zo'n bekken mocht zwemmen.'

'Dat mag ook niet,' zei ik.

'Ben je nooit opgepakt?'

'Welnee.' Ik maakte een wegwuivend gebaar. Hij leek erg onder de indruk, en ik vond het fijn dat hij aan me dacht als aan een meisje dat risico's niet uit de weg ging.

Eigenlijk was ik maar één keertje meegegaan, met een stel schoolvriendinnen. Diane had op de inrit staan roken, in haar nachtpon, toen ik was thuisgekomen. Waarschijnlijk had ze net ruzie met Charles gehad. Ze had naar mijn kletsnatte spijkerbroek en smerige, blote voeten gekeken en gezegd: 'Maak ons niet te schande. Kom niet thuis in een patrouillewagen met zwaailichten of zoiets, Savannah Leone.' Ze had met dubbele tong gesproken, zodat het een beetje belachelijk had geklonken. De volgende dag had ze niet laten merken dat ze zich er nog iets van herinnerde. Toch was ik nooit meer van bruggen gesprongen. Zo rebels was ik niet geweest.

'Mijn vader zou me vermoorden als ik zoiets deed,' zei Pete. Hij stapte weg bij de leuning en maakte een galant gebaar om me te laten voorgaan. 'We moeten terug, ik heb college.'

Op de terugweg vertelde hij dat zijn vader hem voorbereidde om bij zijn advocatenpraktijk te komen werken, en dat hij verwachtte nog voor zijn dertigste partner te zijn.

'Dus van bruggen springen zit er voor jou niet in.'

'Nee, ik moet me netjes gedragen. Maar dat heb ik graag over voor een topbaan, en voor een nieuwe Audi zodra ik afstudeer.' Hij lachte zijn hagelwitte tanden bloot.

Toen we weer bij de kapel waren, bleef Peter staan en schuifelde met zijn voeten. 'Nou, daar moet ik zijn,' zei hij, en hij wees naar de overkant van de straat.

'Zeg,' zei hij vervolgens, 'vrijdag is er een feest in mijn studentenhuis. Heb je zin?'

'Oké,' zei ik. Ik deed erg mijn best cool te blijven en niet te blij te lachen. 'Mij best.'

Hij haalde zijn hand door zijn haar. 'Geef me woensdag tijdens college je nummer maar.' Hij probeerde echt een einde aan het gesprek te maken. Koffietijd was afgelopen. Hoewel ik dezelfde kant op moest als hij, deed ik alsof ik nog even wilde blijven. Hij draaide zich om en liep weg.

'Bedankt voor de koffie,' riep ik hem na.

Hij draaide zich om en liep even achteruit verder. 'Graag gedaan.'

Ik was de kapel in gegaan en had de glas-in-loodramen een poosje bekeken om hem een voorsprong te geven. Want ik was niet dapper genoeg geweest om te zeggen dat ik dezelfde kant op moest als hij.

6

De eerste vijf uur van mijn tocht naar Rochester liep ik op woede en koffie. De tweeënhalf uur van Chittenango naar mijn huis waren een verschrikking. Ik was ontzettend kwaad en ik kon geen kant op met mijn woede. Van al die koffie ging ik stuiteren. Ik voelde me eenzaam. Ik pakte mijn mobieltje, legde dat op het stuur en zocht in het adresboek. Er stonden allemaal mensen in die ik niet meer kende; studievrienden die allang uit Rochester weg waren, maar van wie de namen nog in mijn adresboek stonden zodat dat niet zo leeg was, en ik het gevoel kon hebben deel uit te maken van een grote kennissenkring. Zevenendertig mensen, en ik belde maar met twee. En zelfs als Peter en Janie niet op huwelijksreis waren, zou ik hen hierover niet kunnen bellen.

Ik voelde me walgelijk en weerzinwekkend. Ik had me gehouden aan de goede raad van mijn moeder en had nooit iets tegen Peter gezegd. Toch wist iedereen ervan. Iedereen wist dat ik zo'n zielig type was dat nooit afspraakjes maakte en dat toekeek terwijl haar beste vriendin met haar grote liefde trouwde.

Ik gooide het mobieltje op de passagiersstoel. Ik beet op mijn nagels totdat het bloedde. Ik spuugde stukjes gelakte nagel tegen het dashboard. Ik hield mijn knieën tegen het stuur om mijn haar in een staartje te doen, en twee minuten later stuurde ik met één hand terwijl ik met de andere het elastiekje weer uit mijn haar haalde.

Ik at de winegums die ik onderweg had gekocht. Ze plakten aan mijn tanden, en terwijl ik er eentje lospeuterde, stak ik de volgende al in mijn mond. Ik kon het niet laten. Net had ik me voorgenomen er geen meer te nemen, of ik werkte al een nieuwe naar binnen. Ik draaide het raampje naar beneden, spuwde het ding uit en keek via de achteruitkijkspiegel hoe het ding als een groene kikker over de weg stuiterde. Ik pakte er nog twee en gooide die ook uit het raampje. Stuiterend verdwenen ze uit het zicht. Zo ging ik door totdat er nog maar eentje over was. Die at ik op, en het laatste kwartier van de rit was ik bezig plakkerig oranje spul tussen mijn tanden uit te pulken.

De hobbel aan het einde van de inrit gaf geen troost, en het geluid van de opengaande garagedeur ook niet. Thuis was geen veilige haven meer. Ik had het gevoel alsof ik door Dianes cheque uit huis werd gezet. Toen ik met de bumper tegen de vuilnisbak kwam, wist ik dat de garagedeur dicht kon. Ik nam mijn tasje mee, maar de tas met logeerspullen liet ik in de kofferbak staan.

Het rook muf in mijn huis. Het was koud, en de vloerbedekking stonk. Het was geen thuis, het was geen plek om tot jezelf te komen. Ik had geprobeerd er een thuis van te maken. Ik had staaltjes muurverf opgeplakt en er op verschillende tijdstippen naar gekeken, precies zoals het hoort. Ik had verfrollers en kleine kwastjes voor in de hoekjes gekocht, en ook een groot oranje boek over doe-het-zelven. Er stond een heel hoofdstuk over verven in, en dat had ik een paar keer aandachtig doorgelezen. Ik was in de woonkamer begonnen. Ik had tape aangebracht, ik had plastic uitgespreid, en ik was aan de slag gegaan, alles volgens het boekje. De muur achter de bank was helderblauw geworden. Maar dat blauw had niet dat middernacht-in-Venetië gehad, zoals het blauw van de staal. Het had eerder op het blauw van Supermans maillot geleken. Met die muur was ik dus opgehouden, met de gedachte in mijn achterhoofd dat ik die uiteindelijk wel goed zou krijgen. Ik had Janie en Pete verteld dat ik dit expres zo had gedaan, en dat slechts één muur verven de allernieuwste trend was en dat ik dat had gezien bij die klusprogramma's op tv.

Afgezien van de blauwe muur was verder alles wit en neutraal. Zelfs de spulletjes die ik had gekocht waren neutraal. Ik had een knalrood broodrooster willen kopen, maar Janie had me dat uit mijn hoofd gepraat.

'Maar dat is toch vreselijk, Van? Wie koopt er nou een knalrood broodrooster?'

Elke keer dat ik dat roomwitte broodrooster zag, kon ik wel gillen.

Ik schopte mijn schoenen uit, haalde een karaf uit het onderste keukenkastje en maakte limonade met druivensmaak. Vervolgens pakte ik zo'n plastic bekertje dat je bij je bezorgde pizza krijgt en vulde dat tot halverwege met ijsblokjes. Ik deed er de limonade bij, en toen nog een flinke scheut wodka. Nadat ik er een rietje in had gestoken, liep ik ermee door het huis. Er waren geen berichten ingesproken op het antwoordapparaat. Naar de post ging ik niet eens kijken, er kwamen toch alleen maar rekeningen en reclame. In de badkamer rook het naar schimmel omdat ik mijn natte handdoeken niet had opgeruimd. De graslelie die ik altijd vergat water te geven, was eerder bruin dan groen. Verder was er niets veranderd. Alles was zoals ik het had achtergelaten. Er waren geen verrassingen.

Ik slurpte de limonade naar binnen en maakte in de keuken nog een mix klaar. Het broodrooster stond me uit te lachen. Ik trok het snoer los en gooide het apparaat in de vuilnisbak. Het was bijna net zo bevredigend als winegums uit het autoraampje mikken.

Omdat ik nog steeds gekleed ging in die afschuwelijke spijkerbroek met gaten, nam ik mijn nieuwe drankje mee naar boven om iets anders aan te trekken. De trap leek steiler en hoger dan anders.

Ik had al een paar weken de was niet meer gedaan, dus had ik de schone en netste kleren ingepakt. De enige schone pyjama's die ik nog had waren die waar ik de pest aan had. Rottige, oude pyjama's, bleekblauw of geruit, te groot. Net zoals bij bijna al mijn kleren zaten er vergeelde koffievlekken op.

Toen het gebeurde, toen ze elkaar tegenkwamen en meteen verliefd werden, had ik mijn pyjama's daarvan de schuld gegeven. Ook al had ik er de pest aan, ik kon ze niet wegdoen, want ze waren iets stoffelijks om de schuld aan te kunnen geven.

Tijdens de krokusvakantie was Janie komen logeren. Op een vrijdagmiddag was ze aangekomen. Ik had tegen Peter gezegd dat ik niet uit eten kon omdat ik bang was dat ik voor het tentamen psychologie zou zakken.

'Weet je,' had ik gezegd toen we die ochtend voor het ontbijt naar de mensa liepen, 'ik ga dit weekend als een kluizenaar leven.'

Elke morgen haalde Peter me op bij mijn studentenhuis en dan liepen we samen naar de mensa. Dat was zijn manier om ervoor te zorgen dat ik niet steeds te laat kwam bij het eerste college. Hij dacht dat als ik eenmaal uit bed was en mijn huis uit, ik op tijd zou komen. Dus kwam hij me elke ochtend halen. Voor mij was dat het fijnste deel van de dag.

'Kom op,' zei hij, 'ik heb een geweldige Indiase tent gevonden.' Hij bewoog zijn wenkbrauwen op en neer en lachte. 'Nou ja, het moet er verschrikkelijk zijn, maar Connor van het college literatuur zegt dat het eten goed is, en wat eten betreft is hij een echte snob. Hij zegt dat er mensen uit India eten, zó goed is het.'

'Je houdt helemaal niet van Indiaas eten,' bracht ik hem in herinnering. Ik moest mezelf dwingen zijn gezicht niet aan te raken. Elke keer dat Peter en ik samen waren, hoe vaak dat ook was, moest ik mijn best doen mijn handen thuis te houden. Er was iets met die kin, met zijn gave huid, waardoor ik hem wilde vasthouden, in zijn hals ruiken, zijn lichaam dicht tegen het mijne aan. Ik had dat nooit bij iemand gehad. Het was moeilijk om aan andere dingen te denken.

'Jij houdt wel van Indiaas eten. Je had het er laatst nog over. En ik dwing je altijd Chinees te eten.'

'Jij betaalt er altijd voor,' zei ik, en daarmee sneed ik een onderwerp aan dat we altijd vermeden.

'Ik ben een heer.' Hoofdschuddend trok hij een gezicht, alsof ik me aanstelde. 'Kom op, Van, Indiaas. We bestellen wat jij wilt. Je mag mijn kamer naar curry laten stinken en ik zal niet klagen. Vrijdag, we gaan altijd vrijdag, dat is ons ding. Kom op!'

'Pete, ik wil wel, maar ik kan niet,' zei ik. Ik vond het vreselijk om hem af te wijzen. 'Ik moet echt leren.'

'Het is alleen maar even eten. Dan heb je nog het hele weekend om te leren.'

Ik balde mijn vuist en gaf hem een stomp op zijn schouder. 'Volgende week. Beloofd.'

'Oké.' Hij keek er gekwetst bij, maar ik hoopte dat hij me leuker zou vinden als hij me een poosje niet zag. En ik wilde per se niet dat hij Janie zou leren kennen.

Wanneer Janie op bezoek kwam, nam ze altijd houtskoolmaskers en nagellak mee. We lakten dan onze teennagels en huppelden rond met watjes tussen onze tenen. Het was gewoon fijn om met Janie rond te hangen. Het was vertrouwd, we lachten heel wat af. Daarom wilde ik Pete er niet bij hebben, rationaliseerde ik. Ik wilde een weekendje met mijn beste vriendin en daar mocht hij niet tussenkomen. Ik wilde een weekend zoals vroeger.

Uit de videotheek had ik alle films met Matt Dillon gehaald. We zaten gezellig met pizza en knettersnoepjes naar *The Outsiders* te kijken toen Pete op de deur klopte.

Zonder erbij na te denken deed ik open. Peter woonde in een ander studentenhuis, dus moest hij meestal aanbellen bij de ingang. Het was niet bij me opgekomen dat het Peter kon zijn. Maar hij was het wel. Hij was achter iemands vriendje aan naar binnen geglipt.

'Wauw,' zei hij toen hij naar binnen keek. Buiten regende het zeker, want er fonkelden druppeltjes op zijn zwarte fleecetrui. 'Een kluizenaar leeft meestal helemaal alleen. En leren betekent met je neus in de boeken...'

'Wat doe jij hier?' Op mijn voorhoofd zaten nog klodders van het houtskoolmasker, en ik hield mijn arm voor mijn borst om de koffievlek te verbergen.

Hij keek me recht in de ogen, fronste zijn voorhoofd en slaakte een zucht. 'Ik dacht dat je mijn aantekeningen van vorig semester wel zou willen hebben. Ik dacht dat, als ik je vanavond een beetje hielp, we morgen uit eten zouden kunnen gaan. Stom van me,' zei hij toonloos. Hij overhandigde me een bordeauxrood schrift en stapte langs me heen naar binnen.

Janie zat in kleermakerszit op de grond voor de tv. Ze had haar haar naar achteren geborsteld en vastgezet met een dikke zwarte haarband. Toen we het houtskoolmasker van ons gezicht haalden, had ze dat heel zorgvuldig gedaan, ze had niets laten zitten, en vervolgens had ze lipgloss op haar lippen gedaan.

Hij stak zijn hand uit. 'Peter. En wie ben jij?'

'Janie,' antwoordde ze. Ze stond op. Ze had een schattige pyjama aan, met een broek van roze satijn met rozenknopjes erop, en een bijpassend mouwloos topje met voorop een grote roos.

En dat was dat. Het begin van het einde. Ik zag het aan de manier waarop ze naar elkaar keken. Niet alleen raakte ik hem kwijt aan Janie, maar ik kon ook mijn theorie wel vergeten dat hij homo was, en dat hij daarom nooit iets bij me had geprobeerd.

Een paar weken later zei Peter dat hij vrijdag niet met me uit eten kon.

'Ik ga me het weekend afzonderen,' zei hij met zijn parelende filmsterrenlach.

Dat betekende dat hij naar Rhode Island ging.

Hij ging op bezoek bij Janie in haar studentenhuis, en voor mij nam hij een T-shirt mee terug waarop stond: I'D RATHER BE IN RHODE ISLAND.

'Dat zouden we allebei wel willen, hè?' zei hij. 'Omdat zij je beste vriendin is en zo.'

Het had me geen moeite gekost het T-shirt weg te gooien. Nadat Peter naar zijn studentenhuis was gegaan om Janie te bellen, had ik er een grote prop van gemaakt en die van het balkon op de tweede verdieping in de grote bak beneden gemikt.

Ik kon het T-shirt de schuld niet geven, maar de pyjama's wel. Als ik leukere pyjama's had gehad, had Janie er vergeleken met mij niet zo geweldig uitgezien. Ik weet dat het belachelijk klinkt, maar zo voelde ik dat.

Ik liet de slechte pyjama's in de onderste la liggen en zocht tussen de kleren onder in de hangkast totdat ik een zwarte driekwartbroek had gevonden. De spijkerbroek trok ik uit. Die zat zo strak om mijn kuiten dat de pijpen binnenstebuiten raakten. De Boston-trui van mijn moeder hield ik aan. De binnenkant, die eerst heerlijk pluizig en zacht was geweest, bestond nu slechts uit hier en daar een pluisje, en de opdruk van het ruimteschip was er gedeeltelijk af gebladderd. Ik zette de kraag op en stak mijn neus erin. Vervolgens haalde ik diep adem en beeldde me in dat ik het parfum van mijn moeder nog kon ruiken.

Na nog drie drankjes ging ik met mijn laptop op de bank zitten om mijn e-mail op te halen en tv te kijken. Er waren zevenenveertig nieuwe berichten, maar bijna allemaal spam. De enige echte e-mail was van een cliënt en bevatte een update over een project, zodat ik maandagochtend geen tijd hoefde te verspillen. Ik mailde niet terug.

Ik stond op om mezelf nog eens in te schenken. Onderweg naar de keuken dronk ik mijn beker leeg. Vervolgens vulde ik hem weer en liep wankel terug naar de woonkamer, waar ik bijna over de salontafel struikelde. Ik liet me op de bank vallen, legde mijn benen over de armleuning en pakte de afstandsbediening.

Er was een programma over een bruiloft. De gasten stonden in hun mooie kleren aan de rand van een klif bij de zee. Het was een film, dus waarschijnlijk zou de bruid er nu achter komen dat haar echtgenoot overal andere echtgenotes had, of dat een bruidsmeisje van plan was haar om zeep te helpen. Of misschien hadden haar echtgenoot en zij al een kind en zou het kindermeisje bij hen intrekken en rondlopen in de kleren van de bruid. Maar op dit moment was alles nog koek en ei, en iedereen was zo blij en gelukkig dat ik er onpasselijk van werd.

'Hij houdt niet van je!' riep ik tegen de tv, en ik zapte naar een ander kanaal. 'Hij houdt niet van je,' fluisterde ik, en de tranen sprongen in mijn ogen. Ik kwam overeind, nam een grote slok van mijn drankje en veegde met de rug van mijn hand de tranen weg. 'Verdomme,' zei ik terwijl ik opstond om mezelf nog eens in te schenken. 'Shit.' Toen ik ijsblokjes in de beker liet vallen, spetterde ik limonade op mezelf. 'Fuck.'

Ik ging terug naar de woonkamer, en weer struikelde ik bijna toen mijn sok vast kwam te zitten in het kleed. Ik pakte de afstandsbediening en zapte langs zoenende stelletjes, nepdiamanten die te koop waren op een shoppingkanaal, en een programma waarin een echtpaar voor hun vijfentwintigste trouwdag een metamorfose onderging. En alles deed me denken aan Peter.

Uiteindelijk ging ik naar een oude aflevering van *Rin Tin Tin* kijken, nog in zwart-wit. De hond was groter dan de kindacteur. Een paar kerels in uniform met neppistolen in hun holster zeiden houterig hun tekst op, zoals: 'Ik ben de snelschutter van de stad.'

Ik maakte het me gemakkelijk op de bank en haalde alle spam van mijn laptop. Ondertussen keek ik steeds even naar de tv. Die hond was echt geweldig. Hij redde mensen en waarschuwde voor gevaren. Hij was er altijd wanneer het nodig was. Hij liet niemand stikken.

Op internet ging ik op zoek naar Rin Tin Tin en kwam algauw op de officiële website. Blijkbaar was er niet één hond, maar waren er een heleboel dieren gefilmd. Het waren Duitse herders. Terwijl ik van mijn limonade met inhoud slurpte, las ik de geschiedenis van de eerste Rin Tin Tin door. Toen ik dat verhaal uit had en mijn laptop opzijzette om mijn beker nog eens bij te vullen, viel mijn blik op een kolom aan de zijkant. Er stond boven: PUPPY'S. Gauw schonk ik mijn beker vol en rende terug naar de laptop. Helaas was het volgende nestje al verkocht, nog voordat de hondjes waren geboren.

Ik ging op zoek naar Duitse herders in Rochester, maar kon alleen een fokker in Canada vinden die gespecialiseerd was in politie- en reddingshonden. Er werd tot in detail uitgelegd hoe de honden werden opgeleid met een koffiepot vol gaten waar menselijke resten in zaten. Ik klapte mijn laptop dicht, net op het moment dat Rin Tin Tin over een brandende hooibaal sprong om zijn baasje te redden.

Dat miste ik nou. Dat had ik nodig. Rin Tin Tin zou me niet in de steek laten voor slanke bovenbenen en een aristocratische neus. Rin Tin Tin zou een trouwe vriend zijn.

Ik ging nogmaals op zoek naar puppy's. De tekst op het scherm werd wazig, maar dat kon me niet schelen. Ik wilde een hond, en ik zou niet rusten voordat ik een hond had. Ik klikte van de ene site naar de andere, en toen zag ik hem.

Het was een rommelig bolletje wol. Pikzwart, afgezien van het roze tongetje dat uit zijn bek hing. Hij hield zijn kop schuin, alsof hij aandachtig naar iets luisterde. Een van de oortjes flapte naar voren. De fokker zat in Bratislava, in Slowakije, en de site was niet in het Engels, op een paar merkwaardig vertaalde stukjes na. Boven de foto van het hondje stond iets wat ik niet begreep, gevolgd door: MALE 11/5. Een reu, dus. Het hondje was nog maar een paar weken oud. Onder de foto stond een link: ORDER FORM. Het bestelformulier. Ik liet de cursor eroverheen gaan, klaar om te klikken.

Weer nam ik een grote slok limonade met wodka. Ik kon niet zomaar besluiten een hond te nemen en die via internet bestellen. Dat was waanzin. Echt waanzin! Ik deed mijn best me weer op het programma over Rin Tin Tin te concentreren, maar steeds weer moest ik naar de foto van het hondje kijken. Die foto was net zo'n schilderij, een portret waarbij de ogen je blijven volgen. Ik had voortdurend het gevoel dat de puppy naar me keek. Hij moest weg bij de moeder. Hij zou ergens terechtkomen en daar zou hij zich eenzaam en alleen voelen. Hij zou zijn moeder missen. Die andere mensen zouden dat niet begrijpen. Ik wel.

'Je hebt me nodig, hè?' zei ik. Elke keer dat ik naar die foto keek, leek de blik in zijn ogen verdrietiger en eenzamer.

Ik klikte op de link. Op het bestelformulier stond dat het

hondje honderdveertigduizend koruna's moest kosten. Zelfs met zeven bekers limonade met wodka in mijn lijf snapte ik dat koruna's zoiets waren als pesos of lires, waar duizend erван een dollar waard waren. Ik overwoog nog het op te zoeken, maar ik zag alles langzamerhand echt erg wazig, en ik wilde gewoon een hond. Nu meteen. Ik wilde niet langer wachten dan nodig. Stel dat iemand anders in pyjama naar al die afleveringen van *Rin Tin Tin* zat te kijken en besefte dat hij of zij een hond moest hebben? Stel dat iemand anders mijn puppy kocht terwijl ik de wisselkoers zat te bestuderen? Dan zou iemand anders dat bolletje wol gaan knuffelen. Dan zou iemand anders liefdevol over de wang worden gelikt. Dan zou iemand anders een trouwe vriend hebben die bereid was over brandende hooibalen te springen. En ik zou nog steeds alleen zijn. Degene die hem kreeg, zou hem niet zo goed begrijpen als ik. Waarschijnlijk was het best goedkoop. Vast goedkoper dan een hond in de Verenigde Staten kopen.

Ik griste mijn tas van de salontafel en zocht verwoed tussen de visitekaartjes en kortingsbonnen, die allemaal op de bank belandden, totdat ik mijn creditcard had gevonden.

Zo, Diane, dacht ik terwijl ik terugdacht aan die keer dat mijn moeder haar had gevraagd of we een hond mochten nemen. Ik was toen elf, en ik had op school *De roep van de wildernis* gelezen. Het hele weekend had ik plannetjes gemaakt voor mijn hondje; waar hij moest slapen, hoe ik zijn eten van mijn zakgeld moest betalen. Ik had een rooster gemaakt, hoe ik tussen het huiswerk maken door lange wandelingen met hem kon maken. Diane had het hele plan in een paar tellen getorpedeerd. 'Honden zijn vieze beesten. Ze likken hun gat. Je meent het toch niet echt, hè?' had ze gezegd toen mijn moeder het had gevraagd.

Nou, maar dit was míjn huis en míjn hond. Bovendien wilde Diane niets meer met me te maken hebben.

Vier keer moest ik het nummer van mijn creditcard intikken voordat ik het goed had. Maar toen werkte het. Op de site stond het bericht dat ik binnenkort een mailtje ter bevestiging zou krijgen.

Shit, dacht ik terwijl ik de creditcard op de salontafel smeet. Ik heb een hond gekocht. Ik zou in paniek moeten raken. Maar op tv begon net de volgende aflevering van *Rin Tin Tin*. Op blikkerig hoorngeschal sprongen soldaten in de houding, en een edel ogende Rin Tin Tin stond op een groot rotsblok te kijken. Een briesje bewoog door zijn vacht, en op de achtergrond wapperde de vlag. De spanning werd opgebouwd. Ik ging ervoor zitten. Ik moest alles over Duitse herders te weten komen.

Ik vulde mijn beker nog eens bij. Omdat de limonade bijna op was, bestond dit drankje voornamelijk uit wodka. Ik ging weer zitten en bekeek mijn mail. Ik wilde weten wanneer ik mijn hondje mocht ophalen. Tien minuten later was er nog steeds geen e-mail. Een kwartier later ook nog niet. Twintig minuten, vijfentwintig minuten, een halfuur, en nog steeds niets.

Stel dat er helemaal geen hond is, dacht ik. Stel dat ik ben opgelicht, zoals met die Nigeriaanse bedelbrieven? Stel dat een Slowaakse engerd het nummer van mijn creditcard gebruikte om porno en drugs te kopen? Ik zag hem al voor me, in een vies wit hemd, kwijlend over ranzige plaatjes, in een schemerig verlichte kamer. Misschien was hij niet eens Slowaak. Misschien bestond er wel een oplichtersbende die het had gemunt op eenzame vrouwen die naar de ene na de andere aflevering van een tv-serie over een hond keken. Misschien deden ze maar alsof ze fokkers waren in landen achter het voormalige IJzeren Gordijn.

Ik nam nog een slok. Hoewel er weinig limonade in zat, smaakte het naar hoestdrank. Zodra ik het had doorgeslikt, kwam het weer naar boven. Ik proefde het in mijn mond, en ik rende naar de wc.

Ik moest een paar keer overgeven. Mijn haar zat in de weg, er kwamen allemaal paarse spetters op. Uiteindelijk had ik het gevoel dat ik leeg was. Ik spuugde nog even in de toiletpot en begon te huilen.

Ik huilde over alles, vanaf het moment dat Diane tegen mijn moeder had gezegd dat ik geen hond mocht, tot aan Peter, de bruiloft, de cheque, mijn moeder die stierf, de foto's in de automaat, en de Slowaakse engerd. Ik had echt niemand. Niemand stond aan mijn kant. Niemand nam het voor me op. Niemand duimde voor me. Niemand hield mijn haar uit mijn gezicht als ik moest overgeven, niemand bette mijn voorhoofd met een nat washandje. Ik had alleen maar mezelf, en dat was niet voldoende.

Ik krulde me op de stinkende badmat op en huilde totdat er geen tranen meer kwamen. Toen bleef ik liggen knarsetanden, en luisterde naar mijn adem die fluitend door mijn neus kwam totdat ik in slaap viel.

Ik werd wakker op de badmat, stinkend naar schimmel en kots. Ik leunde op mijn ellebogen. Ik had een verschrikkelijke koppijn, en mijn maag was onrustig. Ik boog me over de wc, maar er kwam niets. Mijn maag voelde als een leeggeknepen tube tandpasta. Mijn oogleden waren zo opgezet dat ik door de spleetjes nauwelijks iets kon zien.

Wankelend ging ik naar beneden. Ik zette koffie en nam een paar aspirientjes. In de woonkamer was het een chaos. Er lekte bruine drab uit een kartonnen beker chocolade-ijs op de salontafel. Mijn laptop stond geopend op de bank. De tv stond aan, op een reclameprogramma over een tapijtveger waarmee je moeren kon opvegen.

Ik kon me weinig herinneren van de vorige avond. Ik wist alleen dat ik was thuisgekomen en iets te drinken had gemaakt. Ik ging terug naar de keuken om proppen keukenpapier te pakken om de bruine drab mee weg te halen. Opeens kwam er een verschrikkelijke gedachte bij me op, en mijn hart ging wild tekeer. Stel dat ik Diane had gebeld om haar eens flink de waarheid te zeggen? Stel dat ik Janie had gebeld om alles op te biechten? Stel dat ik Peter had gebeld om hem te vertellen dat ik van hem hield?

Het zou niet de eerste keer zijn dat ik in een dronken bui aan het bellen sloeg. Tijdens mijn studie had ik mijn moeder gebeld om haar onder invloed tot in detail over mijn leven te vertellen. Heel beschamend. Als goede moeder had ze het me ingewreven. 'Dag zuipschuit,' had ze gezegd, toen ik de volgende dag katterig belde, niet wetend dat ik indiscreet was geweest. 'Dus je hebt gisteren je blote kont laten zien?' Ze was nooit boos geworden. Ze had het afgedaan als normaal studentengedrag, en daar had ze zelf geen ervaring mee. Het speet me dat ze niet strenger was geweest en me had gedwongen een klooster in te gaan waar ze zo streng waren dat de communiewijn werd vervangen door druivensap. Of dat ze me minstens had bijgebracht dat je nooit moet bellen als je dronken bent.

Bezorgd zocht ik naar mijn mobieltje. Met ingehouden adem keek ik wie ik allemaal had gebeld.

Niemand. Ik durfde uit te ademen. Maar toen drong het tot me door dat ik in mijn aangeschoten staat ook e-mails had kunnen versturen.

Op de bank zat ik te gillen: 'Toe dan, kom op!' Ondertussen ontwaakte de laptop langzaam uit de slaapstand. 'Verzonden items, verzonden items,' siste ik terwijl ik wachtte. Ik tikte mijn gebruikersnaam en wachtwoord in, maar nog voordat ik was ingelogd, kreeg ik een visioen. Ik zat op de bank met mijn laptop en haalde voortdurend de mail op. Ik wachtte op een bevestiging. Maar wat had ik gekocht? Had ik dan toch die monsterlijk dure laptop aangeschaft waar ik al maanden kwijlend naar had gekeken? Met kloppend hart wachtte ik af terwijl mijn trage internetverbinding de post ophaalde. Er was een nieuwe e-mail met in de berichtregel: *Potvrdit' pes*. Meteen herinnerde ik het me weer. Het pluizenballetje van een hondje. Rin Tin Tin. Duitse herder. Brandende hooibalen. Een zware stem met een zwaar accent. Ik kopieerde de berichtregel naar Google Translate. Bevestiging hond...

'Shit!' riep ik uit. 'Shit, shit, shit!' Ik had een puppy gekocht. Ik had via internet een puppy gekocht. Ik was een halvegare idioot die niet snapt dat je via internet geen levende wezens koopt.

Ik liet de e-mail zin voor zin vertalen. Donderdag om half-drie 's nachts zou het hondje vanuit Bratislava aankomen op Rochester International Airport. Onderaan stond nog: Mastercard, honderdveertigduizend koruna. Ik zocht naar een site waar je de wisselkoers kon berekenen. Ademloos tikte ik het bedrag in en klikte. Gauw kneep ik mijn ogen dicht voordat het resultaat zichtbaar werd.

Waarschijnlijk valt het wel mee, dacht ik. Ik herinnerde me een meisje uit mijn studietijd dat toen ze een eigen appartement kreeg, een hond uit het asiel had gehaald. Hij had haar twee-honderdvijftig dollar gekost. Tel daar de vervoerskosten bij op, en dan was het misschien het dubbele. Ik bedoel, wat kan het vervoer van een piepklein hondje nou kosten? Vijfhonderd dollar had ik best. Ik kon een poosje leven op noedelsoep. Ik kon het binnen een paar maanden afbetalen. Of ik kon meer werk aannemen. Ik zou er nauwelijks iets van merken.

Ik haalde diep adem en opende mijn ogen. Op het scherm stond dat ik zesduizendeneen dollar aan een hond had uitgegeven.

Ik holde naar de wc om nogmaals mijn maag om te kieperen.

Zodra ik klaar was, nam ik een douche. Ik vertrok mijn gezicht omdat ik in het warme water nog erger stonk. Maagzuur, druivenlimonade en schimmel. In die walm pakte ik de shampoo en waste alle stank weg. Toen ik de kranen dichtdraaide, maakte dat een piepend geluid. Het neerkomen van mijn natte voeten galmde door de badkamer. Het was verder zo stil dat ik de ijskast in de keuken beneden kon horen zoemen, als een voortdurende herinnering aan het feit dat ik alleen was. Er was niemand anders om geluidjes te maken. Voor de bruiloft en de cheque had ik me ook eenzaam gevoeld, maar niet zo eenzaam als nu. Ik had niet beseft hoe stil eenzaamheid kan zijn.

Ik zou de fokker in Slowakije kunnen bellen om de bestelling af te zeggen. Ik zou de creditcardmaatschappij kunnen bellen om opdracht te geven het bedrag niet over te maken. Maar dat deed ik niet. Ik wilde iemand die aan mijn kant stond, ook al was het maar een hond. Ik wilde gezelschap, ik wilde iemand die me trouw was. Ik wilde iemand die op het voeteneind van mijn bed sliep, iemand die me onder het werk gezelschap zou houden. Wanneer mijn hond kwam, zou hij niet groter zijn dan een kindacteur. Het was maar een jong hondje. Dat kon ik best aan.

7

Dat weekend sliep ik veel om de kater kwijt te raken. De maandag daarop kon ik alleen maar aan mijn puppy denken. Ik wist niets over honden, dus ging ik naar de bibliotheek en zat daar gebogen over boeken over hondenintelligentie, Duitse herders voor dummies, en een boek over het leiderschap van het roedel. Er was ook een boek over hoe je de beste vriend van je hond moest zijn. Dat was in de jaren zeventig geschreven door een stel monniken die in een klooster in de Catskills Duitse herders fokten. Het rook muf, als een kelder in een oud huis, en op de bladzijden zaten vlekken. Ze hadden ook ezelsoren, maar ik las toch door vanwege de zwart-witfoto's van Duitse herders die met de monniken speelden. Er stond dat je de hond je leven moest laten delen, dat je hem 's nachts naast je bed moest laten slapen, en tijdens het eten aan je voeten moest laten liggen.

Ik las dat een Duitse herder net zoveel woorden kan begrijpen als een kind van drie, mits je hem goed aanpakt. Toen ik thuiskwam, bestelde ik boeken over africhten, en ik ontdekte een serie hondenspeeltjes die waren ontworpen om creatief spelen te stimuleren. Het begin van de week was één roes van dingen per creditcard bestellen en tochtjes naar de dierenwinkel. Dat hielp om niet aan Peter te hoeven denken. Of het gaf me in elk geval de kans iets nuttigs te doen wanneer ik wel aan Peter dacht.

Wat had Peter bezield om in de huwelijksnacht naar mij toe te komen? Wat had hij willen zeggen toen ik hem de mond snoerde? Ik moest er steeds weer aan denken.

In mijn hoofd hoorde ik Peter zeggen: 'Van... Savannah, ik...' Maar deze keer val ik hem niet in de rede. Peter zegt: 'Savannah, ik hou van je. Ik heb altijd van je gehouden, ik kan het niet meer verbergen. Ik wil bij jou zijn.' Alleen klinkt het dan niet als iets uit een slechte film, het klinkt juist heel goed omdat Peter het zegt en hij het echt meent. Hij neemt me in zijn armen en hij zoent me. En later vrijen we in mijn oude bed in het koetshuis. Wanneer Janie er nog weer later achter komt, is ze helemaal niet boos, want ze is stiekem stapelverliefd op de erfgenaam van een enorm fortuin die eruitziet als een Griekse god en Balthazar of Adonis of zoiets heet. We worden allemaal dikke maatjes en we eten vaak bij Janie op het terras met uitzicht over de Egeïsche Zee, bij zonsondergang. We lachen over hoe het bijna verkeerd was gegaan, en proosten op de gelukkige afloop met elegante glazen rode wijn. We eten knapperig stokbrood dat we in olijfolie dopen, en Peter slaat zijn arm om mijn gebruinde schouder. 'Wat bezielde me toch?' zegt hij met een gebaar naar Janie. Allemaal barsten we in lachen uit, want het is overduidelijk dat Pete en ik de ware voor elkaar zijn, en Janie is ook dolgelukkig.

Wanneer ik mezelf tot de orde riep, was mijn gezicht niet warm van een overdaad aan zonneschijn. Alles was kil en grauw, en ik was alleen. En Peter was nog met Janie in Europa. Dan ging ik gauw naar de dierenwinkel om een bot te kopen of zo, en dan bedacht ik hoe het zou zijn om met mijn hondje op schoot naar een film op tv te kijken, of een wandeling met hem maken. Want dat waren dromen die konden uitkomen.

Woensdagavond zette ik alles klaar. Ik zette etensbakjes in de keuken neer, op een placemat in de vorm van een bot. Maar toen werd ik ineens bezorgd dat mijn puppy eten op de keukenvloer zou knoeien en het dan zou oplikken, en de keukenvloer was niet schoon. Ik had niet eens een mop, dus moest ik op handen en knieën schrobben, met een schoonmaakmiddel om ramen mee te lappen en dotten keukenpapier. De vloer was in de twee jaar dat ik hier woonde nooit helemaal schoongemaakt, alleen hier en daar, als het nodig was. Ik verwijderde uitgedroogde macaroni van onder het fornuis, en verdroogde erwtjes die onder de ijskast lagen. Het erge was dat ik sinds de verhuizing geen erwtjes had gegeten, dus deze erwtjes moesten van een vorige bewoner zijn. Ik schrobde de wc-pot schoon omdat honden vaak uit de toiletpot drinken. Omdat ik bang was dat er nog wc-reiniger in het water zou zijn achtergebleven, trok ik wel vijftig keer door. Ik verstopte de kaarsen en borg mijn schoenen weg. Ik kroop op mijn knieën door het huis, speurend naar scherpe randjes en voorwerpen die in de luchtpijp vast konden gaan zitten. Voordat ik het wist was het twee uur 's nachts en kon ik mijn hondje gaan ophalen.

Het is raar om bagage op te halen als je niet in het vliegtuig hebt gezeten. Ik wist me geen houding te geven. Ik had het idee dat ik moest rondlopen met een bord met daarop: LEONE of DUITSE HERDER of zoiets.

Bij de bagageband stond een enorm groen hok in een hoekje.

Ik liep ernaartoe en keek erin. Binnen was het donker. Ik zag wel iets in de vorm van een hond: puntoortjes en een snuit zo lang als mijn onderarm. Verder zag ik niet veel, totdat er ineens een enorme roze tong zichtbaar werd. Wat gek, dacht ik, iemand anders komt ook een hond ophalen.

Ik liep weg van het hok en ging naar de balie, waar ik mijn rijbewijs liet zien.

'Mevrouw Leone, u komt toch de hond afhalen?' De persoon achter de balie was een vriendelijk ogende man met donkerbruin haar dat hij met veel gel glad achterover had gekamd. Zijn tanden waren hagelwit, zijn huid was oranje gebruind, en hij had kuiltjes in zijn wangen. Op zijn naamplaatje stond dat hij Peter Marino heette. Er stond een foto bij waarop hij verlegen lachte, alsof hij poseerde voor het omslag van een tijdschrift. Hij was een heel ander soort Peter. Geen Pete; zijn vrienden noemden hem vast Petey.

'Ik kom de puppy halen,' verbeterde ik hem.

'Nou, dat is dan een erg grote puppy, mevrouw,' zei Petey, en hij wees naar de roze tong in het gigantische hok. 'Maar wel een lieverd. Hij heeft nog niet één keer geblaft.' Hij schoof me een formulier toe. 'Hier tekenen,' zei hij. Hij zette een groot kruis op het papier. De moed zonk me in de schoenen.

'Sorry,' zei ik. Met trillende hand nam ik de pen van hem over. 'Er moet nog een hok zijn. Dat grote beest moet voor iemand anders zijn. Ik kom een puppy halen.' Ik hield mijn handen nog geen halve meter uit elkaar, om aan te geven wat het formaat van de verwachte puppy ongeveer moest zijn.

Hij lachte. 'We hebben hier maar één hond, mevrouw, en uw naam staat op de kennel.'

Ik kon nauwelijks mijn handtekening zetten, het werd een beverig kriebeltje. Was dat beest in dat hok mijn puppy?

Petey lette niet op me, die staarde verlangend naar de kennel. 'Oké, nu kunt u hem meenemen.'

Ik had graag gezegd dat hij de hond mocht houden, en hoe dichter ik bij de kennel kwam, des te meer speet het me dat ik dat niet had gezegd. De kennel kwam tot mijn heupen, en voor zover ik kon zien, vulde de hond hem. Mijn hart sloeg over. In mijn tasje zat een schattig halsbandje voor kleine hondjes, met zilverkleurige sterretjes erop, en met een smal zwart riempje. Ik vermoedde dat het hooguit om de poot van deze hond paste. Ik zag mezelf al lopen door de luchthaven met een grote zwarte wolf met een halsbandje om zijn poot.

Petey kwam uit een deur waarop een bordje zat met: ALLEEN VOOR PERSONEEL. Ik hield mijn gezicht afgewend, zodat hij niet kon zien dat ik in paniek was.

'Mevrouw?' Hij liep naar de kennel en klopte erop. 'Mevrouw Leone? Ik heb pauze. Als u wilt, help ik u hem naar de auto te brengen.'

'O, eh...' Ik vond het vervelend Peteys pauze te verpesten, maar in mijn eentje kreeg ik de hond en de kennel niet naar mijn auto. Ik keek naar Petey en knikte.

Hij pakte een grote metalen bagagekar en zette kreunend de kennel erop. Zijn nekspieren stonden gespannen. Ik voelde me heel erg schuldig. Ik had iemand moeten meenemen om me te helpen. Maar ook al zou ik bereid zijn geweest op te biechten dat ik mijn creditcardnummer had ingetoetst bij een Slowaakse website en een hond had gekocht, dan nog zou ik niemand hebben om me te helpen.

We gingen naar het parkeerterrein. Petey hijgde, en zijn adem kwam als een wolk uit zijn mond. Ik was bang dat hij zou ontploffen. Ik zou hem wel willen helpen, maar ik wist niet hoe. Dus liep ik maar met hem mee met mijn hand op de kennel, als om te zorgen dat het ding er niet af viel.

'Waar staat uw auto?' bracht hij hijgend uit.

'Daar.' Ik wees naar mijn zilverkleurige Corolla.

Petey bleef staan, wierp zijn hoofd in zijn nek en barstte in lachen uit. 'Ha! Ha! Ha!' Ik zag zijn schouders schokken, hij had het niet meer. 'Wilde u die hond in dat autootje vervoeren?' De tranen sprongen in zijn ogen.

'Nou ja, ik dacht dat hij...' In mijn ogen sprongen ook tranen. 'Ik dacht dat hij kleiner zou zijn,' zei ik. Ik moest huilen en lachen tegelijkertijd. De tranen biggelden over mijn wangen.

'Nou, dan moeten we maar eens kijken hoe we dit gaan aanpakken, hè?' Petey haalde een rolmaat uit zijn zak en mat de kennel, het autoportier en toen weer de kennel.

'Hij moet eruit.' Hij liet de rolmaat terug in de houder floepen.

Het beest bewoog in zijn kennel.

'Hoe bedoelt u: eruit?'

Er reed een auto voorbij en de koplampen schenen in de kennel. Witte tanden blikkerden.

'Nou, ooit zal hij er toch uit moeten, dame. Als u wilt, help ik u. Hij moet er nu uit.'

Petey liet me de auto vast uitparkeren. Na een hoop gemanoeuvreer kreeg hij het karretje heel dicht bij het achterportier. Ik zat in de auto, en stak mijn hand uit om het deurtje van de kennel open te doen. De hond sprong op de achterbank. Ik stapte uit en sloeg het portier dicht.

De hond was enorm. Echt enorm. Hij nam de hele achterbank in beslag. Ik zag uitsluitend nog zwart. Zijn vacht was lang en zo zwart dat het in het oranje licht wel blauw leek. Ik was doodsbang.

'Wauw,' zei Petey. 'Wat is het voor hond?'

'Duitse herder,' antwoordde ik, met een blik op de kennel.

'Dat is geen Duitse herder. Hij is zwart, hij is langharig.'

'Het zou een Duitse herder moeten zijn,' zei ik.

De hond keek naar ons met zijn bek open. Zijn grootste tanden waren zo lang als mijn pink. Er droop een sliert kwijl van zijn tong op de bekleding.

Petey pakte de kennel. 'Ik haal dit ding weg, en dan moet u het portier dichtdoen.'

Ik knikte en haalde diep adem.

Petey trok de kennel weg. Ik aarzelde even en toen zat de kop van de hond in de weg.

De hond wrong zich langs ons.

'Shit!' krijste ik. Ik wist niet of ik achter hem aan moest. Ik wist niet of hij me zou bijten.

'Geen paniek!' riep Petey. 'Vooral niet in paniek raken.'

'Wat moet ik dan?' vroeg ik.

'We kunnen kijken wat hij gaat doen.'

De hond was vijf meter bij ons vandaan. Hij besnuffelde een lantaarnpaal.

'Nee, u begrijpt het niet. Hij... Ik heb voor hem betaald... Hij...'

De hond tilde een poot op en deed een plas.

Petey grinnikte. 'Hij moest zeker heel erg nodig.'

'Wat nu? Hoe krijgen we hem de auto weer in?'

'Rustig maar,' zei Petey, en hij zwaaide met zijn vinger. 'U vergeet iets heel belangrijks.'

'Wat dan?'

'Honden vinden het fijn om in een auto te rijden.' Hij trok zijn wenkbrauwen op, alsof hij me een groot geheim had onthuld.

'Is dat alles? Is dat de oplossing?'

De hond was klaar met plassen en zette zijn poot weer neer.

Petey klakte met zijn tong. 'Kom maar. Kom maar hier. Braaf.' Hij klopte op de achterbank.

De hond kwam aanrennen en sprong op de achterbank. Petey sloeg het portier dicht.

'Ziet u wel?' zei Petey. 'Honden maken graag een ritje.'

Ik had niet gedacht dat er in Slowakije auto's waren. Ik had me voorgesteld dat een gebogen mannetje de hond op een ezelskar naar de luchthaven had gebracht. Maar de hond leek zich in mijn auto op zijn gemak te voelen. Hij zat voor het raampje naar ons te kijken. Het raam besloeg waar hij ertegen ademde.

'Mooie hond, wat voor ras het ook is.' Met zijn handpalm sloeg Petey op het dak van de auto. 'Oké, volgend agendapunt. Die kennel kan zo niet in de auto. Dat beseft u toch ook? Hij moet uit elkaar.' Hij ging naar de kennel en maakte de sluitingen aan de ene kant los.

Ik ging naar de andere kant en maakte daar de sluitingen los. Mijn vingers waren ijskoud, en het deed pijn om de plastic palletjes los te krijgen. Petey maakte ook nog de sluitingen aan de achterkant los. Vervolgens maakten we het rooster aan de voorkant los, en toen kon de bovenkant van de kennel omgekeerd in de onderkant liggen.

'Kijk eens,' zei Petey. Hij haalde een envelop met resten plakband eraan uit zijn kontzak. 'Dit zat op de andere kant geplakt.'

Ik wist niet wat het was, en terwijl Petey keek, wilde ik het ook niet weten. Dus propte ik de envelop in mijn jaszak.

'Hebt u touw in de auto?' vroeg Petey. Aan zijn stem te horen betwijfelde hij dat.

'Nee.' Ik zette de kofferbak open. Er zaten oude plastic bakjes in, en bekertjes. Die had ik nooit naar binnen gebracht om in de vaatwasser te stoppen. Tussen de rotzooi lag ook een oude panty.

'Die is ook goed,' zei ik. Ik haalde de panty uit de kofferbak en maakte er een prop van. Petey wilde hem pakken, maar dat stond ik niet toe. 'Ik doe het wel.'

Petey zette de onderdelen van de kennel in de kofferbak en schoof er een beetje mee totdat hij dacht dat ze wel stevig stonden. Ondertussen bond ik de panty vast aan het handvat van de kofferbak, haalde hem door de gaten van de kennel en bond het uiteinde stevig vast. Ik deed mijn best het kruis in de koffer-bak te krijgen, maar het sprong er steeds uit.

'Kijk eens aan,' zei hij. 'Nu kunt u op weg.'

'Hier.' Ik stak een biljet van tien dollar uit.

Hij stak zijn hand op. 'Nee, nee, dat hoeft niet.' Met zijn handen in zijn zakken liep hij weg, en hij riep nog achterom: 'Succes, mevrouw Leone!'

Ik keek door het autoraampje. De hond lag als een sfinx op de achterbank naar me te kijken.

Je mag niet laten zien dat je bang bent, dacht ik. Dat is wat iedereen altijd zegt over honden en stieren die je aanvallen, of over bijen. Het is heel belangrijk om geen angst te tonen. Ik haalde een paar keer diep adem, maar de koude lucht deed pijn in mijn longen. Dus haalde ik maar ondiep adem, en voordat ik het wist, was ik aan het hyperventileren. Ik leunde tegen het portier en stak mijn neus in mijn oksel om warme lucht te kunnen inademen.

De auto bewoog. Ik keek op, en zag de hond op de bestuur-dersstoel. Hij keek me door het raampje aan. Ik boog me naar het raampje. Zijn ogen waren warm en bruin. Toen hij zijn kop schuin hield, voelde ik me prettiger, en ik ging weer normaal ademen.

'Oké, maar je moet wel terug naar de achterbank,' zei ik. Hij hield zijn kop schuin naar de andere kant. 'Achterbank,' zei ik iets harder. 'Achterbank.' Ik tikte op het achterruitje. De hond sprong op de achterbank en bleef daar zitten.

Ik deed het portier open en stapte in. Hij stak zijn kop naar voren, kwam tegen mijn arm aan en legde zijn kop toen op het dashboard. Voorzichtig aaide ik over zijn kop, met trillende hand. Zijn vacht was zachter dan ik had gedacht.

Met mijn hand veegde ik de condens weg, en startte vervolgens de motor.

Tijdens de rit naar huis was de hond heel stil. Hij zat op de achterbank uit het raampje te kijken. Via de achteruitkijkspiegel keek ik naar hem, en ik vroeg me af of hij alles hier er heel anders vond uitzien.

8

Eenmaal thuis liep de hond naar boven en weer naar beneden, alle kamers in en uit. Dat deed hij een paar keer. Ik liep achter hem aan en hoopte dat ik niets had laten liggen wat kwaad kon. Hij hield aldoor zijn neus bij de grond. Uiteindelijk drentelde hij de keuken in, kwam naar me toe en ging zitten. Het huis was geïnspecteerd en goedgekeurd.

'Water? Wil je water?'

Hij keek me aan.

Ik liep naar de waterbak en wees ernaar. Hij bleef zitten waar hij zat. Ik gaf een schopje tegen de waterbak en het water klotste over de rand. Hij kwam toch maar, snuffelde even en lebberde vervolgens de hele bak leeg. Daarna ging hij voor me zitten en keek me aan. Ik was niet bang, maar voelde me ook niet helemaal op mijn gemak. Ik had het gevoel dat ik een voorstelling moest geven of zo, of een nummertje dansen.

Ik had mijn jas nog aan. Opeens schoot me de envelop te

binnen. Het plakband plakte aan de voering van mijn zak, er zat allemaal rood pluis op. In malle blokletters stond er op de envelop: Regalhaus vom Stoffelgrund.

'Ben jij dat?' vroeg ik, en ik wees naar de tekst alsof hij die kon lezen. 'Regalhaus?' Hij stond op en kwam dichter bij me zitten. Hij duwde zijn kop tegen mijn been. 'Regalhaus vom Stoffelgrund? Heb je een achternaam?' Ik kriebelde over zijn kop. 'Je ziet er niet uit als een Regalhaus. Hoe moet ik je noemen?' Het haar achter zijn oren was zacht als dons.

'Bill?' vroeg ik. Hij trok zijn kop terug en keek me aan. 'Bill?' probeerde ik weer. Hij hield zijn kop schuin. 'Carl?' De kop ging de andere kant op, nog steeds schuin. Ik kreeg een giechelbui. Hoewel ik altijd graag een hond had willen hebben, had ik weinig contact met honden gehad. Het was maf dat hij zo naar me luisterde en leek te wachten op iets wat op hem betrekking had. 'Denny? Eric?' vroeg ik. Zo ging ik het hele alfabet af. Hij keek me recht in de ogen, en bij elke naam hield hij zijn kop schuin, alsof hij erover moest nadenken. Ik kreeg bijna de slappe lach. 'Fritz? George? Harold?' Hij gaapte. 'Ja, je lijkt me inderdaad geen Harold. Ichabod? Wat vind je van Joe?' Ik kreeg de hik, en hij legde zijn poot op mijn knie. 'Joe?' Ik stak mijn hand uit en hij gaf me een poot. 'Fijn kennis met je te maken, Joe.' Ik schudde zijn poot, en hurkte toen naast hem neer. Hij stak zijn neus onder mijn kin. Het was de knuffel waar ik al zo lang behoefte aan had. Joe legde zijn kop op mijn schouder, en ik sloeg mijn armen om hem heen om hem te knuffelen.

Vervolgens duwde ik zijn kop even weg om de envelop te kunnen openen. Er zaten papieren in die zo te zien medische gegevens bevatten, en een blaadje gelinieerd geel papier. Daar stond nog meer op geschreven, weer in die blokletters. Op de eerste regel stond: *Befehl*, met daarnaast: *Command*. Bevel...

Bij de rest stond geen Engelse vertaling.

Ik las het eerste bevel hardop voor.

'*L'ahni.*'

Joe ging liggen, met zijn kop op de grond.

'*Sadni.*'

Joe ging zitten.

'*K nohe.*'

Joe liep om me heen en ging links van me zitten.

'Meen je dat, Joe? Bestaat daar een bevel voor?'

Ik zei het nog eens. '*K nohe.*' Joe liep om me heen en ging zitten.

'Braaf! Knappe hond!'

Ik las het volgende bevel op. '*Štekat*'.'

Joe blafte zo hard dat mijn oren ervan tuitten.

'Wat?'

Hij keek me aan.

'*Štekat*'.'

Joe blafte deze keer nog harder. Ik deinsde achteruit.

'Oké, Joe. Misschien kunnen we hier beter mee ophouden totdat ik weet wat alles betekent.'

We gingen naar de garage om de kennel uit de auto te halen. Ik maakte de panty los en trok het ding uit de kofferbak. Terwijl ik het naar binnen sjouwde, naar mijn slaapkamer, dartelde Joe voor me uit. Toen ik het gevaarte in elkaar zette, zat hij naast me aandachtig te kijken. Zelfs met warme vingers duurde het een hele tijd om alles aan te draaien.

Joe's ogen vielen bijna dicht, en zijn kop zakte naar beneden.

'Hier, makker.' Ik liep naar het bed en klopte op de matras. Hij sprong op bed. 'Ga maar liggen.' Joe keek me niet-begrijpend aan. '*L'ahni.*' Hij liet zich neerploffen. Even aaide ik over zijn kop, en hij sloot zijn ogen. Tegen de tijd dat ik klaar was, lag hij met zijn kop op mijn kussen te snurken.

Ik trok een joggingbroek en een t-shirt aan. Vervolgens knipte ik het licht uit. Joe lag te pitten aan de kant van het bed waar ik meestal sliep, dus moest ik over hem heen klauteren. Het bed was al opgewarmd. Joe draaide zich om en duwde zijn neus tegen mijn onderarm. Hij zuchtte alsof hij de wereld op zijn schouders had getorst en nu kon loslaten. Door die zucht, en door zijn rustige ademhaling, voelde ik me veilig. Ik wilde de afstandsbediening pakken, maar dan zou ik mijn arm onder zijn kop vandaan moeten trekken. Dus bleef ik maar liggen luisteren naar zijn ademhaling totdat ik zelf in slaap viel. En voor de eerste keer sinds de bruiloft droomde ik niet over Peter, zonsondergangen of Griekse goden voor Janie.

9

Rond halftwaalf maakte Joe me wakker door te janken en steeds zijn poot op me te zetten.

'Moet je naar buiten?'

Joe hield zijn kop schuin.

'Uit? Wil je uit?'

Hij jankte.

'Oké, momentje.' Ik stond op en ging naar de badkamer om te plassen en een borstel door mijn haar te halen. Joe kwam achter me aan en bleef jankend voor de dichte deur zitten. Ik trok een kreukelige spijkerbroek aan en een oud sweatshirt, allebei uit de wasmand. Joe krabde aan de badkamerdeur. 'Nog heel even!' Ik maakte een staartje in mijn haar en deed de deur open. Een vieze walm kwam me tegemoet. Joe had zijn oren plat tegen zijn kop gelegd en keek me met zijn bruine ogen bedroefd aan. Op de overloop, bij de slaapkamerdeur, lag een enorme drol, zomaar op het beige tapijt.

'Jezus!' riep ik uit. 'Wat heb je nou gedaan?'

Joe jankte en drukte zich tegen de vloer, alsof hij zich onzichtbaar wilde maken. Het leek alsof hij zich diep schaamde, en dat was uiteraard terecht. Ik zou me in zijn situatie ook schamen. Ik had hem moeten uitlaten voordat we naar bed gingen.

Ik hield mijn mouw voor mijn neus en rende naar de keuken om schoonmaakmiddel te halen. Ik zocht ook naar iets om de viezigheid mee op te ruimen, maar kon alleen een kartonnen bordje vinden. Met ingehouden adem rende ik de trap weer op en schraapte met dat bordje de drol van het tapijt. Terwijl ik daarmee bezig was, kwam Joe erbij en duwde met zijn neus tegen mijn arm, de arm waarop ik steunde. Ik viel om, in de drol, en smeerde met mijn mouw een boel stront over het kleed.

'Shit!' riep ik uit. Joe trok zich er niets van aan. Hij zat zo dicht bij me dat zijn flank tegen mijn been aan kwam, alsof er niets was gebeurd, alsof we gewoon een beetje gezellig aan het doen waren in de gang. Ik kookte van woede. Van mijn hand tot mijn elleboog zat ik onder de poep. Het was het walgelijkste wat ik ooit had meegemaakt. Ik zou de voordeur wel willen openzetten en hem laten vertrekken. Hij moest zijn behoeftes maar op andermans kleren gaan doen. Maar toen ik naar hem keek, hield hij zijn kop schuin en keek naar me op met die grote, lieve bruine ogen, alsof ik de geweldigste persoon op de hele wereld was.

'Je boft maar dat je er lief uitziet,' zei ik.

Ik deed mijn trui uit, heel voorzichtig om niet nog meer poep over mezelf uit te smeren, en waste mijn handen. Ik waste ze drie keer, met veel zeep. Vervolgens schraapte ik de rest van de drol met het kartonnen bordje van het tapijt en dumpte de drol in de wc. Toen ik doortrok, kwam Joe kijken. Terwijl het water door de pot spoelde, kwispelde hij, alsof we samen grote lol hadden. Ik gooide het bordje en de trui in de afvalbak in de badkamer en bond het vuilniszakje dicht. Die trui zou ik nooit meer kunnen dragen zonder te denken dat hij naar poep stonk, hoe vaak ik hem ook zou wassen. Ik spoot tapijtreiniger op de vlek in de gang en liet het spul zijn werk doen.

'Jammer dat je niet gewoon naar de wc kunt, als een grote jongen,' zei ik tegen Joe terwijl ik een schoon topje uit de slaapkamer haalde. Hij keek me ernstig aan en jankte toen weer. De laatste keer dat hij had geplast, was op het parkeerterrein van de luchthaven geweest. Hij moest waarschijnlijk heel erg nodig.

'Oké, oké, we gaan al,' zei ik op weg naar de deur. Joe kwam achter me aan. Ik trok mijn jas aan en deed alle knopen dicht, zodat niemand kon zien dat ik geen trui aanhad. Ik deed de riem om Joe's kop en hield die vast aan het kleine halsbandje voor puppy's. Hij jankte en kwispelde. Zodra ik de voordeur opendeed, ging hij zo hard trekken dat mijn arm er bijna af vloog. De frisse lucht was heerlijk, maar Joe liet me er niet rustig van genieten.

'Niet zo snel!' riep ik uit, maar Joe trok zo stevig dat het leek of hij zich liever liet wurgen dan dat hij bleef stilstaan. Dus ging ik ook maar lopen. Zodra ik sneller ging lopen, zette hij de pas er nog steviger in. Maar wanneer ik langzamer liep, bleef hij trekken. De koude lucht deed pijn in mijn longen, en ik voelde steken in mijn zij. Ik vroeg me af of er op dat gele papiertje ook een bevel stond voor: doe nou niet zo maf en loop eens normaal.

Ik was buiten adem en uitgeput toen we nog lang niet op de helft van het ommetje om het blok waren. Net toen Joe een beetje normaler tempo ging aanhouden, rende er een paar meter verderop een kat over straat. Joe ging er meteen achteraan, en trok mij met zich mee. Hij zette er echt de sokken in.

'Joe! Stop! K nohe! L'ahni!' riep ik, want dat was het enige wat ik me nog herinnerde. Hij luisterde totaal niet. Hij sleepte me zowat over straat. Ik had niet meer zo hard gerend sinds ik tikkertje speelde op het schoolplein.

Plotseling kwamen we bij een laagje ijzel, en mijn benen vlogen onder me vandaan. Ik kwam hard neer op mijn billen en liet de riem los. Ik kon me de enorme blauwe plek op mijn billen al voorstellen. Ondertussen rende Joe achter de kat aan totdat die in een boom klom. Toen kwam hij kwispelend naar me toe. Dat klusje had hij even goed geklaard.

Ik probeerde overeind te komen, maar Joe legde zijn modderpoten op mijn schouders en likte mijn gezicht helemaal nat. 'Verdomme, Joe, ga van me af!' Ik duwde hem weg en veegde mijn gezicht droog met mijn mouw. Vervolgens stond ik op en deed mijn best de modder van mijn achterste te krijgen, maar daardoor maakte ik het alleen maar erger. Ik voelde de blauwe plek al opkomen, en wilde eigenlijk het liefst naar huis.

Ik stak mijn hand uit naar Joe's riem, maar net op dat moment rende hij weg. Even later bleef hij staan en keek om. Ik liep naar hem toe en stak mijn hand uit. Weer rende hij een eindje weg. Ik struikelde bijna, maar liep toch door en probeerde de riem te pakken te krijgen. Elke keer dat het me bijna lukte, rende hij weg. Ik voelde me net Charlie Brown die Lucy's voetbal wil wegtrappen.

Joe nam het uiteinde van de riem in zijn bek en schudde heftig, alsof hij een prooi aan het doodmaken was. Vervolgens ging hij rondspringen in het gras, alsof hij me belachelijk wilde maken.

'Doe niet zo lullig!' zei ik, en meteen voelde ik me uiterst belachelijk. Joe rende vooruit met de riem in zijn bek. Uiteindelijk minderde hij vaart en liep een eindje voor me uit, waarbij hij steeds even omkeek. Wanneer hij dacht dat ik een hoek om wilde, ging hij de hoek om. Hij volgde me, maar dan voor me uit.

Zodra we dichter bij huis kwamen, rende hij naar de brievenbussen, tilde zijn poot op en plaste tegen die van de Crosby's. Natuurlijk kwam Gail Crosby net op dat moment naar buiten om de post op te halen. In de twee jaar dat ik hier woonde, had ik Gail Crosby nooit iets anders zien doen dan de post halen of gaan joggen. Mitch, haar echtgenoot, deed de boodschappen, en volgens mij kookte hij ook en deed de afwas. De post halen was voor Gail een hele gebeurtenis. Daarvoor deed ze haar haar goed en smeerde ze lipgloss op. Daarvoor trok ze iets aan wat passend was voor de weersomstandigheden. Daarvoor liep ze als een topmodel over de inrit, en draaide met haar heupen. Vandaag had ze een velours pakje aan, knalroze. Zodra Joe klaar was met plassen rende hij op haar af en snuffelde aan haar broek.

Gail gilde het uit. 'Help!' Ze sprong zwaaiend met haar handen in het rond. 'Ik word aangevallen!'

Kwispelend rende Joe om Gail heen.

'Ik ga de politie bellen!' krijste Gail, en ze rende naar de deur.

'Wacht!' riep ik, en ik holde naar Joe toe. 'Dit is mijn hond.'

Gail bleef rennen. Haar voeten raakten nauwelijks de grond. Het was net iets uit een droom, waarin je wordt aangevallen door monsters.

'Dat is geen hond!' Met trillende hand wees ze naar Joe. 'Dat is een wolf!'

'Nee, hij is geen wolf, hij is mijn hond. Hij heet Joe. Kijk maar.' Ik ging voor Joe staan en kon alleen maar hopen dat hij zou luisteren. 'K nohe!' Hij rende om me heen en ging links van me zitten. 'L'ahni!' Hij ging liggen.

'Sorry dat hij je liet schrikken. Maar het is een lieve hond.'

'Dat is geen hond. Buggles is een hond. Dit is een monster. Hoe haal je het in je hoofd dat beest hier te halen?'

'Gail, hij is een lieve hond. Volgens mij doet hij niemand kwaad.'

'Volgens jou? Volgens jou? Je brengt een moordwapen...'

'...een hond!'

'Buggles is een hond. Dat is een...'

'Buggles is een rat aan een lijntje!'

'O!' Gail bracht haar hand naar haar wang alsof ik haar had geslagen. 'Neem dat terug, Savannah! Dat neem je terug!'

'Terugnemen? Ik ben geen twaalf meer!' Joe lag nog steeds aan mijn voeten. 'Kom op, Joe, we gaan.' Ik liep terug naar huis, met Joe achter me aan. Ik sloeg de deur hard achter ons dicht.

De rest van de middag bleef Gail huilen in haar keuken, en dat deed ze vast en zeker voor mij. Nadat ik het tapijt op de overloop schoon had gekregen, zette ik alle ramen open, ook al was het buiten ijskoud. Ik zette ook overal kaarsen neer om de stank kwijt te raken. Vervolgens sjouwde ik het dekbed naar beneden en bracht de middag door op de bank, met Joe. Ik zette het geluid van de tv zo hard dat ik Gails gejammer niet hoefde te horen. Op mijn billen vormde zich al een grote blauwe plek, daarom legde ik er ijs onder.

Joe blafte elke keer dat er een hond op tv te zien was, en als er op de tv een deurbel of een toeterende auto klonk. Verder lag hij met zijn voorpoten op mijn schoot, en wanneer ik ophield over zijn kop te kriebelen, stootte hij me aan. Wanneer ik tegen hem praatte, deed hij alsof het hem interesseerde, met zijn kop dan weer schuin de ene kant op, en dan weer de andere. En hij spitste echt zijn oren.

Om het uur gingen we even naar buiten, gewoon voor het geval dat. Ik wilde geen enkel risico meer nemen.

10

De volgende dag was Joe zeker goed uitgerust, want na het ontbijt rende hij razendsnel door het huis. Hij rende de trap op, hij sprong op het bed, hij sprong van het bed af, hij rende de trap af en de keuken in, maakte een scherpe bocht, rende de kamer in en sprong op de bank. Vervolgens duwde hij met zijn snuit de kussens van de bank alsof hij last had van een driftbui, en rende toen de trap weer op om alles nog eens te doen.

Ik wist niet wat ik moest doen. Ik zat aan de keukentafel, met mijn koffie angstvallig in mijn handen geklemd, en keek vol ontzag toe. Wanneer hij langs me sjeesde, zag ik slechts een wazige hoop zwarte vacht. Hij deed dit alles een keer of zeven en bleef toen in de keuken staan. Hij hijgde zo verschrikkelijk dat ik bang was dat hij zou ontploffen. Toen gaf hij zijn waterbak een duw waardoor die over de vloer schoof, en keek me aan alsof hij wilde zeggen: 'Geef me water, verdomme!'

'Zeg, denk je soms dat ik je dienstmeisje ben?' vroeg ik, maar ik vulde zijn waterbak toch bij.

De uren daarna lag hij uitgeteld in mijn werkkamer terwijl ik moeizaam bezig was met de aanvraag over subsidie. Ik had nog maar de helft van de informatie die mijn cliënt me had beloofd, en de deadline naderde. Ik had een donkerbruin vermoeden dat als ik dit niet op tijd zou inleveren en er geen subsidie zou komen, de cliënt niet zou betalen, ook al was het de schuld van de cliënt. Met een hond van zesduizend dollar snurkend op de vloer kon ik het me niet veroorloven gratis en voor niks te werken. Na twee uur mijn best gedaan te hebben met de informatie waarover ik beschikte, had ik er genoeg van en ging ik op internet op zoek naar vertalingen van de bevelen op het gele papier. Blijkbaar moest ik voor 'nee' zeggen: *fuj*. Dat werd uitgesproken als: foei. Geweldig, dacht ik. Het was al erg genoeg om tegen een hond te praten in een taal die je eigenlijk niet machtig bent, en nu moest ik ook nog doen alsof hij een stout kind was.

Er waren zevenentwintig commando's. De bekendste stonden bovenaan, zoals zit, blijf, volg, ren, geef, lig. Maar er waren ook andere, zoals: zoek naar drugs, en: doorzoek het gebouw. Ik vond het lastig me Joe voor te stellen als een hond die gebouwen doorzoekt en drugsdealers opspoort, zeker als ik hem zag liggen kwijlen op het tapijt.

Achter op het velletje met bevelen stond een recept voor een hondenmaaltijd, met gekookte kip, rijst, selderij, wortel en olijfolie. In een van de boeken die ik uit de bibliotheek had gehaald, stond een heel hoofdstuk over zelf voor je hond koken, en er stond ook in dat zelf eten voor hem bereiden de beste manier was om je hond gezond te houden. Gewoon menseneten. Toen had ik daar niet veel aandacht aan besteed, en nu gaf ik Joe brokjes die volgens de verpakking een uitgebalanceerde mix van proteïne en antioxidanten waren. Dit recept leek echter niet zo moeilijk. Als hij daaraan gewend was, was het niet eerlijk hem nu brokjes voor te zetten. Veel eten voor mezelf had ik echter niet in huis. Kip, rijst en groenten leken ook een hele verbetering voor mezelf, want ik leefde op magnetronmaaltijden en ontbijtgranen.

Ik moest Joe in het hok zien te krijgen, want dan kon ik naar Wegmans om boodschappen te doen.

'Poy-ed Sem,' zei ik, want dat betekende: naar binnen. Ik hield het deurtje van de kennel voor hem open.

Hij stak zijn kop uit en blafte. Zijn snuit stond naar mij gericht en zijn lippen stonden strak. Het was geen gewone blaf, eerder een klaaglijke.

'Ga,' zei ik wijzend naar de kennel. 'Poy-ed Sem.' Ik voelde me alsof ik een tiener voor straf naar zijn kamer stuurde.

Hij keek me bedroefd aan en sjokte naar de kennel alsof hij hoopte dat ik van mening zou veranderen. Maar dat deed ik niet, dus liet hij zich maar in de kennel neerploffen.

'Braaf,' zei ik terwijl ik het deurtje dichtdeed. Hij zuchtte diep. Ik had nooit geweten dat honden hun gevoelens zo duidelijk kenbaar konden maken.

Het was niet druk in Wegmans. Ik had een goede tijd gekozen, na de drukte in de middagpauze, en voordat iedereen na het werk gauw iets komt inslaan. Het duurde dan ook niet lang of ik had alle ingrediënten gevonden, en afgerekend. Al met al kostte het me een halfuurtje.

Toen ik thuiskwam, begroette Joe me kwispelend bij de garagedeur. Hij blafte me hartelijk toe. Eerst vond ik het lief dat hij op me stond te wachten. Zoiets was al in geen tijden gebeurd. Maar toen schoot me te binnen dat ik hem had opgesloten in de kennel.

'Hè, nee, hè? Wat heb je nu weer uitgespookt?' riep ik. Ik rende naar boven om te kijken hoe hij uit de kennel was gekomen. Joe kwam achter me aan naar de slaapkamer.

Er zat een groot gat in de kennel, bij de luchtsleuven. De grond lag bezaaid met stukjes plastic. Joe sprong rond en nam een groot stuk in zijn bek. Dat wierp hij door de kamer en besprong het vervolgens. Daarna bracht hij het naar mij, kwispelend alsof hij net een leuk spelletje had bedacht.

'Stomkop,' zei ik terwijl ik me bukte om de stukjes plastic op te rapen. De ruwe randjes bleven in het kleed haken. Met mijn handen kon ik niet alles bij elkaar vegen, en mijn oude stofzuiger lukte het ook niet alles op te zuigen, dus moest ik op handen en knieën de stukjes uit het tapijt peuteren. Om rustig te worden rationaliseerde ik Joe's gedrag. Als ik in een kennel per vliegtuig de oceaan had moeten oversteken, zou ik ook niet terug willen in dat ding. Maar terwijl ik de stukjes plastic opraapte, viel het me op dat er ook stukjes hout tussen zaten. Er was niets te zien aan de kast, en aan het tafeltje met de tv erop ook niet. En toen zag ik het. Joe had op een van de beddenpoten geknauwd alsof die een tak was. Er stonden lelijke tandafdrukken in het donkere hout.

'Foei!' riep ik, ook al wist ik dat het geen zin had omdat het al was gebeurd, en hij er niets van zou begrijpen. Het ergerde me dat ik het hem niet kon laten begrijpen, en de tranen sprongen in mijn ogen.

Dat bed was het enige meubelstuk dat ik had dat geen tweedehandsje was. Het was een degelijk meubel, gekocht in een echte meubelzaak. Het was een van de weinige dingen waar ik zuinig op was. Ik had er bijenwas voor gekocht. Ik had de krasjes bijgewerkt. Ik deed alles om ervoor te zorgen dat het er als nieuw bleef uitzien.

'Foei!' riep ik uit. 'Verdomme! Verdomme!'

Joe ging liggen met zijn kop op de grond. Zijn oren lagen plat en hij jankte.

Ik ging op mijn rug liggen en voelde aan de tandafdrukken. Ze waren diep. Niet zo diep dat het bed zou instorten, maar te diep om de beschadigingen met vloeibaar hout en bijenwas weg te werken. De tranen biggelden over mijn wangen.

Mijn moeder had het bed voor me besteld toen ik naar een heus appartement verhuisde, weg uit het studentenhuis. Het was een hele verrassing geweest. 'Sorry dat ik je niet kon helpen verhuizen,' had ze gezegd toen ik haar belde nadat het bed was bezorgd. 'Ik dacht dat je wel iets zou willen hebben als bewijs van je onafhankelijkheid. Je eerste appartement, en je eerste volwassen bed.'

'Het is niet alleen mijn appartement.' Ik was erin getrokken met twee studievriendinnen. Het was een waardeloos appartement met een krakende trap, en in het appartement ernaast werd constant wild gefeest. 'En zo onafhankelijk ben ik niet,' had ik gezegd, want ik had me zorgen gemaakt over de kosten. Bovendien zou de auto van mijn moeder het niet lang meer maken, ze zou moeten sparen voor een nieuwe.

'Je kunt niet eeuwig op een matje slapen,' had ze gezegd.

Inderdaad was dit het begin van mijn onafhankelijkheid gebleken. Toen ik weer verhuisde, had ik een echt verhuisbedrijf moeten inschakelen. In tegenstelling tot alle andere studenten, die alles achterlieten wat niet achter in de grote auto van hun ouders paste, had ik een groot en zwaar bed, en niemand om me te helpen verhuizen. Ik had toen geen moeder meer.

Mijn moeder was nooit erg praktisch aangelegd geweest. Ik denk dat ze had geprobeerd me een gesetteld gevoel te geven. Ze had willen weten dat het met mij wel in orde zou komen. Ze wilde dit grote moment bijzonder maken, want ze wist dat ze verder geen grote momenten in mijn leven meer zou meemaken. Dit bed was niet zomaar een geschenk. Toen mijn moeder het had gekocht, was ze waarschijnlijk al op de hoogte van het feit dat ze aan kanker leed.

Ik had Diane kunnen vragen wanneer mijn moeder precies had geweten dat er geen hoop meer bestond. Misschien was ik

Diane daarom uit de weg gegaan. Soms wil je iets liever niet weten. Het zou toch niets veranderen. Mijn moeder had iets aardigs voor me willen doen. En Joe had net het geschenk van mijn moeder verpest. Mijn moeder was nog steeds dood, Peter was nog steeds met Janie getrouwd, en Diane had het nog steeds met me gehad.

Ik lag daar te kijken naar mijn buik, die schudde van het ingehouden snikken. En toen het inhouden niet meer lukte, werd het gejammer, een soort oerkreet die een eigen leven leidde. Ik had er alles aan gedaan om niet zo diep te gaan. Ik had te hard gewerkt. Ik had te veel gedronken. Soms liet ik mezelf een beetje gaan, maar dit was eng, hier liggen huilen, en elke vezel van mijn lichaam huilde mee.

Joe stond op en kwam naast me liggen. Hij zuchtte eens diep. Ik voelde zijn flanken bewegen wanneer hij ademhaalde. Hij tilde zijn kop op en legde die op mijn borst. Ik sloeg mijn armen om hem heen en slaakte nog zo'n oerkreet. Deze keer was het minder eng omdat ik niet alleen was.

11

De volgende morgen begon Joe de dag weer met dat rondrennen. Hij had een wilde blik in zijn ogen toen hij langs me scheurde, en hij gooide onderweg ook nog een stapel reclamefolders van de salontafel. Ik had geen idee wat Joe mankeerde, ik wist alleen dat ik er niet meer tegen kon. Ik ging naar mijn werkkamer, zette de computer aan en zocht naar een manier om Joe met zijn wilde gedrag te laten ophouden. Op elke site stond dat je naar de dierenarts moest om te kijken of er misschien een medisch probleem was. Pas wanneer dat was uitgesloten, kon je proberen het gedrag te veranderen.

Ik pakte het telefoonboek en zocht de dierenartspraktijken. Toen zag ik een advertentie van dokter Alexander Brandt. Er stond een tekening van een Duitse herder bij, en de tekst: *gespecialiseerd in grote honden.*

Ik belde. Omdat het zaterdag was, verwachtte ik eigenlijk

niet dat de praktijk open zou zijn, maar ik dacht dat ik wel een bericht kon inspreken om het balletje aan het rollen te krijgen.

'Met de praktijk van dokter Brandt, met Mindy.' Haar stem klonk opgewekt.

Ik zei dat ik een afspraak voor mijn hond wilde maken.

'Is hij bekend in deze praktijk?' vroeg ze.

'Ik heb hem donderdag pas gekregen,' vertelde ik op mijn hoede. Ik wilde liever niet vertellen hoe ik aan Joe kwam, en gelukkig vroeg ze er niet naar.

'Vanmorgen om elf uur is er een afspraak afgezegd,' zei ze. Ik hoorde dat ze kauwgum in haar mond had. 'En anders wordt het pas december. Komt 12 december gelegen?'

'Ik kom wel vandaag,' zei ik, hoewel het al halfelf was en ik nog rondliep in pyjama.

'Prima!' reageerde ze opgewekt. 'Tot straks!'

Ik hing op en sprintte de trap op. Tegen de tijd dat ik had gedoucht en mascara had opgedaan, was het al behoorlijk laat. Ik had niet eens meer tijd om mijn tanden te poetsen. Gauw trok ik een spijkerbroek en een T-shirt vol kreukels aan, en griste een pakje kauwgum van mijn bureau. Mijn haren maakten de rug van mijn T-shirt nat.

Toen het tot Joe doordrong dat we een ritje in de auto gingen maken, ging hij zich gedragen als een kind voor de poorten van een pretpark. Hij maakte rare sprongen en jankte. Het speet me dat ik niet zo opgetogen kon zijn bij het vooruitzicht van een ritje in de auto. Het speet me dat ik verdomme nergens zo opgetogen van raakte.

Zodra ik het portier had geopend, sprong Joe in de auto. Hij ging op de bestuurdersstoel zitten en likte het stuur. 'Achterbank,' zei ik. Meteen sprong hij op de achterbank. Sommige dingen leek hij gewoon te begrijpen, zoals wanneer ik de badkamer in ging en geen gezelschap wilde. Dan zei ik: 'Mag ik even?' En dan liep hij achteruit zodat ik de deur kon dichtdoen. Daar kon hij niet op getraind zijn. Ik snapte niet waarom hij soms intuïtief wist hoe hij zich hoorde te gedragen, maar niet begreep dat hij niet aan mijn beddenpoten mocht knagen of zich al bijtend uit zijn kennel mocht bevrijden.

Joe dartelde rond op de achterbank. Hij keek uit alle raampjes naar buiten, hij blafte naar de mensen die bij een bushalte stonden te wachten, of die bij een stoplicht overstaken.

Toen we eenmaal bij de praktijk waren, deed ik Joe weer die rare samengestelde riem om. Het zag eruit alsof ik niet goed wist wat waar moest. Het speet me dat ik nog geen echte halsband voor hem had gekocht.

De wachtkamer was licht en stonk naar urine. In het midden stond een enorm aquarium, en in de receptiebalie zat een ingebouwd terrarium. Ik keek naar de leguaan die slablaadjes zat te eten terwijl ik wachtte totdat de vrouw achter de balie haar telefoongesprek zou beëindigen.

De vrouw stak een vinger op om aan te geven dat het niet lang zou duren. Ze droeg een witte coltrui met blauwe sneeuwvlokjes erop, met daar overheen een blauw vestje. Haar korte blonde haar zat in een springerig staartje, geholpen door blauwe schuifspeldjes. Op de monitor van de computer stonden engeltjes van blauw plastic op blokken met letters erop. Samen spelden die: MINDY. 'Goed dan zien we u de tiende. Dank u, u ook prettige feestdagen gewenst.' Ze hing op en greep zich vast aan het tafelblad. 'Dan is dit zeker Joe,' zei ze, terwijl ze haar mopsneusje optrok. Waarschijnlijk was ze haar dertigste verjaardag al gepasseerd, maar ze oogde alsof je haar nog kon omkopen met een koekje.

'Ja,' antwoordde ik. 'Dit is Joe.' Joe zat naast me, tegen mijn been geleund.

'Wilt u eerst deze formulieren even invullen?' Ze gaf me een klembord waaraan een pen aan een bijna lichtgevende veter hing. 'Dan ga ik hem even wegen.' Ze kwam achter de balie vandaan en nam de riem van me over. 'O, wat schattig!' zei ze terwijl ze het halsbandje omhooghield.

'Ik... ik dacht dat hij kleiner zou zijn.'

'Je bent een grote jongen, hè Joe?' zei ze terwijl ze Joe even op zijn kop krabde. Vervolgens liep ze weg, en Joe volgde haar zoals hij mij volgde. Ik kon wel janken.

Ik ging op een bankje zitten met het klembord en deed mijn best alles zo correct mogelijk in te vullen. Joe's geboortedatum wist ik, en ik had er ook aan gedacht zijn papieren mee te nemen, al waren die in het Slowaaks. Stel dat hij zijn inentingen niet had gehad? Misschien leed Joe wel aan allerlei kwalen. Stel dat er iets heel erg mis met hem was en dat hij zich daarom zo wild gedroeg?

'Dag, mevrouw.' Er klonk een zachte stem, met een ietwat nasaal geluid. Ik had hem niet eens horen aankomen. 'Mindy heeft Joe naar een onderzoekkamer gebracht. U kunt meteen komen.' De man was lang en mager, en hij droeg een rood flanellen hemd en een spijkerbroek die onder de verfvlekken zat.

Ik stond op.

Met zijn ene hand nam hij het klembord van me over, de andere stak hij uit om mijn hand te schudden. Hij schudde die stevig. Zijn hand zat onder de eeltplekken. Nadat hij even op het klembord had gekeken, zei hij: 'Mevrouw Leone, ik ben dokter Brandt.'

Hij zag er eerder uit als landarbeider of staljongen dan als dierenarts. Ik dacht dat dierenartsen altijd witte jassen droegen en groene maskertjes voor hadden. Hij had een hele bos rossigblond haar.

'Hoe is het met mijn hond?' vroeg ik.

'Als u meekomt, kunnen we eens kijken.'

Ik liep achter hem aan door een gangetje en een kamer in. Hij liet mij voorgaan. 'Na u,' zei hij.

Mijn arm kwam tijdens het langslopen tegen de zijne aan. 'Sorry,' fluisterde ik verlegen.

Dokter Brandt streek lachend het haar uit zijn ogen.

Joe zat op een grote metalen tafel, en Mindy hield zijn riem vast.

'Hij is toch zo braaf,' zei Mindy. Ze gaf me de riem terug. 'Als u nu hier gaat staan? En houdt u de riem goed vast?'

Ik hield de riem goed vast. Mindy omvatte even Joe's snuit en drukte er een kusje op. 'Braaf!' Met een kinderstemmetje vroeg ze: 'Wie is er zo braaf?' Joe gaf haar een lik. Ik voelde me verraden.

Mindy hield op mijn hond te verleiden en ging weg. De deur trok ze achter zich dicht.

'Zo,' zei dokter Brandt. 'Mindy vertelde dat u hem nog maar pas hebt.'

'Klopt,' zei ik, en ik kriebelde Joe achter zijn oren.

'Waar hebt u hem vandaan?'

Ik dacht aan de Slowaakse formulieren in mijn tasje. Ik wilde niet gaan uitleggen over de tv-serie over Rin Tin Tin, en mijn door wodka ingegeven koopzucht. 'Uit het asiel,' zei ik.

'Geweldig. Hebt u de formulieren bij u?' Hij klopte op Joe's flank.

'Die heb ik thuis laten liggen. Sorry,' antwoordde ik terwijl ik stevig over Joe's kop krabde.

'Nou, als u hier de volgende keer komt, moeten we hem maar eens een paar inentingen geven en hem ontwormen. Omdat hij uit het asiel komt, weten we dat hij alles heeft gehad wat nodig is. Dat is een prettige gedachte.'

'Oké,' zei ik. Ik voelde me net alsof ik tegen een onderwijzer had gelogen over de reden waarom ik mijn huiswerk niet had gedaan.

'Wat is het probleem, ouwe jongen?' Hij vroeg het alsof hij antwoord van Joe verwachtte.

Ik vertelde dokter Brandt over de drol in de gang, de kapot geknaagde kennel, de kussens van de bank die door de kamer vlogen, en het trekken tijdens het uitlaten.

'Oké,' zei hij afwezig terwijl hij Joe's buik betastte. Hij keek in Joe's oren, hij controleerde zijn ogen, en hij zette een stethoscoop tegen Joe's borst. Joe verzette zich een beetje toen dokter Brandt zijn lippen optilde om de tanden te bekijken. 'Het is in orde, jongen, ik kijk alleen maar even.' Zachtjes streelde dokter Brandt Joe's snuit totdat Joe hem in zijn bek liet kijken. Vervolgens sperde dokter Brandt Joe's bek open alsof hij een leeuwentemmer was.

Toen klopte dokter Brandt weer op Joe's flank en schreef iets in het dossier. 'Volgens mij...' Zijn stem stierf weg en hij schreef nog iets op. 'Volgens mij...' Hij bleef maar schrijven. 'Hij...'

Ik kon wel gillen. Wat had hij ontdekt? Een hersentumor? Een zeldzame Slowaakse parasiet?

Dokter Brandt stak een vinger op. 'Momentje.' Hij sloeg een paar bladzijden om en vinkte enkele dingen af. Uiteindelijk klapte hij het dossier dicht. Toen keek hij me lachend aan. 'U hebt een gezonde hond, mevrouw Leone. Ik heb niets gevonden waar we ons zorgen over hoeven te maken. Volgens mij is er geen echt gedragsprobleem. Soms hebben honden die uit het asiel komen problemen met een hok of kennel. Vooral Duitse herders. Het zijn slimme honden die veel zorg en aandacht nodig hebben. Het is niet ongebruikelijk dat ze dingen doen wanneer ze alleen worden gelaten. Nou, mijn officiële diagnose is dus dat hij een jonge Duitse herder is. Een pup. En pups kunnen soms uit de band springen. Ze moeten hun energie kwijt, en...'

'Een pup?'

'Ja.'

'Maar hij is gigantisch!'

'Hebben ze bij het asiel zijn leeftijd niet verteld?'

'Eh... ik... ik weet dat hij niet oud is,' stamelde ik. 'Maar puppy's zijn klein!'

'Afgaand op zijn gebit en zijn verdere ontwikkeling, zou ik zeggen dat hij vijf of zes maanden oud is. Typisch puppygedrag komt voor tot een jaar of twee. Meer is het volgens mij niet. U hoeft zich geen zorgen te maken.'

Het voelde alsof ik iets over het hoofd had gezien. Joe kon onmogelijk een puppy zijn. Ik had een puppy gekocht en had een hond gekregen. Als dokter Brandt Joe's gedrag toeschreef aan zijn jonge leeftijd, moest hij iets hebben gemist.

'Stel dat hij niet alle zorg en zo heeft gehad die je van een asiel kunt verwachten?' vroeg ik.

'Nou, dan zou ik kijken naar nog meer dingen. Wormen, parasieten en zo.' Hij leunde tegen de tafel.

'O...' zei ik. Als ik geheim bleef houden waar Joe werkelijk vandaan kwam, zou hij niet de behandeling krijgen die hij echt nodig had.

'Het komt niet vaak voor dat iemand een dergelijke hond naar het asiel brengt.' Met een lachje trok hij zijn wenkbrauwen op. 'Kijk maar eens naar zijn snuit. Dit is een echte rashond. Waarschijnlijk met een Europese afstamming. Een prachtige hond, met een prima karakter.' Het viel me op dat dokter Brandt ook een prima karakter had, en een echt leuke lach.

'Dan heb ik geboft,' zei ik schouderophalend.

'Lig,' zei hij tegen Joe.

Joe keek hem alleen maar aan.

'Platz!'

Joe hield zijn kop schuin.

'L'ahni!'

Joe liet zich op de tafel ploffen. De verrader.

'Štekat'!' zei dokter Brandt, en Joe ging zitten en blafte. Met opgetrokken wenkbrauw keek dokter Brandt me aan.

'Hij komt uit Slowakije,' flapte ik eruit. 'Ik heb hem per ongeluk via internet gekocht.' Ik had me graag onder de tafel willen verstoppen.

'Nou, dat verklaart waarom hij op Slowaakse bevelen reageert. Ik had gedacht dat hij uit Duitsland kwam.' Hij wendde zich even af en schreef iets in Joe's dossier. Ik zag hem glimlachen, en toen hij zich weer omdraaide, trilden zijn lippen.

'Lach me maar uit,' zei ik.

'Ik lach niemand uit.' Hij keek geschokt.

'Als ik u was, zou ik mezelf uitlachen,' zei ik. Ik bloosde diep. Joe stopte zijn snuit onder mijn oksel.

'Mag ik u iets vragen?'

'Tuurlijk.'

'Hoe koop je per ongeluk een hond?' Hij lachte breed. Hij had mooie tanden.

'Wodka,' antwoordde ik. 'En een *Rin Tin Tin*-marathon.' Ik moest een kop als een biet hebben.

'Blijkbaar een zeer gevaarlijke combinatie,' zei dokter Brandt, en hij lachte hardop.

Ik haalde Joe's formulieren uit mijn tasje en overhandigde ze.

Dokter Brandt streek de papieren glad op de tafel en begon te lezen. Af en toe zette hij zijn pen bij een woord en mompelde iets.

'Is alles in orde met hem?' vroeg ik. 'Hij is toch ingeënt?'

'Ja, natuurlijk! U hebt hem geïmporteerd, dus voordat hij het vliegtuig in mocht, heeft hij alle inentingen gehad.' Hij gebaarde naar de formulieren. 'Ziet u dit?'

Ik ging bij hem staan om het te kunnen zien. Hij rook naar zeep en frisgewassen kleren. Joe sprong van de tafel, drong zich tussen ons in en legde zijn voorpoten op tafel.

Dokter Brandt schoot in de lach. 'Hij weet dat we het over hem hebben,' zei hij terwijl hij achteloos over Joe's kop krabde.

Vervolgens wees hij naar waar op het formulier stond: 11/5. 'Dat is zijn geboortedatum,' zei hij.

'Volgens mij is het een vergissing. Ze hebben me de verkeerde hond gestuurd, met de verkeerde papieren. Joe is echt niet op 5 november geboren.' Ik trok dokter Brandts kwaliteiten als dierenarts ernstig in twijfel. Joe kon onmogelijk in die paar weken zo zijn gegroeid.

Joe liet zijn poten zakken en leunde tegen mij aan.

'Hij is in mei geboren,' zei dokter Brandt.

En toen viel het kwartje. 'In Europa doen ze de datum andersom!' Ik sloeg mezelf voor mijn hoofd. 'De elfde dag van de vijfde maand. Jezus, ik dacht dat ze me de verkeerde hond hadden gestuurd!'

'U hebt een grotere hond gekregen dan u had gedacht, hè?' zei dokter Brandt.

'Ja,' antwoordde ik.

'Was u bang?'

'Een beetje.'

'Gaat u hem houden?' vroeg hij.

'Uiteraard!' zei ik, geschokt bij de gedachte dat ik hem zou wegdoen. Een spijkerbroek breng je terug als hij thuis toch niet zo slank afkleedt als in het pashokje. Je doet melk weg die zuur is geworden. Maar een hond doe je niet weg. En hoewel ik af en toe gek werd van Joe, vond ik het toch fijn hem om me heen te hebben.

'Nou, het is een gezonde hond met een goed karakter. Als hij ouder is, wordt hij heus wel rustiger. Doe maar veel met hem. Zorg dat hij voldoende lichaamsbeweging krijgt. Zorg dat hij heel goed weet dat u de baas bent. Dan komt alles piekfijn in orde.' Hij schreef een paar dingen van het formulier over in het dossier.

Ik stond nog steeds heel dicht bij hem. Ik voelde me een beetje duizelig, zoals wanneer de jongen op wie je op school stapelverliefd bent, iets in je schrift schrijft.

Hij vouwde Joe's paperassen keurig op en gaf ze terug. Vervolgens klikte hij zijn pen dicht en stopte die in zijn borstzakje. 'Nou, tot over drie maanden dan maar, voor de inentingen. Dag, mevrouw Leone.' Met een knipoog liep hij weg.

Over drie maanden. Gek genoeg voelde ik me een beetje afgewezen, gekleineerd. Zou hij Joe niet eerder moeten zien, gewoon om te kijken of alles goed met hem was? Voordat ik ook maar kon zeggen: dank u wel, of: tot ziens, was hij al verdwenen.

12

Ik had Joe nog geen week toen er een brief kwam. Na een vergadering kwam ik thuis, en onder de deur door was een brief geschoven van de bewonersvereniging, in een oranje envelop. Die mededelingen zaten altijd in gekleurde enveloppen, want meneer Wright, de voorzitter van de bewonersvereniging, was een heel secuur man. Ik vermoedde dat hij te jong zindelijk was gemaakt. Een blauwe envelop betekende dat het water een poosje zou worden afgesloten, de brief in een groene ging altijd over dingen die met de tuin te maken hadden. Hoeveel flamingo's, tuinkabouters of windgongen je mocht hebben, en wat voor kleur overblijvende planten je in de grond mocht zetten. Een mededeling in een gele envelop ging over dingen die met de stroomvoorziening te maken hadden.

Ik had een keer eerder een oranje envelop gekregen, toen ik de bijdrage aan de vereniging de eerste drie maanden niet had betaald. Ik had niet eens geweten dat dat moest, en toen kwam opeens die oranje envelop met een handgeschreven brief van meneer Wright waarin hij uitlegde dat het belangrijk was om op tijd te betalen. Daarna maakte ik het bedrag altijd twee dagen te vroeg over. Toen ik deze envelop opende, kwam er al stoom uit mijn oren. Ik had keurig op tijd betaald, dus wat was dit nou weer voor gezeur?

Maar het ging niet over de bijdrage. Oranje ging dus niet altijd over geld. Er stond dat Joe te zwaar was om hier te mogen wonen, want huisdieren mochten blijkbaar niet meer wegen dan vijftien kilo.

Ik beende naar het huis van de Wrights en bonkte met mijn vuist op de deur, ook al hing daar een koperen klopper. Mevrouw Wright deed de deur open. Elizabeth Wright was een kleine, knokige vrouw met prominente jukbeenderen en een zure blik, alsof ze altijd op haar hoede was. Meneer Wright noemde haar Eliza, maar aan mij had ze zich voorgesteld als Betsy. Hij had haar naam gesnoeid zoals hij zelf wilde, en zoals hij ook de struiken in hun voortuin snoeide zodat die eruitzagen als enorme pompons.

'O, hallo, Savannah. Kom binnen,' zei mevrouw Wright met een blik op de envelop in mijn hand. 'Je wilt Harold zeker spreken.' Ze klemde haar lippen op elkaar, alsof ze net iets zuurs had gegeten. 'Ik haal hem wel even.'

In de gang hing een ingelijste aquarel van een eend met een halsdoekje om en een grote flaphoed op. Het rook er naar gehaktballen. Ik stopte de brief in mijn jaszak en trok mijn leren handschoenen uit. Ik had klamme handen.

In de kamer klonk gefluister. Even later kwam meneer Wright de gang in. Hij droeg een gemakkelijk jasje over een wit onderhemd, en zijn grijzende haar was in een kuif geborsteld. Ik richtte mijn aandacht maar op de eend om niet in lachen uit te barsten.

'Ha, Savannah, ik zie dat je mijn brief hebt gekregen.' Hij sloeg zijn armen over elkaar en leunde tegen de muur.

'Ja, dat klopt, en ik vind het totaal belachelijk.' Ik trok de opgevouwen brief uit mijn zak en schudde ermee. 'Mevrouw Mackenzie heeft zes tuinkabouters.' Ik stak zes vingers op om mijn argument extra nadruk te geven, maar dat ging nogal lastig met de handschoenen en de brief in mijn handen, dus liet ik mijn handen maar weer zakken. 'Zes! Dat is drie meer dan toegestaan.'

'Nou ja,' zei meneer Wright, 'mevrouw Mackenzie en ik hebben een afspraak over de tuinkabouters gemaakt. Ze...'

'Dat geloof ik graag,' zei ik, terwijl ik mijn das losser maakte. Hun thermostaat stond vast op meer dan dertig graden. 'En drie deuren verderop hebben ze zoveel windgongen dat het lijkt alsof ik in een griezelfilm speel wanneer ik erlangs loop. Hebt u met hen ook een afspraak?' Ik wist dat hij ervan op de hoogte was. Ik had hem in zijn woonkamer gezien terwijl hij door een verrekijker keek of er geen overtredingen op de regels werden gemaakt.

'Mevrouw Leone, dit is een heel andere situatie. Er zijn klachten binnengekomen.' Hij keek erg zelfvoldaan. 'Als we u die hond laten houden...' Hij zwaaide met zijn vinger. 'Dan loopt hier straks een leeuw als huisdier rond.'

Een leeuw als huisdier. Dat deed me denken aan Gail, die Joe een monster had genoemd. Meteen wist ik van wie die klacht afkomstig was. Ik moest het dus niet alleen opnemen tegen meneer Wright, maar ook tegen Gail en wie weet hoeveel andere buren. Wanneer Gail zich eenmaal iets in haar kop had gezet, zorgde ze ervoor medestanders te vinden.

Als Peter bij me zou zijn geweest, had hij wel geweten hoe hij meneer Wright moest aanpakken. Hij was advocaat en had geleerd rustig te blijven en doeltreffend te handelen. Hij zou meneer Wright minachtend hebben aangekeken en dure woorden hebben gebruikt, zoals 'navenant' en 'dienovereenkomstig'. Hij zou meneer Wright rustig en overtuigend van repliek hebben gediend. Terwijl ik meneer Wright het liefst half zou hebben gewurgd. Of zijn haar door de war hebben gedaan.

'Dus omdat mijn hond ietsje te veel weegt, moet hij maar weg?' Mijn stem trilde. Ik werd hier veel te emotioneel van.

'Zo te zien weegt je hond minstens twintig kilo te veel,' antwoordde meneer Wright. Ik zag hem al voor me in zijn woonkamer terwijl hij met de verrekijker voor zijn snufferd Joe's gewicht zat te raden wanneer we langskwamen.

Gejaagd zocht ik naar een tegenargument. 'Er is geen limiet aan het gewicht van een bewoner verbonden,' zei ik. Het was een soort strohalm waaraan ik me vastklampte.

'Dat zou discriminatie zijn,' reageerde hij.

'En nu discrimineert u mijn hond.'

'De hond is geen bewoner,' zei meneer Wright.

'Hij woont bij mij.'

Meneer Wright slaakte een diepe zucht. 'Hij staat niet ingeschreven.' Hij pulkte een pluisje van zijn jasje. 'Volgens de regels van de bewonersvereniging krijg je een maand om een nieuwe eigenaar te zoeken.'

'Staan de kinderen van de Parkers ingeschreven? Misschien moeten ze die kinderen ook maar ergens anders onderbrengen.'

'Mevrouw Leone, dat is waanzin. Ik kan een lijst geven van asiels...'

'Nu slaat u waanzin uit! Het is mijn hond. Ik breng hem niet naar het asiel.'

'Die regels zijn er niet voor niets. Die zijn er om...' Hij liep rood aan. Hij zette zijn bril af en kneep in zijn neus.

'De hond van Gail keft de hele dag, en die mag ze houden.'

'De hond van Gail weegt nog geen vijf kilo.'

'Buggles keft me in het weekend godverdomme om vijf uur 's ochtends wakker!' Ik sloeg met mijn vuist in mijn andere hand.

Meneer Wright vertrok zijn gezicht. 'Ik begrijp best dat je

van streek bent, maar ik moet je toch vragen de naam des Heren in mijn huis niet ijdel te gebruiken.'

'En ik vraag u me niet te vertellen dat ik mijn hond maar elders onder dak moet brengen.' Ik had mijn handschoenen wel in zijn gezicht willen smijten.

'Het is onveilig. Zo'n grote hond vormt een bedreiging. Een beet van zo'n grote hond kan dodelijk zijn.'

'Maar hij bijt niet. Hebt u ooit de hand van Mitch gezien toen ze Buggles net hadden? Mitch moest dertien hechtingen hebben.'

'Precies. Als een klein hondje al zulke schade kan toebrengen, denk dan eens wat een grote hond kan doen.'

'Daar gaat het niet om. Het gaat erom dat er honden zijn die bijten en honden die dat niet doen. Het gaat niet om het formaat. Het gaat erom dat de ene een brave hond is en de ander een onbetrouwbaar, bijtend keffertje. Joe is een brave hond. Hij is een gezinslid.' Ik barstte in tranen uit. Niet dat er tranen in mijn ogen sprongen, het was echt huilen. 'Shit!' Ik veegde de tranen met de rug van mijn hand weg.

'Wat een taal! Ik moet je vragen in mijn huis op je woorden te letten.' Meneer Wrights gezicht was nu knalrood.

'Shit, verdomme! Zo goed?' Ik stond echt te janken. De kraag van mijn jas werd al vochtig. 'SHIT, SHIT, SHIT, SHIT, SHIT!'

'Savannah, ik moet je vragen mijn huis te verlaten.'

'Dat hoeft u niet eens te vragen!' Ik stapte naar buiten en liet de deur lekker openstaan.

13

Eenmaal thuis deed ik mijn best er niet meer aan te denken, maar dat lukte niet. Joe besefte dat er iets aan de hand was. Nadat hij zijn etensbak had leeggegeten, liep hij een paar keer jankend rondjes door de keuken om vervolgens met een diepe zucht te gaan liggen. 'Dat vind ik nou ook,' zei ik. Hij legde zijn kop op mijn schoot en keek me met zijn grote bruine ogen aan. Ik krabde achter zijn oren en fantaseerde erover een vrachtwagen vol tuinkabouters bij meneer Wright te laten bezorgen.

Ik kon me niet concentreren op een tv-film over een cheerleader die door een nerd werd vermoord, dus stond ik op en ging ijsberen. Joe ijsbeerde met me mee. We liepen steeds maar om de salontafel heen, de keuken in en weer terug. Eerst liep Joe achter me aan, maar na een poosje ging hij voor me uit lopen en keek steeds even achterom om te kijken waar ik naartoe zou gaan.

Inwendig maakte ik ruzie met meneer Wright, en na een tijdje deed ik dat hardop.

'Hoe durft u! Hoe durft u verdomme te zeggen dat ik mijn eigen hond niet in mijn eigen huis mag hebben?' Ik sloeg met mijn hand op het aanrecht. 'Ik betaal de huur. Ik maak de plee schoon. Dit is mijn huis en hij is in mijn huis en hij gaat niet weg!'

Ik raasde en tierde terwijl ik door het huis ijsbeerde. Opeens viel het me op dat Joe niet meer meeliep. Vanuit de woonkamer riep ik hem, en toen hij niet kwam, ging ik hem in de keuken zoeken. Hij zat in elkaar gedoken bij de deur.

'Hé, ouwe jongen,' zei ik. 'Wat is...'

Hij kokhalsde. Hij maakte een hard, slikkend geluid waarbij zijn hele lijf schokte. Toen hij dan eindelijk kotste, spetterde het tegen de keukendeur en terug op hem. Zodra het was afgelopen, liet hij zich op de grond ploffen. Hij zag er verslagen en vernederd uit.

'Joe!' Ik rende naar hem toe en sloeg mijn armen om hem heen. De stank was verschrikkelijk, net die van bedorven vlees, maar dat kon me niets schelen. Ik wreef over zijn slapen, zoals mijn moeder altijd deed wanneer ik moest overgeven. Zacht jankend legde hij zijn kop op mijn schoot. 'Toe maar, ouwe jongen, het komt allemaal in orde.'

Na een paar minuten ging hij weer kokhalzen. Hij stond op, en ik spurtte naar de telefoon om dokter Brandt te bellen.

Nadat de telefoon een keer was overgegaan, drong het tot me door dat het al na tienen was. De telefoon bleef maar overgaan, en ik wist dat er niemand zou opnemen. Ik raakte in paniek.

Net toen ik wilde ophangen, werd er opgenomen. 'Hallo?' hoorde ik een zware, hese stem. Dat was niet de opgewekte Mindy. Het was dokter Brandt.

'Mijn hond... Mijn hond geeft over. Ik...'

'Dat is niet erg. Wat is de consistentie van het braaksel?'

'De consistentie?'

'Ziet het eruit als wat hij net heeft gegeten, of lijkt het meer op gal?'

'Het ziet eruit als zijn eten.' Joe hield op met kokhalzen en liet zich weer op de grond ploffen.

'Waarschijnlijk heeft hij gewoon iets geks gegeten. Geef hem de komende twaalf uur niets meer, en kijk dan eens hoe het gaat.'

Er kwam nog een plas kots op de vloer. 'Jezus, hij kotst de hele keuken onder! Ik heb hulp nodig, ik weet niet wat ik moet doen!'

'Mevrouw, ik denk dat het helemaal goed komt met hem. Weet u, eigenlijk is de praktijk gesloten, maar ik zal u het nummer van de spoedkliniek geven. Als het erger wordt, kunt u die bellen. Hebt u een pen bij de hand?'

'Maar als u gesloten bent... Ik... ik heb nooit eerder een hond gehad, en Joe is gewoon...'

'Mevrouw Leone?'

'Hoe weet u dat?'

'Nou, wie zou ooit een hond vergeten zoals Joe? Weet u, ik overnacht hier toch in verband met een spoedgeval. Als u dat prettig vindt, kunt u nu wel komen en dan kijk ik even naar hem.'

'Over een kwartier?' vroeg ik.

'Ik ben hier nog de hele nacht.'

14

Ik liet Joe in de auto springen en reed achteruit de inrit af toen het tot me doordrong dat ik nog steeds mijn ondergekotste kleren droeg. Het kon me niets schelen. Het enige wat telde, was Joe en zijn gezondheid.

Ik moest een hele poos op de deur van de praktijk kloppen. Het licht in de wachtkamer was uit, maar bij het schijnsel van de warmtelamp in het terrarium kon ik dokter Brandt zien langslopen. Hij liep een beetje springerig, zodat zijn warrige bos haar bewoog. Eenmaal bij de deur gekomen moest hij die met een sleutel van het slot halen.

'Mevrouw Leone, leuk u weer te zien,' zei hij met een brede lach, en totaal niet gestrest. 'Kom binnen.'

Hij hield de deur voor ons open. Ik stapte naar binnen, en Joe kwam achter me aan.

'Geen riem?' vroeg dokter Brandt.

Ik wreef over Joe's kop, terwijl hij tegen me aan leunde. 'Hij trekt nog steeds heel erg. Het gaat makkelijker zonder riem.'

'Ik zou hem toch aan de riem uitlaten. Op den duur moet het beter gaan. Kom mee naar achteren, dan kijk ik even naar hem.' Hij maakte een zwierig gebaar naar de gang achter de balie. Het leek wel of hij me bij zich thuis uitnodigde.

'Kamer 4, links,' zei hij, en hij wees recht vooruit. Hij leek het helemaal niet erg te vinden dat Joe en ik stonken.

'Wat doet u hier nog zo laat?' vroeg ik.

'Er was een spoedgeval. Golden retriever, auto-ongeluk. Het gaat goed, maar ik houd er liever een oogje op.'

Hij duwde de deur naar kamer 4 open en gaf een klapje op de tafel. Joe sprong erop.

'Hoe is het met hem?'

'Eens kijken...' Hij trok Joe's bek open. 'De tong is roze, dat is goed.' Hij voelde aan Joe's buik. Joe likte zijn gezicht. 'Ook goed. Bij een maagtorsie zou hij een paarse tong hebben, en een pijnlijke buik. Er is niets met hem aan de hand.' Hij klopte op Joe's flank. 'Soms braken honden nu eenmaal. En Duitse herders hebben een gevoelige maag. Het zijn nerveuze dieren. Dat braken kan allerlei oorzaken hebben. Misschien iets wat hij heeft gegeten, of iets waardoor hij van streek raakte.'

Misschien had ik Joe onpasselijk gemaakt door mijn geraas en getier over meneer Wright. Ik voelde me heel schuldig.

'Het komt helemaal in orde met hem,' zei dokter Brandt met een lach.

'Oké.' Ik had niet eens gemerkt dat ik oppervlakkig had ge-ademd, totdat ik ontspannen genoeg was om normaal te ade-men. En zodra ik normaal ademde, barstte ik in huilen uit.

'O jee.' Gejaagd kwam dokter Brandt naar me toe. 'Maar mevrouw Leone, alles komt goed met hem, hoor!' Hij legde zijn handen op mijn schouders. 'Kijk me eens aan? Het gaat goed met Joe. Hij is in orde.' Zijn ogen waren helderblauw.

'Dank u,' bracht ik snikkend uit. Ik schaamde me verschrikkelijk omdat ik me zo aanstelde waar hij bij was. Het was alsof alles uit balans was geraakt, mijn hele leven. Zo voelde het al sinds mijn moeder was gestorven. Ik vroeg me al af of het ooit goed zou komen. 'Dank u wel, ik...'

'Het geeft niet.' Dokter Brandt liet zijn hand op mijn schouder liggen en pakte een tissue van de tafel.

'Sorry,' zei ik. 'Ik heb een boel... Ik heb een boel...' Ik kon niet op het goede woord komen.

Geduldig bleef dokter Brandt wachten totdat ik had gezegd wat ik wilde zeggen. Maar toen ik nog steeds niet op het goede woord kon komen, ging ik harder snikken.

'Het geeft niet. Zulke dingen gebeuren. U was ongerust en nu bent u opgelucht, en...' Hij kneep even meelevend in mijn schouder. Zijn hand was groot en sterk. Misschien van al dat opereren.

'Ik ben opgelucht.' Ik keek hem recht aan. Hij had mooie ogen. 'Alleen...' Ik haalde diep adem en deed mijn best rustig te worden, maar barstte opnieuw in tranen uit. 'Ik moet hem wegdoen! En dat doe ik niet!'

Dokter Brandt sloeg zijn armen om me heen. 'Het geeft niet,' zei hij zacht. 'Het komt wel goed.' Het leek hem niet te deren dat ik onder de hondenkots zat. Ik had me moeten terugtrekken, maar ik had dit nodig. Ik kroop tegen hem aan. Hij had sterke armen, en hij voelde warm. Joe sprong van de tafel en ging tegen mijn benen leunen.

Ik had het gevoel dat dokter Brandt zijn armen om me heen zou houden zolang ik huilde. Ik voelde me een beetje belachelijk, omhelsd door Joe's dierenarts, maar het was ook fijn zijn sleutelbeen tegen mijn wang te voelen, en het was ook fijn dat hij naar dennennaalden en shampoo rook. Zijn shirt was zacht.

Uiteindelijk zei hij: 'Waarom moet hij weg?' Ik maakte me los en vertelde hem alles, over meneer Wright en over Buggles, de tuinkabouters en de oranje envelop.

'Weet u,' zei ik toen ik besefte dat ik aan het doorratelen was, 'misschien weegt hij meer dan vijftien kilo, maar hij is geen akelig keffertje.'

De ogen van dokter Brandt fonkelden, en hij klemde zijn trillende lippen opeen. Even later zei hij: 'Nou, als u hem niet wilt wegdoen, moet u maar verhuizen.'

'Makkelijker gezegd dan gedaan,' reageerde ik. 'Kun je wel binnen een maand een huis kopen?'

'De wonderen zijn de wereld nog niet uit,' zei hij. Hij ging op de tafel zitten waar Joe daarnet op had gestaan. 'Ik weet zeker dat u iets zult kunnen regelen. En als u toch van plan bent te verhuizen, mag u Joe misschien een poosje langer daar houden. Het zou onredelijk zijn om dat niet toe te staan.'

'Meneer Wright is hoogst onredelijk,' zei ik.

'Maar wat kan hij doen als u de hond na dertig dagen nog hebt? Hij kan u niet het huis uit zetten als u toch al van plan bent te verhuizen, lijkt me.'

'Hij zou de hondenvangers kunnen bellen.' Ik zag meneer Wright al voor me terwijl hij kerels in uniform en met verdovingsgeweren en vangnetten naar mijn huis dirigeerde.

'Dat zou hij kunnen doen, maar erg waarschijnlijk is het niet. Weet u wat?' zei dokter Brandt. 'Als het langer dan een maand duurt en Joe moet echt weg, dan kunt u hem tijdelijk bij mij laten.'

'Echt waar? Zou u dat willen doen?' Ineens werd ik slaperig, en ik bedekte mijn mond om eens flink te geeuwen.

Het leek dokter Brandt niet op te vallen. 'Natuurlijk wil ik dat. Joe is een geweldige hond.' Hij streek een lok haar uit zijn gezicht die meteen weer terugviel. Hij had iets relaxed over zich, een beetje ruig met dat warrige haar en de verwassen kleren. Ik kon me voorstellen dat Diane hem een halve zwerver zou noemen, maar het stond hem goed. Hij zou best kunnen poseren in een reclame voor een stoere aftershave, misschien terwijl hij een stier op de knieën bracht, of in een kampvuur staarde.

'Wat doet u met uw haar wanneer u opereert?' flapte ik eruit.

Glimlachend stak dokter Brandt zijn hand in zijn witte jas en haalde er een knalgroene hoofdband van badstof uit.

'Nee... Echt waar?'

Hij knikte.

'Doe eens om?' vroeg ik.

Hij deed het ding om zijn hoofd. 'En dan heb ik nog zo'n chirurgenmuts op.' Hij spreidde zijn armen. 'Mooi, hè?'

Hij lachte leuk. Een van zijn voortanden was een klein beetje langer dan de andere. Ik dacht aan hoe het zou zijn om het verschil met mijn tong te voelen, en kreeg meteen een kop als een boei. Gauw hield ik mijn hand voor mijn mond en deed alsof ik moest geeuwen. Ondertussen hoopte ik dat het rood zou wegtrekken.

'Zeg, ik was koffie aan het zetten voordat u kwam,' zei dokter Brandt. 'Kom mee.' Hij sprong van de tafel en gebaarde dat ik achter hem aan moest komen. Joe wrong zich langs hem heen. Dokter Brandt bracht ons naar een soort keukentje met een koffieapparaat en een magnetron op een aanrecht met spoelbak. In de hoek stond een doorgezakt tafeltje met twee stoelen erbij, en tegen de muur een ijskast. Die was bleekgroen en er zat een briefje op waarop stond: UITSLUITEND VOOR MENSELIJKE CONSUMPTIE.

'Suiker en melk?' vroeg dokter Brandt. Hij trok de ijskastdeur open en haalde er een melkpak uit waar hij even aan rook.

'Graag,' zei ik.

Hij deed een scheut melk in de bekers en toen de koffie.

'Eén of twee?' vroeg hij terwijl hij twee suikerzakjes ophield.

'Helemaal geen suiker, eigenlijk,' zei ik, en ik voelde me stom omdat ik eerst ja had gezegd. 'Alleen melk graag.'

Hij roerde mijn koffie met een lepeltje dat op een stuk keukenpapier had gelegen. Ik vroeg me maar niet af hoelang dat lepeltje daar al had gelegen, of waarvoor het was gebruikt.

Hij overhandigde me de beker, scheurde vervolgens drie suikerzakjes tegelijk open en strooide de inhoud in zijn koffie.

'Dank u wel, dokter Brandt,' zei ik nadat ik een slokje had genomen. 'En ook bedankt dat we nog zo laat mochten komen. Ik weet heel goed dat ik veel te bezorgd...'

'Alex. Ik heet Alex,' zei hij met een schaapachtige uitdrukking op zijn gezicht. 'Mevrouw Leone.'

'Van,' zei ik, en intuïtief stak ik mijn hand uit.

Lachend nam hij die aan, maar in plaats van mijn hand te schudden, hield hij die alleen maar vast. 'Leuk je te leren kennen, Van,' zei hij.

Vanuit mijn ooghoeken zag ik Joe aan de onderkant van de ijskast snuffelen. Voordat ik het goed en wel doorhad, had hij zijn poot al opgetild en piste hij tegen de deur.

'Foei! Joe, foei!' riep ik uit. Ik trok mijn hand uit die van Alex en joeg Joe weg bij de ijskast. De koffie vloog uit mijn beker.

'Heb je keukenpapier?' vroeg ik terwijl ik bij het plasje knielde.

Alex haalde een hele prop uit het apparaat bij het aanrecht. Ik stak mijn hand uit om de prop aan te nemen.

'Nee, ik doe het wel.' Hij leek het helemaal niet erg te vinden.

'Ik weet niet wat hij ineens had,' zei ik.

'Hij kan er niets aan doen,' zei Alex terwijl hij naast me knielde. 'Laatst heeft Mindy haar jack russell meegenomen. Een ondeugende hond, hij bakent alles af.' Hij keek geërgerd. 'Joe deed het hem na. Reuen geven hun territorium aan. Dat doen ze gewoon.'

Ik dacht aan Peters tranen op mijn bruidsmeisjesjurk.

Zodra Alex klaar was met schoonmaken, mikte hij de prop

in de afvalemmer. Vervolgens waste hij zijn handen grondig onder het kraantje en droogde ze al even grondig af, alsof hij op het punt stond te gaan opereren.

'Kom op, we zullen je eens bijvullen,' zei hij terwijl hij mijn beker pakte.

Hij gooide de beker leeg en schonk nieuwe koffie in. Met melk en zonder suiker.

'Dank je,' zei ik.

Hij trok een stoel voor me bij. 'Ga zitten,' zei hij. 'Als je tijd hebt. Ik wil je niet hier houden als je iets anders te doen hebt, hoor.'

'Graag,' zei ik terwijl ik in mijn koffie staarde. 'En ik had geen plannen of zo.'

'Hou je van kaarten?' vroeg Alex, en hij leunde achterover om een pak kaarten van het aanrecht te pakken.

'Ik kan pokeren en kwartetten.'

'Interessant.' Hij legde het spel kaarten met een klap op tafel. 'Ik heb geen fiches. We zouden om brokjes kunnen spelen, maar die ruiken nogal. Kwartetten dan maar?'

'Prima,' zei ik. Ik vond het fijn dat hij me aankeek wanneer ik iets zei, alsof hij elk woord belangrijk vond.

We speelden drie potjes, en kregen toen de slappe lach omdat Joe onder de tafel hard lag te snurken.

'Net een heel oud mannetje,' zei Alex. Zelf snoof hij een beetje wanneer hij hardop lachte. Hij hield niet eens zijn hand voor zijn mond om dat snuiven te maskeren. Hij leek lekker in zijn vel te zitten.

'Nu is hij nog stil. Je zou hem eens moeten horen! Met dat harde gesnurk maakt hij me wakker. En anders maakt hij me wel wakker door met zijn poten in mijn rug te porren. Nou ja, alles beter dan alleen in bed liggen.' Zodra ik dat laatste had gezegd, kreeg ik spijt. Het was veel te persoonlijk. Het was net zoiets als vertellen dat ik elke ochtend ronddanste in mijn ondergoed en luidkeels zong: 'More Than a Feeling'.

'Toen ik klein was, had ik een beagle,' vertelde hij. 'Die snurkte ook zo.' Hij legde zijn kaarten neer. 'Zodra hij in slaap sukkelde, gingen zijn poten bewegen.' Met slappe polsen sloeg hij om zich heen. 'En hij maakte gekke geluiden.' Hij jankte klaaglijk.

Hij leek er geen benul van te hebben dat hij er belachelijk uitzag met die maaiende armen. Ik vond het beschamend voor hem, maar ik schaamde me iets minder voor mezelf.

'Mijn grootvader zei altijd dat hij een konijn achternazat,' zei Alex met een brede grijns. Ineens keek hij op zijn horloge. 'O, ik vergeet zomaar de tijd... Kun je nog een halfuurtje blijven en me helpen terwijl ik de ronde doe?'

'Tuurlijk,' antwoordde ik. 'Alleen heb ik geen idee wat ik moet doen.'

'Dat geeft niet.' Hij liep om de tafel om mijn stoel naar achteren te schuiven toen ik opstond.

Ik draaide me om en stond zo dichtbij dat ik zijn lichaamswarmte kon voelen. En bijna de zachte stof van zijn flanellen hemd.

We gingen langs een kat die na een gevecht met een wasbeertje gehecht had moeten worden, langs een dobermann die van zijn castratie herstelde, en langs een heel jong eekhoorntje dat geen moeder meer had. Alex had tegen allemaal iets te zeggen, dingen als: 'Ha ouwe jongen, sorry van je ballen.' En: 'Weet je, je kunt beter uit de buurt van wasberen blijven.'

De golden retriever was nog niet helemaal bijgekomen. Alex had de linkervoorpoot moeten amputeren omdat die bij het ongeluk verbrijzeld was. Ze lag op haar zij met een groot wit verband op de plek waar haar poot had gezeten. Joe bleef keurig in de deuropening zitten zoals hem was opgedragen terwijl Alex keek hoe het met de golden retriever ging.

'Ik geef haar nog een prikje. Kun jij ondertussen over haar kop aaien? Echt lekker stevig.'

Ik krabde over haar kop, en ze keek me aan. Haar ogen stonden waterig. Toen Alex haar een injectie toediende, sloot ze haar ogen en jankte een beetje, maar ze bleef stil liggen.

'Je was geweldig,' zei hij. 'Dank je wel.' Even raakte hij mijn hand aan.

'Hoe is het met haar?' vroeg ik. 'Komt het in orde?' Ik wilde hem een teken geven, maar ook zijn hand aanraken vond ik een beetje overdreven.

'Ja, het ziet er goed uit,' antwoordde hij. Hij trok zijn hand weg en aaide de hond even over de flank. 'Honden kunnen zich goed aanpassen. Over een week of twee rent ze weer vrolijk rond.'

'Echt?'

'O ja, je staat versteld. Als je bij een mens een been amputeert, worden ze nooit meer helemaal de oude. Maar deze hond... Die merkt het nauwelijks.'

Hij tilde de golden retriever van de tafel en legde haar voorzichtig in een hok waarin oude roze handdoeken lagen.

'Wauw. Ongelooflijk.'

'Zeg dat wel. Daarom werk ik zo graag met ze. Honden hebben nooit medelijden met zichzelf, ze gaan gewoon verder.'

We liepen de gang weer in, en Joe kwam achter ons aan.

'Dank je wel voor je hulp en bijstand,' zei Alex. Hij bleef staan en leunde tegen de muur.

Ik ging naast hem tegen de muur leunen, en Joe leunde tegen mij. 'Dank je wel dat we mochten komen,' zei ik. 'Ik... ik maakte me echt zorgen over hem, en...'

'Ik sta altijd voor je klaar, Van,' zei hij met een lach. Hij boog zich een beetje naar me toe. 'Zeg, mag ik je bellen?' Hij trok zijn knie op en zette zijn voet tegen de muur. 'Over Joe, en misschien niet over Joe?'

'Ja, hoor,' antwoordde ik lachend, en ik boog een beetje naar hem toe, zodat onze armen elkaar bijna raakten. 'Dat mag.'

Hij stootte mijn arm aan, heel zacht, maar toch raakte ik uit balans.

Ik was heel erg moe. Even sloot ik mijn ogen, en dacht erover tegen hem te gaan leunen zodat hij zijn armen om me heen zou slaan. Ik schoof een klein eindje zijn kant op, mijn schouder kwam tegen de zijne aan. Dat was prettig. Het was fijn om bij hem te zijn. Zo gemakkelijk.

'Slaap je?' vroeg hij.

'Nee.' Ik opende mijn ogen en keek hem aan. 'Ik liet mijn ogen rusten.'

'Het is al laat, en ik heb je hier gehouden.' Alex keek op zijn horloge.

'Ik bleef uit eigen, vrije wil.'

'Het is al twee uur.'

'Wauw. Ik moet maar eens naar huis,' zei ik, al kon ik geen enkele reden bedenken om naar huis te gaan.

'Ik breng je wel naar je auto.'

We liepen door de gang, met Joe achter ons aan. Met de afstandsbediening deed ik de portieren van het slot. Alex deed het achterportier open, en Joe sprong op de achterbank.

'Ik bel je nog,' zei Alex.

'Moet je mijn nummer dan niet hebben?'

'Dat staat in Joe's dossier.'

'O ja, dan heb je het al.' Ik stak mijn hand uit naar de deurkruk, maar opende het portier nog niet.

'Zo...' zei hij.

'Ja...'

Hij boog zich naar me toe en zoende me op mijn wang. 'Rij voorzichtig,' fluisterde hij.

Ik stapte in, en hij deed het portier voor me dicht.

Terwijl we wegreden, liep hij zwaaiend achteruit.

Ik kon zijn lippen nog op mijn wang voelen. Op dat gevoel concentreerde ik me de hele rit naar huis.

Joe en ik stapten in bed. Ik draaide me weg van hem zodra hij begon te snurken en dacht aan Alex' ongelijke voortanden totdat ik in slaap viel.

15

Ik zat net te werken. Met een beker koffie nam ik nog eens door wat ik had geschreven in verband met het project en de subsidie toen de telefoon ging. Ik rende naar de woonkamer om op te nemen. Opgewonden wrong Joe zich op de trap langs me heen, en toen viel ik op mijn achterste. Gauw sprong ik op, en net voordat de telefoon overschakelde op de voicemail kon ik opnemen.

'Hallo?' riep ik hijgend in de hoorn.

'Van? Met Alex. Alex Brandt.'

Omdat hij daarna zweeg, vond ik dat ik de stilte maar moest opvullen. 'Het gaat veel beter met Joe,' zei ik.

'En met jou?' vroeg Alex.

'Nou, ik ben bezig met het beramen van muiterij binnen de bewonersvereniging. Daar heb ik het behoorlijk druk mee.'

Toen hij lachte, plofte ik op de bank en trok mijn benen op. Joe kwam erbij en probeerde de telefoon te likken.

'Hulp nodig?' vroeg Alex.

'Nou, ik heb nog nooit eerder zoiets beraamd, dus alle hulp is welkom. En ik zoek nog een ooglapje.'

'En een haak?'

'Dat gaat me te ver,' antwoordde ik.

'Zeg,' zei Alex, 'als je even pauze wilt, dan zouden we met Joe naar het park kunnen gaan. Dan kan ik je meteen helpen hem braaf aan de riem te laten lopen. Ben je daarvoor in?'

'Reken maar.'

'Ik heb een middag vrij. Ik kan je om een uur of één komen halen, als dat je schikt.'

'Prima.' Ik vertelde Alex hoe hij hier moest komen.

'Nou, dan zie ik je straks, Van.'

De manier waarop hij mijn naam uitsprak, was fijn. Alsof er een lach in zat. 'Dag Alex,' zei ik, hopelijk ook met een lach.

Ik hing op en keek om me heen. Het was hier een bende. Ik had gekeken of het veilig was voor honden, maar na de bruiloft had ik niet meer schoongemaakt. Overal lag haar van Joe. Ik raapte de plukken op, maar ging niet met de stofzuiger aan de slag. Gauw schudde ik de kussens van de bank op en schopte een paar teenslippertjes onder de bank.

Door een paar dingen op te ruimen en schoon te maken, leek de rest veel rommeliger en viezer. Toen ik eenmaal was begonnen, kon ik niet meer ophouden. Ik zette vieze borden in de oven, en rende met mijn armen vol kleren naar boven om ze onder het bed en in de kast te schuiven.

Joe bleef bij me in de buurt en snuffelde aan alles wat ik aanraakte. Als ik geen haast had gehad, zou ik het schattig hebben gevonden. Maar ik kreeg er genoeg van steeds natte neuzen van dingen te moeten vegen. 'Joe, hou op!' zei ik, zwaaiend met mijn vuist. Hij leek te denken dat er iets lekkers in die vuist zat, want hij sprong op, legde zijn voorpoten op mijn schouders en werkte me tegen de grond terwijl hij zijn snuit in die vuist probeerde te krijgen. Toen hij erachter kwam dat daar niets lekkers in zat, ging hij mijn gezicht maar eens flink likken.

Zodra hij klaar was, rende ik naar boven om mijn make-up te fatsoeneren. Terwijl ik de vegen mascara onder mijn ogen weghaalde, viel het me op dat het in de badkamer ook al een grote rotzooi was. Ik maakte een prop van wc-papier, hield die onder de kraan en haalde er de spetters tandpasta mee van de spiegel. Joe vond een sok achter de badkamerdeur en ging daarmee liggen, alsof hij eens fijn zou gaan knauwen. Ik keek hem streng aan. Hij liet de sok uit zijn bek vallen en legde zijn kop erop, zijn ogen op mij gericht. Ik pakte de sok van hem af en deed die in het kastje onder de wastafel. Nadat ik de wastafel had gesopt, ging ik terug naar beneden om de boel te inspecteren. Het was niet echt netjes en schoon, maar het was ook niet meer zo'n bende. Ik ging mijn gezicht wassen en me opmaken.

Om zeven voor één belde Alex aan. Joe blafte en rende de trap af en weer op. Op de wimpers van mijn rechteroog had ik al mascara aangebracht, maar op die van het linkeroog nog niet, dus moest Alex even wachten. Pas na een hele minuut belde hij weer aan.

Terwijl ik de trap af rende, drong het tot me door dat ik een zwarte en een blauwe sok aanhad. Maar omdat Alex me niet iemand leek om me daarom te veroordelen, liet ik het maar zo.

Toen ik de deur opende, lachte Alex breed naar me. Hij had een marineblauwe muts op waardoor zijn ogen nog blauwer leken. Hij droeg een lichte, zeer verwassen spijkerbroek vol vlekken van bleekwater en verf.

'Nou, je bent het wachten wel waard,' zei hij met lachrimpeltjes om zijn ogen. Zijn lach was zo vriendelijk en oprecht dat ik de warmte bijna kon voelen. Joe wrong zijn kop onder Alex' hand. 'Hé, hallo!' Alex bukte zich en krabde Joe achter zijn oren. Al kwispelend mepte Joe met zijn staart tegen mijn benen. 'Hij is gek op je,' zei ik. 'Ik dacht dat honden de pest hadden aan de dierenarts.'

'Och, hij heeft gewoon een goede smaak.' Alex gaf me een knipoog. Hij was de enige die ik kende die op een heel natuurlijke manier kon knipogen. 'Kom op, schoonheid, trek je schoenen aan.' Hij gebaarde naar mijn voeten.

Ik wachtte, maar hij zei niets over mijn sokken. Gauw trok ik mijn gympen aan. Het speet me dat ik geen leukere schoenen had, of in elk geval schoenen die geen tien jaar oud waren en daar ook naar uitzagen. Terwijl ik gebukt mijn veters strikte, zag ik dat Alex' werklaarzen net zo verweerd waren en net zo vol vlekken zaten als zijn spijkerbroek.

'Wat heb je geverfd?' Ik stond op.

'Pardon?'

Ik wees naar zijn laarzen.

'O, van alles en nog wat,' zei hij. 'De praktijk, het schuurtje van mijn vader, het terras.' Hij hief zijn voet. 'Zie je dat blauw? Dat is van een boekenplank voor mijn oma. Ik stootte het blik om.' Hij schoot in de lach. 'Eigenlijk zou ik nieuwe laarzen moeten kopen, maar deze zitten zo lekker.'

'Mijn gympen zijn wel tien jaar oud,' zei ik, en meteen had ik vrede met die oude gympen.

'Jij snapt het. Goed afgerichte schoenen zijn het best.'

Eenmaal bij de auto gekomen deed Alex het portier voor mij en Joe open. Hij beende vervolgens om de wagen heen en kroop achter het stuur. Joe zat tussen ons in en likte enthousiast Alex' wang.

'Dank je wel, ouwe jongen,' zei Alex lachend. Eerst veegde hij zijn gezicht droog en toen aaide hij over Joe's kop zodat diens vacht overeind ging staan in een punkerige kuif.

We lachten om Joe's nieuwe kapsel. Alex lachte leuk, vond ik. Ik vond het fijn om met hem en Joe op de bank in de pick-up te zitten, net een gezinnetje. Maar ik moest me er niet te veel van voorstellen. We gingen gewoon de hond uitlaten in het park. Meer niet. Jaren van dromen over Peter, en me verbeelden dat een schouderklopje, een aanraking of een blik meer betekende dan dat hij me gewoon aardig vond, hadden mijn vertrouwen ondermijnd dat iemand ooit voor me zou vallen. Dus ook terwijl ik genoot van Alex' gezelschap kon ik niet anders dan me inbeelden dat hij misschien medelijden met me had, met dat zielige mens dat toen ze dronken was een hond via internet had besteld. Misschien vond hij me wel een grote mislukkeling en was hij zo iemand die dan wilde helpen je leven weer op de rails te krijgen. Misschien was hij heel erg begaan met honden en wilde hij niet dat Joe in het asiel zou eindigen. Per slot van rekening was hij dierenarts. Het was overduidelijk dat hij geïnteresseerd was in Joe's welzijn. Ik had zo vaak gehoopt in verband met Peter, en ik was zo vaak teleurgesteld dat ik dacht dat het geluk niet voor mij was weggelegd. Ik kon beter de waarheid onder ogen zien. Deze man was begaan met het lot van honden, en hij stak iemand de helpende hand toe omdat ze van toeten noch blazen wist.

'Nou, laten we maar bij het begin beginnen,' zei Alex toen we op het parkeerterrein waren, bij het pad langs het kanaal en de speeltuin. 'Je kunt hem niet langer uitlaten aan die idiote riem.' Hij reikte naar achteren en kwam op de proppen met een halsband van metalen schakels en een blauwe riem van nylon. 'Cadeautje!' We stapten uit, en hij deed de halsband om Joe's nek en haakte de riem daaraan vast.

'O, dat had je niet hoeven doen,' zei ik. Ik schaamde me omdat ik nog steeds geen goede halsband voor Joe had gekocht.

'O, maar deze had ik nog liggen.'

Hij liet me zien hoe ik de riem moest vasthouden zonder Joe de ruimte te geven, en daar gingen we.

'Heb je een hond?' vroeg ik.

'Ik heb er twee,' antwoordde Alex. 'Rosie en Tinsel.' Hij haalde zijn portemonnee uit zijn zak, bladerde door de creditcards en liet me vervolgens een foto zien van een mollige golden retriever en een kleine, zwart met bruine Duitse herder die over het gras renden. 'De golden retriever heet Rosie,' vertelde hij. 'Tinsel is net als Joe een Duitse herder. Ze is nogal klein, maar ik geloof wel dat ze een echte rashond is.'

'Tinsel?' Ik vond dat een merkwaardige naam. *Tinsel* was iets voor in de kerstboom.

'Ja,' zei Alex blozend. 'Die naam heeft Mindy haar gegeven. Vorig jaar heeft iemand haar in een kartonnen doos achtergelaten op onze stoep. Het ging niet goed met haar. Ze had parvovirose. Het was kantje boord.'

'O,' zei ik. Ik stelde me Mindy en hem voor terwijl ze in bijpassende flanellen pyjama's een hondje voor de voordeur vonden. 'Wonen Mindy en jij samen?' Mijn stem schoot de lucht in. 'Dat wist ik niet...'

'O nee!' zei Alex. 'We zijn geen stelletje, hoor.'

'O,' zei ik. Ik deed mijn best mijn gezicht in de plooi te houden, al vreesde ik dat ik mezelf al had verraden.

'Iemand had Tinsel bij de praktijk achtergelaten. Waarschijnlijk was ze een ongewenst kerstcadeautje. Toen Mindy aankwam, trof ze die kartonnen doos aan. Ze wilde hem eerst naar het asiel brengen, maar haar vriend zei dat hij Tinsel wel wilde hebben als ze beter was. Maar de eerste avond heb ik Tinsel mee naar huis genomen, en vervolgens wilde ik haar niet meer kwijt. Ze heeft echt haar plekje veroverd.' Hij glimlachte. 'Ze was ook zo klein...' Hij liet me met zijn handen zien hoe klein Tinsel was geweest. 'Ik liep dagenlang met haar in de zak van mijn trui om haar warm te houden. Ik was net een kangoeroe met een jong in de buidel.'

'En nu gaat het helemaal goed met haar?' vroeg ik. Ik voelde barsten ontstaan in het muurtje dat ik om mijn hart had opgetrokken. Hoe kon je niet houden van iemand die dagenlang had rondgelopen met een puppy in zijn buidel?

'Ze is aan de kleine kant,' antwoordde hij. 'Maar kerngezond.'

We bereikten het einde van de speeltuin, en ik deed mijn best Joe te laten omkeren. Hij wilde niet, en uiteindelijk struikelde ik over hem heen. Alex ving me op. Hij had sterke armen, ik was helemaal niet bang dat hij me op de grond zou laten vallen.

'Ik vroeg het me alleen maar af,' zei ik. 'Over Mindy, bedoel ik. Ik wil echt niet nieuwsgierig zijn.' Met de neus van mijn gymschoen trok ik een streep in de aarde. 'Alleen... Ga je altijd met je cliënten naar het park?'

'Nee,' antwoordde hij, en hij legde zijn hand in het holletje van mijn rug. 'Dat doe ik niet met iedereen.' Hij nam Joe's riem van me over. 'Dat doe ik alleen met jou.'

Hij lachte, en keek toen naar beneden en gaf een rukje aan Joe's riem. 'K nohe,' zei hij streng. Joe liep naar Alex' linkerkant en ging zitten. 'K nohe,' zei Alex weer, en hij maakte een klakkend geluidje. Joe stond op en ze liepen naast elkaar verder. Toen Joe de andere kant op wilde, gaf Alex weer een rukje aan de riem en sprak het bevel uit. Ik vroeg me af of hij al die Slowaakse bevelen al kende, of dat hij ze voor mij uit het hoofd had geleerd.

Ze bereikten de andere kant van de speeltuin en maakten een keurige draai. Het was ijskoud. Omdat ik niet meer in beweging was, was ik gaan rillen. Ik stopte mijn handen in mijn zakken en keek naar Alex en Joe, die naar me toe liepen. Het was gek om oogcontact te maken terwijl ze nog zo'n eind van me af waren. Ik keek naar hem, hij keek naar mij, en toen keken we allebei weg. Ik keek naar Joe. Hij keek naar Joe. Ik keek naar Alex en hij keek naar mij. Allebei keken we weer weg.

Tegen de tijd dat ze me hadden bereikt, had Alex een kop als een boei. Hij gaf me de riem terug en raakte mijn hand net even langer aan dan nodig was.

'Dank je wel,' zei ik terwijl ik Joe's riem om mijn hand wikkelde.

'Hij is goed afgericht,' zei Alex. 'Dat is goed te merken. Iemand heeft veel met hem gewerkt. En Joe doet graag zijn best. Je hoeft dus alleen nog maar al die bevelen te oefenen.'

'Je bedoelt dat ík nog moet worden afgericht.'

Alex lachte, maar zei niets.

'Dat betekent vast ja,' zei ik.

'Ik zeg niks,' zei Alex, en hij gaf een speels klapje op mijn arm.

Een uur lang oefenden we met de bevelen op het papier. Alex leerde me wat ze allemaal betekenden, en hoe ik moest zorgen dat Joe ze braaf bleef opvolgen. Hij was een goede leraar, en heel geduldig toen Joe me niet volgde. We oefenden en oefenden, en hij legde steeds weer alles uit zonder geërgerd te klinken. Ik was niet aan zoveel geduld gewend. Zelfs mijn moeder zou haar geduld bij de derde of vierde poging hebben verloren, maar Alex zei glimlachend: 'Oké, en nu links. Je moet hem leiden.' En wanneer ik in de war raakte en leidde met mijn linkervoet, zei hij: 'Nee, je andere linkervoet.' Of: 'Bijna. Je bent er bijna.'

'Ik weet best het verschil tussen mijn linker- en mijn rechtervoet,' zei ik. 'Maar dan denk ik links, en dan denk ik aan wat Joe moet doen, en dan gaan we lopen en dan gaat mijn rechtervoet eerst in plaats van mijn linker.'

'Ik weet iets,' zei Alex, en hij liep achteruit weg. 'Wacht maar!' Joe wilde met Alex mee, maar ik liet hem naast me zitten.

Toen Alex iets meer dan vijf meter bij me vandaan was, bleef hij staan en riep: 'Oké, loop maar naar me toe en laat Joe zijn gang gaan. Denk niet aan Joe, maar aan mij.'

Het was heel gemakkelijk. Ik keek naar Alex, en deze keer was dat heel gewoon, omdat het mocht. Ik keek in zijn ogen en hij in de mijne, en ik stelde me voor dat Alex en ik rode wijn uit mooie glazen dronken, op een terras met uitzicht over de Egeïsche Zee tijdens de zonsondergang. Er viel geen spoor van Janie en Peter te bekennen.

Het lukte me om Alex te bereiken zonder met de verkeerde voet te beginnen of over Joe te struikelen, en daarna was het makkelijk. We deden het nog een paar keer, en Joe en ik liepen keurig met elkaar op.

'Niet te veel nadenken,' zei Alex. 'Soms moet je dingen gewoon hun gang laten gaan.' Hij knielde bij Joe neer en streelde zijn snuit. 'Je bent echt heel braaf,' zei Alex.

Joe likte over Alex' kin en leunde tegen hem aan. Dat Joe zo op Alex gesteld was, maakte dat ik Alex nog leuker vond. Ik knielde ook om Joe te aaien. Toen mijn haar voor mijn ogen viel, streek Alex het voorzichtig opzij. Hij glimlachte. Zijn gezicht was heel dicht bij het mijne. Hij boog zich naar me toe, en ik sloot mijn ogen in afwachting van zijn kus. Bij de gedachte daaraan kreeg ik bibberbenen. En toen duwde Joe Alex omver, trok de muts van diens hoofd en rende ermee weg. De riem vloog achter hem aan.

'Verdomme, Joe!' riep ik uit. Joe was geen echte koppelaar.

Alex zette de achtervolging in, achter de zigzaggende Joe aan. Het lukte Joe niet echt Alex om de tuin te leiden, want na een poosje kreeg Alex de riem te pakken. Joe liet de muts vallen en sprong op om Alex in zijn gezicht te likken.

Samen renden ze terug naar mij. 'Het is echt onmogelijk om boos op hem te blijven,' zei Alex lachend. Hij stopte de muts in zijn jaszak.

We gingen weer oefenen met Joe, maar ik moest steeds aan onze bijna-kus denken.

Tegen de tijd dat we ermee ophielden, had ik geen gevoel meer in mijn vingers en tenen. Of in mijn billen. Mijn gezicht gloeide, en toch had ik nog uren willen doorgaan. Toen we in de pick-up zaten en Alex vroeg of ik er bezwaar tegen had als we onderweg even een boek afgaven bij zijn vriend Louis, vond ik dat fijn: alle extra tijd met Alex was meegenomen.

'Best,' zei ik.

Joe zat tussen ons in. Zijn ogen vielen bijna dicht, maar elke keer dat we over een hobbel reden of een bocht maakten, keek hij weer alert. Na een poos verzette hij zich niet meer tegen de slaap en ging hij liggen met zijn kop op Alex' bovenbeen.

Bij een rood stoplicht bleven we staan. 'Ik heb een hoop honden meegemaakt,' zei Alex terwijl hij met één hand Joe's kop streelde. 'Maar deze is echt heel bijzonder.'

'Stom geluk,' reageerde ik.

Alex glimlachte, en een tijdlang bleven we kameraadschappelijk zwijgen. Ik wist dat hij bloosde en ik wist dat hij wist dat ik bloosde. Het was een prettige manier om je niet op je gemak te voelen.

'Ik zal je het een en ander over Louis vertellen,' verbrak Alex de stilte. Het stoplicht sprong op groen. Alex haalde zijn hand van Joe's kop en legde die weer op het stuur om de bocht te nemen. 'Louis is niet zomaar iemand. Daarmee omschrijf ik hem het beste.' Met een glimlach keek hij me aan, net iets te lang, want hij moest natuurlijk zijn blik op de weg houden. 'Hij is bijna tachtig, maar nog steeds een charmeur.'

'Echt?' Ik had gedacht dat Louis van Alex' leeftijd zou zijn, al wist ik niet precies hoe oud Alex was. Dertig? Vijfendertig? Achtentwintig? Ik had geen idee.

'Ja, echt. We blijven maar heel even, maar ik vond dat ik je moest waarschuwen. Als ik met hem uit eten ga, krijgen we alle serveersters aan onze tafel. Als ik alleen ga, kan ik niet eens de aandacht van één serveerster trekken.' Hij lachte. 'Louis heeft te veel karma of zoiets.' Hij knipoogde naar me. 'Ik krijg les van hem.'

'Echt?'

'Nee,' zei hij met een ondeugende grijns.

'Ik was even bang...'

'Dat je me niet zou kunnen weerstaan?'

'Eh, iets in die trant.' Ik draaide mijn hoofd en keek uit het raampje.

'Ik wil wel even zeggen dat ik me beledigd voel als je me vraagt je bij Louis te laten.' Alex keek me niet aan, maar ik meende dat ik hem weer zag blozen.

'Ik zal mijn best doen niet voor hem te vallen.' Ik plukte aan de naad van mijn spijkerbroek. Ik wist niet goed waar ik mijn handen moest laten, en ik schaamde me voor alles wat ik zei.

'Nou, en verder over Louis...' Alex schraapte zijn keel. 'Hij is drie keer getrouwd geweest. Zijn laatste echtgenote, Gloria, was de ware. Daarom gaat hij verhuizen.'

'Wat is er dan gebeurd?' vroeg ik. 'Is ze overleden?'

'Nee, ze is ervandoor gegaan met de postbode.'

'Pardon?'

'Ze bestelde allemaal spullen van zo'n shoppingkanaal. Daardoor leerde ze de postbode goed kennen.'

'Je meent het!'

'Op een dag ging ik bowlen met Louis, en toen we terugkwamen, was ze weg. Er was een briefje waarin ze het uitlegde. Maar ze had alles achtergelaten. Doosjes vol goedkope sieraden en tasjes van nepkrokodillenleer. Stapels sjaaltjes. Echt een idiote toestand.' Het viel me op dat hij onder het vertellen veel met zijn wenkbrauwen bewoog. 'Louis moest dat allemaal zien kwijt te raken. Hij bracht het naar een liefdadigheidsinstelling. De ene doos na de andere. We hadden gedacht dat hij zich zonder al dat spul prettiger zou voelen, maar dat was niet het geval. Ook nu niet, na een paar maanden.' Hij leunde met een elleboog tegen het portier. 'Hij kan zich er niet overheen zetten.'

'Daar kan ik in komen...' zei ik zacht.

'Dat huis, en de drie echtgenotes... En Gloria was de eerste van wie hij echt hield.' Alex zuchtte. 'Arme kerel. Hij kreeg een koekje van eigen deeg. Dat beseft hij ook. Volgens mij maakt dat het juist zo moeilijk voor hem. Hij piekert. Ik krijg hem nauwelijks nog mee uit.'

We hielden halt bij weer een stoplicht. Joe hief zijn kop, keek om zich heen en legde vervolgens zijn kop met een diepe zucht terug op Alex' bovenbeen.

'Dat snap ik wel,' zei ik. 'Hij is natuurlijk heel erg...' Mijn stem stierf weg. Ik wilde niet denken aan hoe hij zich moest voelen. 'Hoe vaak ben jij getrouwd geweest?' Ik lachte.

'Eén keertje maar.'

'O, sorry! Ik maakte maar een grapje, het was niet mijn bedoeling...'

'Het geeft niet, Van,' zei hij lachend. 'Ik heb niets te verbergen. En je kunt zulke dingen maar beter weten.' Snel wierp hij een blik op mij en vervolgens richtte hij zijn aandacht weer op de weg. 'Sarah Evans. Ze heeft haar eigen naam aangehouden.' Hij haalde diep adem. 'We studeerden samen. En toen studeerden we af en veranderde alles. Volgens mij zijn we getrouwd om alles bij het oude te houden. Ze is met me mee verhuisd naar Knoxville toen ik me wilde specialiseren in diergeneeskunde.' Hij liet zijn handen over het stuur dwalen. 'Als we niet zouden zijn getrouwd, waren we uit elkaar gegroeid. Je weet wel, elkaar vergeten te bellen, een weekendje overslaan. Zo gaat dat als je na je studie terechtkomt in de echte wereld.' Hij klonk niet verdrietig, meer alsof hij iets constateerde.

'Het spijt me voor je,' zei ik. Hij leek niets meer te zeggen te hebben, en ik wist ook niets.

'Och, het was een nette scheiding. We zetten onze handtekening en dat was dat. Ze is in Knoxville gebleven, ze had al iemand anders. Ze zei dat ze hem pas na onze scheiding had leren kennen, maar ik vraag het me af. Hoe dan ook, het zou toch geen goed huwelijk zijn geworden.'

Ik vond het vreselijk dat ik erover was begonnen. Ik, die als geen ander wist hoe het was om van iemand te houden die van een ander hield. Het was niet iets waarover ik het graag had. 'Het was niet mijn bedoeling te vissen...'

'Het geeft niet, Van.' Hij klopte op mijn been. 'Maak je maar niet druk, oké?'

'Oké.'

'Het lukt niet met de verkeerde persoon. De truc is volgens mij eerst de juiste persoon zien te vinden. Toch?' Weer keek hij me even snel aan voordat hij zijn blik weer op de weg richtte. Vervolgens streek hij met een zucht het haar uit zijn ogen. 'Sarah en ik spreken elkaar niet meer. Gek, je maakt zoveel mee en dan...' Hij zocht naar het juiste woord. 'Je bent een gedeelte van je leven met iemand, en ineens stuur je elkaar niet eens meer een kerstkaart. Niet dat we ruzie hebben of zo. Er valt gewoon niets meer te zeggen.' Hij glimlachte. 'Meer duistere geheimen heb ik niet.'

'Indrukwekkend. Ik heb er zeker een dozijn.' Ik trok mijn wenkbrauwen op en plooide mijn mond in een maffe grijns, waar hij om moest lachen.

Terwijl we in stilte verder reden, keek ik uit het raam naar de rij keurige huisjes met piepkleine gazonnetjes. Het was net iets uit een documentaire over de jaren vijftig. Struiken met jute eroverheen tegen de kou, witte paaltjes met rode reflectoren erop als grote lolly's aan weerszijden van de inritten.

De huizen deden me denken aan de keer dat ik naar Levitton was gegaan om kennis te maken met mijn vader. Daar waren de huizen ook hetzelfde geweest, met hier een luifeltje van groen plastic en daar een beeldje van zoenende kleuters.

Daar kon je aan zien dat er in elk huis een individu met een eigen smaak woonde.

Ik was naar Long Island gereden, was naar zijn huis gelopen en had twee keer aangebeld. Niemand deed open. Ik troostte mezelf met de gedachte dat ik wel bij elk huis had kunnen aanbellen en met welke man dan ook had kunnen spreken. Dat zou ongeveer dezelfde betekenis hebben gehad.

'Waar denk je aan, Van?'

Ik keek hem aan en ontmoette zijn blik. 'Ik kijk maar een beetje.'

'Ik heb je toch niet van streek gemaakt?'

'O nee, ik vind het fijn dat je zo eerlijk tegen me bent.' Die woorden galmden door mijn hoofd. Ik vind het fijn dat je zo eerlijk tegen me bent. Het klonk alsof ik voorlas uit een schoolrapport.

'Daar woon ik,' zei Alex. Hij minderde vaart en wees naar een in ranchstijl gebouwd huis op een verhoging, een huis van bruin hout met zwarte luiken. De heggen zouden wel eens gesnoeid mogen worden, en op het dak lag een frisbee. Bij de inrit stond een groot houten beeld van een beer met een oranje zonnebril op.

Ik glimlachte. Het oogde als een huis waar je je voeten op de salontafel mocht leggen.

Een eindje verderop reden we de inrit op van weer een in ranchstijl gebouwd huis. Dit huis was geel geverfd.

'We zijn er,' zei Alex. 'Op de terugweg moet je me jouw levensverhaal vertellen, en minstens tien van je duistere geheimen.'

Joe werd wakker toen we tot stilstand kwamen. Hij keek nog slaperig, maar zijn oren stonden rechtop, alsof hij wilde weten waar hij nu weer was.

Uit een deur naast de garage kwam een kleine man met een lang wit schort voor. Hij zag eruit als Jimmy Durante. Hij was kogelrond, met dunnend haar dat met schoenpoets zwart geverfd leek, en met een aardappelneus.

Alex boog zich naar me toe en zei: 'Wacht maar totdat hij voor charmeur gaat spelen.'

'Ha, die Lou!' riep Alex terwijl hij het portier opende.

'Hé, Alex de Grote!' riep Louis terug, en hij kwam aanwaggelen.

Alex stapte uit, achterna gesprongen door Joe, die op Louis af rende.

'Shit!' Gauw stapte ik uit en probeerde Joe te pakken te krijgen, maar hij was me te snel af.

'Laat hem maar,' zei Alex.

Joe liep om Louis heen en blafte. 'Rustig maar, ouwe jongen,' zei Louis. Hij klopte op zijn knieën. Joe zette zijn voorpoten tegen die knieën en likte Louis' kin. Daarna rende hij weg om aan de brievenbus te snuffelen. 'Zie je, we zijn al de beste maatjes,' zei Louis, terwijl hij zijn kin afveegde. 'En dan ben jij zeker Savannah.'

Ik stond ervan versteld dat hij wist wie ik was. Dat betekende dat Alex het over mij had gehad. Ik vroeg me af wat hij had gezegd. Misschien wel dat hij met een halvegare naar het park ging en daarna het boek zou afgeven. Of misschien dat hij een leuke meid was tegengekomen en dat hij met een smoesje even langs zou komen zodat Louis zich een mening over haar kon vormen.

'Je had niet verteld dat ze zo mooi is.' Louis zei het tegen Alex, maar kwam naar mij toe en sloeg zijn armen om me heen. Vervolgens liet hij me los en gaf me op beide wangen een zoen. Ik werd bijna overweldigd door de geur van zijn aftershave. En de hand die hij in mijn taille liet liggen was zo groot dat ik me klein en slank voelde. 'Ik heb veel over je gehoord,' zei hij tegen mij. Zijn adem rook naar sigaretten en pepermunt. De losse stukjes pasten niet bij elkaar, maar het geheel was geweldig.

'Kom toch binnen,' zei Louis, terwijl hij met zijn vrije hand gebaarde.

'Nee, we moeten verder,' zei Alex. 'Ik kom je alleen dat boek brengen waar je om had gevraagd.' Hij liep in snelle pas naar de pick-up.

'Verder? Wat bedoel je daarmee? Je zei dat je zou langskomen, dus ben ik aan het bakken geslagen. Ik heb net de honing over de baklava gedaan, en in de oven staat cake. Dus blijf!'

'Volgende keer, Lou,' zei Alex.

'Jij blijft toch wel?' vroeg Louis aan mij.

Alex kwam terug met een biografie over Elizabeth Taylor. Toen ik hem met opgetrokken wenkbrauwen aankeek, zei hij: 'Lang verhaal.'

'Goed, en dan nu de koffie,' zei Louis. 'Vannah wil blijven voor de koffie. En jij blijft ook.'

'Weet je het zeker, Van?' vroeg Alex. 'Louis kan anderen heel goed woorden in de mond leggen. Daar heeft hij talent voor.' Hij knipoogde naar me.

'Ik vind het best,' zei ik. 'Als Joe geen probleem is.'

'Een probleem?' zei Louis. 'Hij is een geschenk! Kijk hem nou eens?' Hij gebaarde als een spreekstalmeester in het circus naar Joe. 'Hij is prachtig. Echt prachtig. Hé, Joey, ik heb koekjes in de keuken!' Joe spitste zijn oren, rende naar Louis toe en ging voor hem zitten. Ik kon het hem niet kwalijk nemen. Joe wist vast niet wat een koekje was, maar Louis' toon herkende hij wel. Zijn enthousiasme werkte aanstekelijk. 'Kom op, Joey,' zei Louis, en Joe liep achter ons aan naar binnen.

Louis had zijn ene arm om me heen geslagen en de andere om Alex. Hij trok Alex een beetje naar zich toe en zei: 'Ik ben dol op deze jongen. Echt dol.' Pardoes gaf hij hem een zoen op zijn wang.

Wanneer ik mijn moeder over een jongen had verteld, vroeg ze altijd of hij wel 'referenties' had. Ze had een theorie dat als iemands vrienden een hoge dunk van hem hadden en het aardige lui waren, hem dat een meerwaarde gaf. Blijkbaar had niemand mijn vader erg graag gemogen. Hij had geen goede referenties. Alex daarentegen had een goede referentie, van Louis.

Via de garage gingen we naar binnen. Het was een echte garage. Er stond een glanzende zwarte Lincoln Continental. Maar op de betonnen vloer zaten olievlekken, en aan de balken hingen opgeklapte strandstoelen. Diane had altijd smetteloze garages gehad, uitsluitend om auto's in weg te zetten. Het tuinmeubilair werd in een andere uitbouw opgeslagen.

Toen we in de keuken naast de garage kwamen, piepte de kookwekker. Gehaast haalde Louis de cake uit de oven, waarbij hij een punt van zijn schort als pannenlap gebruikte. 'Heet, heet, heet!' riep hij uit, en hij zette het bakblik op het fornuis en wapperde met zijn hand. Joe snuffelde aan die hand. 'O, wat ben je braaf,' zei Louis. 'Maakte je je zorgen om die oude Lou?' Hij haalde een stel koekjes uit een blik in de keukenkast. Nadat hij een stukje van een koekje had afgebroken, gaf hij dat aan Joe. De rest stopte hij in zijn zak, waardoor hij bij Joe erg populair werd.

In de keuken rook het naar knoflook, koffie en vanille. Het was er warm. De muren waren in een oranje pasteltint geverfd, een beetje de kleur van sommige spekkies. Alex keek me met opgetrokken wenkbrauw aan, alsof hij me iets wilde vragen. Ik deed mijn best ook één wenkbrauw op te trekken, maar dat mislukte. Omdat ik bang was dat hij zou denken dat ik het niet leuk vond om hier te zijn, zei ik maar: 'Louis, bedankt dat je ons hebt uitgenodigd.'

'Ga zitten.' Louis gebaarde naar de keukentafel onder de enorme kroonluchter van nepkristal en klatergoud. Er stonden al koffiebekers op tafel en de baklava lag op een mooi, gebloemd bord.

Alex en ik gingen zitten en wachtten op Louis. Nou ja, ik wachtte. Alex jatte een stukje baklava van het bord zodra Louis ons de rug had toegekeerd. 'Ik ben uitgehongerd,' fluisterde hij terwijl hij het stukje in zijn mond stak. Ik vond het leuk dat hij deed alsof hij thuis was. Ik vroeg me af hoelang Louis en hij elkaar al kenden. Maar omdat Louis bezig was de koffie in een thermoskan te schenken en Alex zijn mond vol had, vond ik het niet het juiste moment het te vragen.

Ik keek om me heen. Het was een open keuken, die overliep in de woonkamer. Er liep een kronkelige grens tussen het zachte oranje van de keuken en het mintgroen van de woonkamer. De bruine tegels van de keukenvloer veranderden ineens in een hoogpolig, knalgeel tapijt. Het tapijt begon nog voor de overgang naar de groene muur, zodat het leek alsof Louis ineens geen oranje verf meer had gehad.

Ik keek naar de muur alsof het iets was uit een museum voor moderne kunst.

'Vind je het mooi hier, Vannah?' Louis kwam aangezet met de thermoskan. Ik probeerde iets aardigs te verzinnen. Toen Louis gebaarde naar de woonkamer, merkte ik dat de knalroze gordijnen me nog niet waren opgevallen. Gelukkig hoefde Louis geen antwoord op zijn vraag te hebben.

'Mijn eerste vrouw wilde witte muren.' Zuchtend maakte hij een weids gebaar. 'Maar Greta, Greta hield van kleur.'

Ik vroeg me af of Greta de bank had uitgekozen. Die was bruin en zat vol kuilen.

'Vannah, je doet me aan Greta denken,' zei Louis, en hij nam plaats. 'Jij hebt ook kleur.'

'Dank je,' zei ik.

Alex lachte met zijn mond vol. Hij was bezig met zijn derde stukje baklava.

'Ik doe er twee dagen over om het te maken, en jij eet het in vijf minuten op,' mopperde Louis. Maar het was hem aan te zien dat hij blij was. Hij schonk koffie in en gaf me de suiker en de melk.

Het was sterke koffie. 'Geweldig,' zei ik.

'Cichorei en vanille,' zei Louis. 'Van echte bonen. Niet dat spul in een potje.'

'Louis is een heel goede kok,' zei Alex. 'Ik krijg les van hem.'

Ik stelde me Louis en Alex voor met een schort voor, en onder het meel, als in een film met Laurel en Hardy.

'Mannen moeten kunnen koken,' zei Louis, en hij zwaaide met zijn wijsvinger. 'Geen gedoe met "vrouwenwerk" en "mannenwerk". Een man moet kunnen koken.' Hij gaf Alex een por. 'Dat vinden vrouwen sexy.'

Alex werd zo rood als een biet.

'Toch?' Louis keek me aan. 'Toch?'

Ik lachte. 'Hij heeft gelijk,' zei ik tegen Alex. 'Ik spreek voor alle vrouwen, en wij vinden dat sexy.'

'Zei ik het niet?' vroeg Louis aan Alex. 'Je moet meer naar die oude Louis luisteren. Ik weet wel het een en ander.'

'En nog meer,' reageerde Alex.

Louis haalde zijn schouders op. 'Nee, niet nog meer.' Hij gaf me een knipoog.

Ik genoot van hun gezelschap. Ik had niet het gevoel dat ik werd veroordeeld. Ik had niet het gevoel dat ik niet goed genoeg was. Het gaf niet wat ik zei, niets was goed of fout. Het gaf ook niet dat ik koffie op mijn broek morste. Joe sliep onder de tafel. Alex en Louis maakten grapjes, vertelden me verhalen en waren blij als ik met hen mee lachte. Louis vertelde dat toen Alex klein was, hij op een warme dag de uitgedroogde wormen op de inrit probeerde te redden. Hij deed ze in een kopje en besproeide ze met water om ze 'te laten bijkomen'.

'Ik zei tegen hem: "Laat die wormen maar gewoon hun gang gaan, dan zijn ze morgen weer fit."' Louis lachte. 'Ik durfde het hem niet te vertellen... Ik wachtte totdat hij weg was en dan groef ik verse wormen op om in het kopje te doen.'

'Ik heb heel lang gedacht dat je wormen weer tot leven kon wekken,' zei Alex. 'Maar toen ik de opleiding tot dierenarts ging volgen, heeft Louis me verteld hoe de vork in de steel zat. Hij vond dat ik dat moest weten.'

'Ik was bang dat hij voor het tentamen biologie zou zakken,' zei Louis.

Ik vertelde hun over die keer met Pasen dat ik in Gedney Park door een gans achterna was gezeten, en in mijn mooiste jurk in de vijver was gevallen. 'Mijn moeder was heel kwaad. Echt kwaad. "Savannah Marie Leone! Hoe kon je dat nou doen?"' Ik dikte haar accent van Long Island flink aan.

Alex snoof. 'Ja, als ze je volledige naam gebruiken, zwaait er wat,' zei hij.

'Ze had die jurk zelf gemaakt. Het was de eerste keer dat ze zoiets had gedaan. De jurk zat niet echt goed, maar ze was er heel trots op en had foto's willen maken. Ze was naar de auto gegaan om het fototoestel te halen, en toen ze terugkwam, leek ik wel een moerasmonster. Ze had het niet zien gebeuren en geloofde me niet. Maar echt, het was een heel valse gans. Hij blies en zo.' Ik huiverde. 'Mijn moeder maakte toch foto's van me, met kroos in mijn haar en onder de modder. Er zijn stapels foto's van mij bij het meer, met een tulp in mijn hand.'

Zo bleven we elkaar verhalen vertellen. Ik deed meneer Wright na terwijl die me vertelde over het maximumgewicht voor huisdieren. Alex liet zien dat hij zijn elleboog griezelig ver naar achter kon buigen. Louis vertelde een grap over Dean Martin en de dalai lama die nergens op sloeg, maar waar we zo om moesten lachen dat de tranen over onze wangen biggelden, alleen maar vanwege de manier waarop hij de mop vertelde, met heel veel gebaren die deden denken aan Jerry Lewis.

Ondertussen dronken we koffie en snoepten van de baklava totdat er nog slechts kruimeltjes op Louis' gebloemde bord lagen. Louis liet me zijn postzegelverzameling zien, en de foto's van alle drie zijn bruiloften. Alex deed de afwas en Joe likte de kruimels van de vloer. Ik voelde me helemaal thuis, alsof het niet gek was om met je dierenarts op bezoek te gaan bij diens bejaarde vriend.

Toen we ons klaarmaakten om weg te gaan, viel het Louis op dat de cake nog op het aanrecht stond. Hij sloeg zichzelf voor de kop en mompelde iets in het Italiaans.

'Die cake kan er nu echt niet meer bij,' zei Alex.

'Morgen!' zei Louis. 'Morgen komen jullie terug.'

'Louis, Van heeft vast veel te doen,' reageerde Alex met een zucht.

'Nee,' hield Louis vol, 'jullie komen morgen. Dat kan toch wel?' Hij schuifelde met ons mee naar de deur en omhelsde me daar. 'Ik weet wat. Iets heel belangrijks.'

'O jee,' zei Alex met een lach.

'Nee, nee,' zei Louis. 'Het is een goed idee. Tot morgen. Afgesproken?'

We beloofden terug te komen voor de cake en voor wat Louis in petto had.

Zodra we de deur openden, sprong Joe naar buiten. Hij rende rondjes door de tuin totdat Alex het portier opende.

'Spreek jij Italiaans?' vroeg ik toen we over de inrit reden.

'Ik spreek Louis' taal,' antwoordde Alex schouderophalend. 'Soms zegt hij iets in het Italiaans, maar als je hem beter kent, begrijp je alles.'

Joe was klaarwakker, na het dutje op de keukenvloer. Hij keek uit het raampje en gromde zacht naar voetgangers of iemand op een motorfiets. Alex en ik moesten erom grinniken.

Toen we mijn straat in reden, zei Alex: 'Zeg, ik vind het heel aardig dat je Louis zijn zin wilt geven. Maar als je morgen niet wilt, hoef je het maar te zeggen. Ik bedoel, jij dacht dat je een lesje zou krijgen in honden africhten, en voordat je het wist zat je drie uur bij Louis in de keuken. Je hoeft morgen heus niet terug.'

Ineens voelde ik me belachelijk. Alsof ik Louis te veel zijn zin had gegeven, of Alex in de weg had gezeten met wat hij verder nog had willen doen. Per slot van rekening had Alex willen weggaan, en ik had erin toegestemd te blijven. Misschien was ik wel te lang gebleven. Ik ging overal aan twijfelen. Misschien had hij me in het park wel helemaal niet willen zoenen. Ik stelde me mezelf voor, geknield in het gras met mijn ogen dicht, wachtend op zijn kus, terwijl hij misschien alleen maar een blaadje uit Joe's vacht had willen plukken. Misschien was met Joe naar het park gaan geen echt afspraakje. Misschien wilde hij me alleen maar helpen omdat hij medelijden met me had. Ik durfde niet meer op mijn intuïtie te vertrouwen.

'Ik vind alles best,' zei ik. 'Gaan of niet gaan, ik vind alles best.' Ik dacht aan alles wat ik had gezegd. Alles wat ik gevat had gevonden, leek nu stom en ongepast. Dat verhaal over de gans en mijn paasbeste jurk, en het nadoen van mijn moeders accent... En ik had ook namens alle vrouwen gezegd dat kokende mannen sexy waren! O god...

Bij mijn huis gekomen pakte ik Joe's nieuwe riem en halsband. 'Dank je wel,' zei ik terwijl ik ze omhooghield. 'Dank je wel voor al je hulp.'

'Graag gedaan,' zei Alex, maar dat zeggen ze zo vaak. Het betekende niet dat hij het meende.

Ik nam afscheid en stapte met Joe uit. Gauw liep ik het huis in voordat ik mezelf weer te schande kon maken.

Ik ging aan het werk. Ik keek of er mail van mijn cliënt was, maar er was niets. Ik ging naar de brievenbus om te kijken of er post was van een andere cliënt, maar er was niets. Er was wel een idioot hoog afschrift van de creditcardmaatschappij. Het waren niet alleen de dingen die ik voor Joe had gekocht, maar ook Joe zelf. En dan waren er nog de kosten die ik voor de bruiloft had gemaakt: de manicure, de kapper, de schoonheidsspecialiste, die foeilelijke jurk, het passen, die stomme schoenen en de lange handschoenen. En niet te vergeten mijn gebruikelijke uitgaven: de boodschappen, benzine, en inkopen bij Wegmans die totaal overbodig waren, zoals roomijs, spekkies en bier. Het totaal was achtduizend dollar. Zelfs als mijn cliënt eindelijk eens iets liet horen en me betaalde, was het bedrag te hoog. Ik had net mijn studieschuld afgelost, en nu zat ik weer in de schulden terwijl het helemaal niet uitkwam. Ik moest een ander huis kopen. Daar had ik geld voor nodig, voor de aanbetaling. En voor de makelaar en de verhuizer. Ik moest kredietwaardig zijn. En ik moest een kussen hebben om op neer te vallen, want er was niemand om me op te vangen.

Ik ging achter mijn bureau zitten om het beetje werk te doen dat er nog was, maar ik kon me niet goed concentreren. Ik voelde me zweterig. Ik rolde een viltstift over het bureaublad en luisterde naar het klikken van de dop tegen het hout. Ondertussen probeerde ik helder te denken. Ik ademde veel te snel in en uit, en toch voelde het alsof ik geen lucht kreeg. Ik wrong mijn handen, ik knarsetandde. Ik stond op en ging ijsberen. Joe kreeg er genoeg van achter me aan te lopen en ging op de grond liggen. Ik wist niet wat ik met mezelf aan moest. Ik moest afleiding hebben. En omdat die er niet was, speelde ik de middag met Alex nog eens af. Was het nou een afspraakje geweest of verbeeldde ik me dat maar? Misschien had ik alles verkeerd begrepen. Ik dacht eraan dat Alex al eens getrouwd was geweest. Met Sarah Evans. Inwendig zag ik Janies en Peters bruiloft voor me, maar dan met Alex als de bruidegom, met een rood flanellen hemd onder zijn trouwjas. Ik stelde me het uitspreken van de huwelijksgelofte voor. Ik stelde me de kus voor. Het voelde alsof mijn hart nogmaals brak. En voordat ik het wist had ik de telefoon gepakt en belde ik Peter.

'Hallo,' zei ik tegen de voicemail. Ik had geweten dat ik die zou krijgen. Ik wist niet eens of hij wel kon bellen in het buitenland. En ook al werkte zijn mobiel in Parijs of Düsseldorf of waar hij ook was, dan betwijfelde ik of hij zou opnemen. 'Ik wilde even hoi zeggen. Ik moest aan je denken en toen wilde ik even hoi zeggen. Ik hoop dat je het leuk hebt. Ik zie je wel weer wanneer je terug bent. Je kunt me uiteraard altijd bellen, dan kunnen we het hebben over...' Ineens hield ik mijn mond. Ik besefte wat ik aan het doen was. Ik was in paniek geraakt over de dingen die in het echte leven aan het gebeuren waren, en daarom wendde ik me tot Peter, alsof hij de oorzaak en de oplossing was. Alsof hij nu nog wilde zeggen wat hij bijna in het koetshuis had gezegd, en alles goed zou aflopen en ik me niet meer druk hoefde te maken over dingen die in het echte leven gebeurden. En toen moest ik aan Janie denken. Zoals ze eruitzag wanneer ze huilde. Dan vertrok ze haar mond en kreeg ze rimpels in haar voorhoofd. En haar schouders schokten en ze snikte zo zachtjes dat je het nauwelijks kon horen. 'Doe Janie de groeten,' zei ik, en ik verbrak de verbinding.

Daar stond ik naar mijn mobiel te staren. Op het scherm stond dat het gesprek vierenvijftig seconden had geduurd. In die vierenvijftig seconden had ik grote schade kunnen aanrichten. Ik had hem kunnen zeggen dat ik van hem hield. Ik had kunnen zeggen dat ik had gedacht dat hij me in het koetshuis had willen vertellen dat hij van me hield. Stel dat ik iets had gezegd wat ik later niet had kunnen uitleggen, en stel dat Janie dat berichtje had afgeluisterd? Stel dat ze Peters mobiel op het nachtkastje had zien liggen en had gezien dat er een berichtje van mij was? Stel dat ze had besloten dat af te luisteren, omdat ze me miste en even mijn stem had willen horen? Stel dat ik had gezegd dat ik van Peter hield en hem had aangespoord weg te gaan bij Janie en voor mij te kiezen? Het speet me dat ik niet kon teruggaan naar de tijd dat Peter Janie nog niet had leren kennen, want soms wilde ik gewoon Janies stem even horen. Dan zou ik me een stuk prettiger voelen.

Ik rende de trap af, griste mijn tas van de salontafel en ging op de bank zitten. Joe sprong naast me op de bank. Hij stak zijn snuit in mijn tas terwijl ik zocht tussen de oude kassabonnen en verkreukelde visitekaartjes. Ik duwde hem weg. Hij dacht dat het een spelletje was. Hij klauwde aan mijn hand en stak zijn snuit weer in de tas, waar hij met zijn tanden de verpakking van een mueslireep uit haalde. Vervolgens sprong hij van de bank om er trots mee rond te lopen. Ik pakte de verpakking af en zocht weer in mijn tas. Ik raakte in paniek. Ondertussen rende Joe naar boven om terug te komen met een rubber bot. Nadat hij op de bank was gesprongen, liet hij het in mijn tas vallen. 'Hou op!' zei ik boos. Totaal niet bang likte hij mijn gezicht. Toen pakte hij het bot weer op en ging eens lekker naast me liggen knauwen.

Uiteindelijk vond ik onder in mijn tasje wat ik zocht: een in vieren gevouwen papier. De cheque van Diane. Ik had die gewoon in mijn tas gemikt, alsof het een kassabon was of het papiertje dat om een rietje zit. Ik was zo gekwetst dat ik er niet aan had willen denken, daarom had ik gedaan of het afval was. Maar eigenlijk had ik dat geld hard nodig. Om de schuld af te lossen, om een ander huis te kopen. Ik kon niet anders dan op Dianes voorwaarden ingaan. Ik moest bij Peter uit de buurt blijven.

Ik vouwde de cheque open en streek hem glad op mijn been. Vervolgens haalde ik alle kassabonnen en rommeltjes uit mijn tas en stopte de cheque in mijn portemonnee.

16

De volgende dag ging ik al vroeg naar de bank, nog voordat ik had gedoucht of ontbeten. Ik trok gemakkelijke kleren aan, deed mijn jas eroverheen en reed ernaartoe. Het liefst had ik de cheque via een geldautomaat geïnd, zodat ik met niemand zou hoeven te praten, maar dat kon natuurlijk niet. Dus ging ik in de rij staan. Mijn handen trilden en ik vocht tevergeefs tegen de tranen. Eenmaal aan de beurt gaf ik de mevrouw achter de balie de cheque en mijn bankpasje.

'Wilt u het bijgeschreven op uw betaalrekening?' vroeg ze.

Ik knikte en haalde een verfrommeld papieren zakdoekje uit mijn jaszak. Terwijl ik mijn neus snoot, hoopte ik dat ze zou denken dat ik gewoon verkouden was. Misschien waren de tranen haar niet opgevallen.

Ik verwachtte zo'n beetje dat ze op de rode knop bij haar knie zou drukken, zoals ze dat op tv doen. En dan zou ik door bewakers worden meegenomen en ondervraagd. Want hoe kon iemand die altijd rood stond op de proppen komen met een cheque voor honderdvijfenzeventigduizend dollar? Dat zou toch moeten worden uitgelegd. Maar ze schoof de cheque terug en vroeg me mijn handtekening te zetten, en terwijl ze bezig was, hield ze haar handen boven tafel. Ze gaf me een ontvangstbewijs en vroeg of ze nog iets voor me kon doen. Ik schudde mijn hoofd en lachte flauwtjes. Daarna stopte ik het ontvangstbewijs in mijn kontzak en liep naar buiten. Ik had me van Peter ontdaan.

Ik had verwacht als een wrak terug te moeten rijden. Ik had verwacht het gevoel te hebben alles te zijn kwijtgeraakt. Het gevoel dat niemand van me hield en niemand ooit van me zou gaan houden. Ik had verwacht meer te huilen. Maar eigenlijk voelde ik me opgelucht. Ik voelde me alsof ik eindelijk verder kon, en alsof het mijn beslissing was om verder te gaan, niet alsof die beslissing voor mij was gemaakt. Pete had besloten Janie voor zich te winnen. Pete had besloten met haar te trouwen. En in de eerste huwelijksnacht had hij besloten even langs mij te gaan. Diane had besloten me af te kopen. Mijn moeder had besloten me bij zich weg te houden toen ze zo ziek was. Dat waren allemaal dingen die mij waren overkomen, maar dit was iets waar ik zelf voor koos. Eindelijk had ik het gevoel dat ik macht had over iets in mijn leven. Het voelde alsof ik de vrijheid had verder te gaan.

Toen ik thuiskwam, maakte ik een fatsoenlijk ontbijt. Het soort ontbijt dat je eet voordat je aan iets nieuws begint, zoals de eerste schooldag of de eerste dag in je nieuwe baan. Ik maakte een kaasomelet, roosterde boterhammetjes en zette een pot koffie. Joe kreeg ook omelet, en we gingen samen op de keukenvloer eten.

Joe werkte de omelet zo enthousiast naar binnen dat de

kruimels door de lucht vlogen. Ze zaten op zijn vacht, op de grond en op mij.

'Je hebt geen goede tafelmanieren,' berispte ik hem. Hij sloeg totaal geen acht op me en likte zijn bord af.

De telefoon ging. Ik stond op om op te nemen en liet mijn bord door Joe aflikken.

'Hoi, Van.' Het was Alex. 'Ik bel om te vragen of je vanmiddag nog zin hebt in een stuk cake bij Louis.'

'Ja, lekker,' antwoordde ik met een lach. Het was fijn om verder te gaan.

'Gisteravond heb ik Louis nog gesproken,' zei Alex nadat hij me die middag had opgehaald. 'Ik weet wat hij van plan is.'

'O?'

'Ik moest beloven dat ik het je niet zou vertellen, dus dat doe ik dan maar niet. Het is iets groots. En het zou heel fijn voor je kunnen zijn, maar misschien ook niet. Voel je niet onder druk gezet. Kom niet meteen met een reactie, leg je niet vast. Ik zorg ervoor dat hij niet het idee krijgt dat je overal mee instemt. Ik ben dol op Louis, maar hij kan nogal overweldigend zijn. En ik wil niet dat je je overweldigd voelt. Oké?'

'Oké,' zei ik. De gedachten tolden door mijn hoofd. Waar had hij het over? Wat kon Louis van plan zijn? Waarom was ik daarbij betrokken?

Toen we bij het huis van Louis aankwamen, begroette hij ons bij de voordeur, gekleed in een Schots geruit pak met vest, met een knalrode stropdas om en glimmende zwart met bruine schoenen aan zijn voeten. Zijn haar had hij glad achterovergekamd.

Alex pakte me bij de arm, en toen ik naar hem opkeek, zag ik dat hij zijn lippen op elkaar geklemd hield om maar niet te hoeven lachen.

'Kom binnen! Kom binnen!' zei Louis met weidse gebaren.

Terwijl we langs hem heen liepen, kregen we een zoen op onze wang.

'Ik voel me niet correct gekleed,' zei Alex, en hij wees op het gat bij zijn knie.

'Och,' zei Louis alsof een gat in een spijkerbroek er niet toe deed. 'Ik heb een zakelijk voorstel voor onze Vannah, en ik vond dat ik er zakelijk moest uitzien.'

Alex lachte. Het was een vriendelijke lach, alsof Louis en hij onderling een grapje hadden gemaakt. 'Nou, je ziet er heel zakelijk uit,' zei hij.

Louis lachte met Alex mee en kneep even in zijn wang.

Het huis van Louis was rechthoekig, en vanaf onze plek bij de voordeur zag ik dat de tafel in de keuken was gedekt, met de cake al in plakjes gesneden. Maar Louis liet ons plaatsnemen in de woonkamer. Dus gingen Alex en ik op de bultige bank zitten. Er klonk gepiep, en daardoor wist ik dat het geen echt leren bekleding was. Ik deed mijn best geen malle geluiden te maken.

Louis ging in de rode fauteuil tegenover ons zitten, met zijn armen op de leuningen en zijn voeten op een rood taboeretje. Hij zag eruit als een koning op een troon. Het hoogpolige gele tapijt was gestofzuigd, het kronkelige patroon dat de stofzuigermond had gemaakt, was duidelijk te zien.

Louis haalde diep adem, en toen nog eens. 'Zo,' zei hij. Hij keek me aan, en toen hij naar me lachte, verdwenen zijn ogen bijna achter zijn opbollende wangen. 'Joe en jij zouden hier moeten wonen.'

'O...' zei ik, in de hoop dat het niet geschrokken klonk. Wat had Alex bezield dat hij dacht dat het fijn voor me zou zijn om bij Louis in te trekken? 'Wauw... Ik weet niet wat ik moet zeggen.' Ik haalde diep adem. 'Weet je, ik moet de ruimte hebben, en ik ben veel thuis. Misschien is het wel lastig om te wonen met... met, eh...'

'Nee, nee!' viel Louis me in de rede. 'Alleen Joe en jij. Ik niet. Ik ga naar Florida.'

'Louis' broer woont in Florida,' vertelde Alex. 'Louis heeft het al heel lang over daarnaartoe verhuizen.'

'Ik zal hem missen,' zei Louis, en hij wees naar Alex. 'Maar die winters hier doen mijn reumatiek geen goed.' Hij bewoog met zijn handen om te laten zien hoe stijf die waren. 'Jij hebt een huis nodig, ik wil verhuizen. Het is een teken!'

Alex schraapte zijn keel en keek met opgetrokken wenkbrauw naar Louis, alsof hij hem eraan wilde herinneren me niet onder druk te zetten.

'Goed, je hoeft niet meteen vandaag te beslissen,' zei Louis. 'Maar kijk eens naar dit huis?' Hij stond op en spreidde zijn armen. 'De keuken heb je al gezien. Dit is de woonkamer.' Hij pakte mijn arm en sleurde me mee naar de garage om te laten zien dat er een cijferslot op de garagedeur zat. Ik zou Joe dus kunnen uitlaten zonder sleutels mee te hoeven nemen. 'Heel handig,' zei hij. 'Tegenwoordig denken ze echt aan alles.' Hij schudde zijn hoofd, in stille bewondering voor de briljante geesten die zulke sloten hadden uitgevonden. 'Vind je het niet geweldig?' vroeg hij aan mij.

'Handig,' zei ik, want ik was door Alex gewaarschuwd Louis niet te veel in de kaart te spelen. Maar eigenlijk beviel het me wel. Niet het knalgele tapijt of de oranje en groene muren, maar wel de gedachte een huis te kopen dat niet bouwvallig was. Een echt huis met een tuin, en een garagedeur met cijferslot. En ik vond het ook fijn dat Louis me 'onze Vannah' had genoemd. Ik vond het fijn dat zijn huis als een thuis voelde. Ik hoopte dat dat gevoel zou blijven als ik een ander tapijt liet leggen en de muren verfde.

Toen we terugkwamen in de keuken, stond Alex in de deuropening geleund een plakje cake te eten. Hij hield zijn hand onder het plakje om de kruimels op te vangen. Hij was zo lang en slank... Zijn hoofd raakte bijna de bovenkant van de deur-post. Met dat warrige blonde haar en het hemd en de broek die losjes om zijn lijf flodderden, had hij wel iets weg van een vogelverschrikker, maar dan van een heel sexy soort. Toen hij merkte dat ik naar hem keek, knipoogde hij naar me.

'Ik zal je de badkamer laten zien.' Hij maakte een theatraal gebaar. 'Je zult je er een vorstin wanen.'

Terwijl ik langs de deuropening liep, pakte Alex me bij mijn mouw, waarbij er kruimeltjes op de grond vielen. 'Ik help je verven,' fluisterde hij. Zijn adem voelde warm in mijn oor.

'Jeetje...' zei ik. Ik vond het fijn dat hij had beloofd me te helpen. Hij wilde dus nog eens met me afspreken. Om te gaan verven. En hij wilde dat ik wist dat hij dat wilde.

'Ik ruim dit maar gauw op.' Hij wees naar de kruimels op de grond.

'Oké.' Even wreef ik over zijn arm en toen liep ik door.

De badkamer was heel licht. In de kast en de deurtjes van de douche zaten spiegels, en de spiegel boven de wasbak liep hele-maal door tot aan het plafond. Verder was alles betegeld in een ingewikkeld patroon uit de jaren zeventig, in blauw en wit.

'Dit is typisch Gloria. Kleur en wit,' zei Louis, en het viel me op dat zijn ogen vochtig werden.

Hij pakte mijn hand en keek me via de spiegel boven de was-tafel aan.

'Breek het hart van deze jongen niet, Vannah,' zei hij. 'Ik heb het verdiend. Maar deze jongen is een goed mens.'

In de spiegel zag ik mezelf blozen. 'Zijn hart behoort me niet toe, dus kan ik het ook niet breken,' zei ik, mijn blik nog steeds op mijn wangen gericht.

Hij nam mijn hand tussen zijn twee handen. 'Je draagt zijn hart in je handen,' zei hij, en hij keek naar mijn hand alsof er een kuikentje op zat. 'Misschien heb je het zelf nog niet door, maar het is wel zo.'

Onze blikken ontmoetten elkaar, en hij schoot in de lach. 'Oké,' zei hij, en hij liet mijn hand los om zijn ogen te drogen. 'Dat was overdreven. Zelfs voor mij.' Hij zwaaide met zijn handen en lachte als een klein jongetje.

De slaapkamer was verrassend normaal. Het tapijt was groen, de muren wit en de sprei en de gordijnen lichtblauw.

Er was ook nog een logeerkamer met behang met zeilbootjes erop, hoogpolig rood tapijt en een tweepersoonsbed met een rood-wit-blauw dekbed. De gordijnen waren vastgezet met een koord dat uit rode ankertjes bestond.

'Fijne naaikamer,' zei Louis.

'Maar ik doe nooit aan handwerken,' reageerde ik. 'Ik bedoel, ik kan het niet.'

'Alex wel.'

'Echt?'

'O ja! Hij moest het leren voor zijn studie. En tijdens de vakanties heeft hij geoefend.' Louis deed overdreven iemand voor die een naald door de stof steekt.

'Gloria en hij zaten hier vaak te handwerken,' vertelde Louis.

'Ze maakte quilts,' zei Alex. 'En ik stikte bananenschillen aan elkaar. Het was tijdens de kerstvakantie, niet regelmatig.'

Louis keek voor zich uit, alsof hij hen nog voor zich zag. Zijn ogen werden weer vochtig.

'Je moet de bibliotheek nog zien,' zei hij nadat hij met diep ademhalen tot zichzelf was gekomen.

'Cool!' zei Alex.

De slaapkamer aan het eind van de gang was omgetoverd tot een bibliotheek. Louis deed de deur open en zei: 'Tada!'

Het stond er vol boekenkasten die zo te zien zelf in elkaar waren getimmerd. Ze waren ongelijk en de bruine verf was niet gelijkmatig aangebracht, met veel druipers. Alle planken waren volgepropt met tijdschriften. Er waren planken vol technische tijdschriften, met de *National Geographic,* met televisiegidsen en hobbybladen over vissen en sigaren. Overal stond de naam bij. Boeken waren er niet, uitsluitend tijdschriften, van de vloer tot het plafond.

Midden in de kamer stond een bruinleren, doorgezakte fauteuil naast een bijzettafel vol onderzettertjes. Op het tafelblad zaten kringen van natte glazen.

'En? Wat vind je ervan?' vroeg Louis. 'Als je het huis koopt, krijg je de tijdschriften er gratis bij.' Hij straalde. 'Goede koop, hè?'

'Ik weet zeker dat het huis Van bevalt, Louis,' zei Alex, en dankzij hem hoefde ik zelf niet te reageren. 'Maar ze moet de tijd krijgen om erover na te denken.'

'Ja, ja, die krijgt ze. Geduld,' zei Louis, en hij zwaaide met zijn vinger alsof hij zichzelf vermaande.

Nadat we de cake tot het laatste kruimeltje soldaat hadden gemaakt, schoof Louis een envelop mijn richting uit. 'Als het huis je bevalt, hier staat alles in.' Hij knipoogde.

Ik wilde het zegel op de envelop verbreken.

'Nee, nee!' zei Louis, en hij stak zijn hand uit om me tegen te houden. 'Maak later maar open, anders ga ik me schamen.'

Ik vouwde de envelop dubbel en stak hem in mijn kontzak.

Alex schonk de bekers nog eens vol koffie en gaf de melk door, en opeens drong tot me door dat de gevoelens die ik had, niet denkbeeldig waren. Ik voelde echt dat ik erbij hoorde.

17

Het was zo gezellig om met Louis en Alex te babbelen dat ik de envelop bijna was vergeten. Maar we waren de inrit amper af gereden of Alex zei: 'Toe maar, open de envelop.'

Ik friemelde om het ding uit mijn kontzak te krijgen. 'Weet jij wat erin zit?' vroeg ik.

'Hoezo?' vroeg Alex gespeeld verbaasd. 'Maak nou maar open.'

Ik bezeerde mijn vingers aan het stiksel, maar eindelijk kreeg ik de envelop uit mijn kontzak. Ik maakte de envelop open. Er kwam een velletje papier uit waarop stond: 40.000.

'Meen je dat?' vroeg ik.

'Ik meen niks, Louis meent het,' antwoordde Alex hoofdschuddend.

'Maar, maar...' Ik moest even tot mezelf komen. 'Maar hij beseft toch wel dat het huis veel meer waard is?'

'Dat weet hij,' reageerde Alex. Hij had lachrimpeltjes om zijn ogen, maar hij hield zijn blik op de weg gevestigd.

'Waarom vraagt hij dan zo weinig?'

'Nou, hij heeft het voor twintigduizend gekocht, dus maakt hij er fors winst op. Zo ziet hij dat.'

'Maar de inflatie dan? Wanneer heeft hij het huis gekocht?'

'Halverwege de jaren vijftig, denk ik.'

'Toen een brood nog een habbekrats kostte? Ik bedoel, hij maakt er niet echt fors winst op, toch?'

'Zo is Louis nou eenmaal. Maar denk nu niet dat je het huis móét kopen. Denk erover na, oké?' Hij klopte op mijn been, en deze keer mocht ik van mezelf denken dat het niet achteloos was.

'Waarom zou ik erover moeten denken? Jeetje, een huis voor veertigduizend dollar!'

'Ja.'

'Met een tuin voor Joe. En van die kamer vol boekenplanken zou ik een prima werkkamer kunnen maken.'

'Over werkkamers gesproken, je bent toch freelancer?'

'Hoe weet je dat?' We hadden over van alles en nog wat gesproken, maar voor zover ik me kon herinneren niet over mijn werk.

'Dat staat in het dossier,' zei hij zacht.

'Het dossier?'

'Al die dingen die je moest invullen de eerste keer dat je met Joe kwam.'

'Je hebt me nagetrokken!'

'Ja.' Hij trok een gezicht, alsof hij het pijnlijk vond het te moeten bekennen, of omdat hij zich voorbereidde op wat ik daarvan zou vinden.

'Het is niet eerlijk. Wanneer krijg ik een dossier over jou?'

'Mevrouw Leone, beantwoordt u ooit vragen over uzelf?'

'Dokter Brandt, ik ben subsidieschrijver.'

'Subsidieschrijver?'

'Ja.'

'Kunt u even uitleggen wat dat is?' vroeg hij op de toon van een verslaggever die iemand interviewt.

'Ik schrijf stukken om subsidie aan te vragen.' Ik glimlachte en speelde zo goed mogelijk voor geïnterviewde.

'Jawel, slimmerdje, maar leg dat eens uit?'

'Ik word betaald door instellingen om onderzoek te doen en voorstellen op papier te zetten.'

'Dus jij wordt betaald om aanvragen voor geld te schrijven.'

'Daar komt het wel op neer.'

'Hoe ben je daarin gerold?'

'Een van de hoogleraren deed dat als bijbaantje. Zij heeft me met een paar mensen in contact gebracht. Eigenlijk zou ik het doen totdat ik een echte baan kreeg, maar het nam een vlucht.'

'Geweldig,' zei Alex, die helemaal niet meer als een verslaggever klonk.

'Eigenlijk heb ik een paar vraagjes voor jou.'

'Kom maar op.'

'Ik ben bezig met een kliniek in North Carolina voor honden met gedragsproblemen. Ik zou je hulp kunnen gebruiken met medische termen. Het lijkt wel of ze een heel andere taal spreken. Ik moet alles opzoeken.'

'Als je een vertaler nodig hebt, ik heb nu tijd.'

'Echt?'

'Echt.' Hij grijnsde naar me, een heel leuke grijns. Vervolgens richtte hij zijn blik weer op de weg.

Ik stopte het papier terug in de envelop. 'Wie is Louis eigenlijk?' vroeg ik.

Alex keek me gespeeld niet-begrijpend aan. 'Die man in dat pak?'

'Nee, ik bedoel... Hoe ken je hem?'

'Gelukkig, ik maakte me al zorgen,' reageerde hij lachend.

'Je wist heel goed wat ik bedoelde.'

'Ja,' biechtte hij op. 'Louis was de beste vriend van mijn grootvader. En hij heeft mijn vader opgevoed.' Hij zei het alsof dit wel voldoende was.

'Wat is er dan gebeurd?' Ik liet mijn hoofd tegen de hoofdsteun rusten.

'Ze zaten samen in Korea, tijdens de oorlog. Ze hadden afgesproken dat als de een niet zou terugkomen, de ander voor alles zou zorgen...' Alex' stem stierf weg toen hij links afsloeg.

'Dus je grootvader is gesneuveld?'

'Nee, ze zijn allebei teruggekomen. En ze kochten in dezelfde straat een huis.' Hij lachte. 'Als ik mijn grootmoeder moet geloven, waren ze het stelletje wel. Ze haalden altijd geintjes met elkaar uit. Twee jaar later kwam mijn grootvader bij een auto-ongeluk om, en toen zei Louis dat hij zijn belofte gestand wilde doen. Hij hielp met alles: de rekeningen, klusjes in huis...' Hij keek strak voor zich uit. 'Hij deed alsof mijn vader zijn eigen zoon was. Mijn vader wilde dat ik Louis "opa" noemde, maar dat wilde Louis niet. Hij zei dat opa een eretitel was die hij niet verdiende. Dus is hij gewoon Louis gebleven.'

'Het moet fijn zijn om een Louis te hebben,' zei ik, en ik streek de envelop glad op mijn been.

'Iedereen zou een Louis moeten hebben,' reageerde Alex.

Joe blafte toen we de voordeur openden. Hij was eraan gewend dat ik via de garage kwam, in m'n eentje. De vacht op zijn kop zat rommelig en hij had zijn ogen niet helemaal open.

'Volgens mij hebben we je wakker gemaakt, meneer Joe.' Alex bukte om Joe achter zijn oor te krabben.

'Joe is toch een Duitse herder?' vroeg ik.

'Klopt.'

'Waarom is zijn vacht dan zo lang?'

'Joe is een langstokharige Duitse herdershond.' Hij ging met zijn handen door Joe's vacht. 'Dat komt voor, dat lange haar. Net zoals sommige mensen blauwe ogen hebben en andere bruine. Allemaal genetica.' Toen hij rechtop ging staan, leek mijn woonkamer opeens een stuk kleiner. Hij was zo lang dat mijn meubels ineens te klein leken, alsof er zo'n Action Man in een poppenhuis was neergezet.

Hij stond heel dicht bij me. Opeens werd ik zenuwachtig. Echt heel zenuwachtig. Alex vond me leuk. Deze geweldige, lieve, grappige kerel vond me leuk. Omdat ik altijd verliefd was geweest op iemand die van een ander hield, had ik nog nooit met andermans gevoelens voor mij te maken gehad. Maar Alex vond me leuk, en ik mocht hem ook best leuk vinden. Alleen wist ik niet wat ik met mezelf aan moest. Ik wist niet hoe ik me moest gedragen. Mijn knieën knikten. 'Ik zal dat gedoe met de subsidie halen,' mompelde ik terwijl ik bij Alex vandaan schuifelde. Ik liep de trap op. Hij kwam achter me aan, en Joe bleef beneden om nog een dutje op de bank te doen.

Op de trap keek ik achterom naar Alex, en werd beloond met weer zo'n leuke grijns.

'Het is behoorlijk rommelig,' zei ik om hem voor te bereiden op de toestand in mijn werkkamer. Eigenlijk wist ik niet hoe ik die had achtergelaten, maar het was vast niet best.

'Dat kan me niet schelen.'

'Mij wel.' Ik trok mijn schouders hoog op.

'Niet doen.' Hij legde zijn hand in mijn middel en kneep even.

Ik deed mijn best niet aan mijn zwembandje te denken. Maar ik trok wel mijn buik in, zodat ik voorbereid was als hij het weer zou doen.

Gauw keek ik even door de op een kier staande deur. Het was niet al te erg. De papiershredder was veel te vol, er lagen kauwgumpapiertjes als bij elkaar geveegde bladeren op mijn bureau en er stonden drie lege mokken bij de monitor. Maar er lag weinig op de grond, en alle paperassen lagen keurig op stapeltjes.

'Wauw,' zei Alex toen hij achter me aan naar binnen stapte.

'Ja, het is een zooi.' Ik kon alleen maar hopen dat hij niet zo iemand was die veel waarde hechtte aan orde en regelmaat.

'Ik bedoel dit...' Hij wees naar het whiteboard aan de muur. 'Wat is dat?'

'Daar geef ik de stappen voor subsidie op aan.'

Hij keek niet-begrijpend.

'Nou, eerst kijk ik wat er allemaal nodig is voor subsidie, en dan geef ik het daarop aan.' Ik ging bij het bord staan. 'Wanneer ik onderzoek heb gedaan, kan ik dingen afvinken.' Ik voelde me net een juf.

Alex kwam heel dicht bij me staan. Met schuingehouden hoofd en rimpels in zijn voorhoofd bekeek hij alles. Hij deed echt zijn best mijn systeem te doorgronden, hij keek niet uit beleefdheid. Dat had nog nooit iemand gedaan. Peter, Janie en Diane deden zo'n beetje of ik werkeloos was omdat ik geen vaste werktijden aanhield en vaak rondliep in pyjama. Het was fijn om eens serieus te worden genomen.

Ik keek hem aan en hij keek terug. Even dacht ik dat hij van plan was me te kussen, maar toen bloosde hij en ging de volgende kolom op het bord bestuderen.

'Het is saai, hoor.' Ik veegde de kauwgumverpakkingen van het bureau en mikte ze in de prullenbak.

'Helemaal niet.' Alex legde zijn hand op mijn schouder en trok me terug naar het bord. Ik vond zijn aanraking fijn. Hij rook lekker naar wasmiddel. Ik had altijd gedroomd van een extravagant leven met Peter, maar plotseling kon ik me niets romantischer voorstellen dan in mijn werkkamer dingen uitleggen aan Alex. Hij was geïnteresseerd. Hij had respect voor me. Dat was veel romantischer dan een zonsondergang boven de Middellandse Zee. Het was echt.

Alex pakte een oranje viltstift op en zette een sterretje naast een fitnessapparaat voor de dierenkliniek. 'Er bestaat een soort tredmolen.'

Hij stond weer heel dichtbij. Ik haalde diep adem. Gebeurde dit echt? Stond er echt een lange, sexy vogelverschrikker iets af te vinken op mijn bord?

'Dat ding is goedkoper dan de meeste andere apparaten.' Alex bleef de viltstift bij het sterretje houden. Ik vond het heel sexy, die diepe frons. 'Dus als ze daarvoor zouden kiezen, houden ze meer geld over voor het aanhangwagentje.' Hij zette een streep naar de regel met: transport - geen geld. Vervolgens zette hij daar ook een sterretje bij.

'Dank je,' zei ik. Ik keek naar hem en knikte alsof ik met hem meedacht, in plaats van te denken of hij me ooit zou gaan kussen. 'Geweldig!'

'Dat ben jij ook.' Hij keek in mijn ogen. Toen lachte hij en sloeg zijn hand tegen zijn kop. 'Sorry, dat was oubollig.'

Het drong tot me door dat hij ook zenuwachtig was, en daardoor mocht ik hem nog meer. 'Ik vond het wel leuk,' zei ik.

Een poosje bleven we elkaar aankijken. Toen boog hij zich naar me toe en kuste me. Hij legde zijn hand in mijn hals, net onder mijn kin. Vervolgens liepen we langzaam achteruit, totdat ik met mijn rug tegen de muur stond, en ondertussen bleven we maar zoenen. Zijn lippen waren zacht, en de stoppeltjes op zijn wang voelden kriebelig. Ik had altijd gedacht dat er niets klopte van zoetsappige films met vuurwerk of sterretjes in de ogen. Maar zijn kus maakte dat allemaal in me los. Ik was me er met elke vezel van bewust.

En toen liet hij me los en deed een stap naar achteren. 'Wauw,' zei hij.

'Ja...' Ik had het gevoel dat ik nooit meer helder zou kunnen denken, en dat vond ik prima.

Ineens sperde hij zijn ogen wijd open. 'Shit!' riep hij uit, en hij wees naar iets achter me.

Ik draaide me om en zag dat bijna de helft van wat er op het bord had gestaan met mijn rug was gewist.

'O, dat spijt me!' zei hij. 'Wat erg dat je bord nu is gewist...'

'Ach, als het je maar niet spijt dat je me hebt gekust,' reageerde ik, en meteen ging ik blozen.

'Helemaal niet.' Hij streek het haar uit mijn gezicht. 'Maar krijg je het bord wel weer goed?'

'O ja. Ik had kopietjes.' Ik griste een paar velletjes van mijn bureau en liet ze hem zien. 'De definities die ik nog moet opzoeken, staan achterin.'

'Ik schrijf ze wel uit,' zei hij al bladerend.

'Dank je. Dat zal me heel veel tijd schelen.'

'Graag gedaan.' Hij rolde de papieren op en stopte ze in zijn achterzak. Daarna stak hij zijn handen in zijn broekzakken en wipte op en neer op zijn voeten. 'Omdat je nu tijd overhebt, wil ik je vragen morgen met me uit eten te gaan.'

'Graag!' zei ik lachend.

Voordat hij wegging, nam hij me weer in zijn armen, en we bleven in de deuropening staan zoenen totdat Joe ging blaffen.

Zodra Alex weg was, doorzocht ik mijn kast. Ik had nooit een reden gehad om leuke kleren aan te schaffen. De kleren waarin ik naar college was gegaan, waren nu versleten of te krap, of beide. Ik kwam de zwarte jurk tegen die ik met mijn moeder in de uitverkoop had gekocht. Ik durfde die niet te passen. Misschien was die te overdreven. En waarschijnlijk te krap. Het prijskaartje zat er nog aan. Die jurk deed me te veel aan mijn moeder denken.

'Hij is voor je gemaakt,' had ze gezegd toen ik uit het pashokje was gekomen. Het was een gebreid jurkje dat heel losjes van mijn schouders viel, maar op de juiste plekken strak zat.

'Ik weet niet wanneer ik dit zou moeten dragen, mam.' Ik had aan de mouwen getrokken om te kijken hoe ver naar beneden de schouders konden voordat het al te gewaagd werd.

Ze had op het prijskaartje gekeken.

'Hij is afgeprijsd,' had ze gezegd. 'En iedereen zou een jurk moeten hebben waarin ze zich voelt zoals jij nu.' Ze had een stofje van de jurk geplukt. 'Zorg maar dat je hem ergens naartoe kunt dragen.'

Ik trok rokjes van hangertjes en ik liet shirts op de grond vallen. Er was niets bij. Dus trok ik de jurk over mijn hoofd, stak mijn armen in de mouwen en terwijl ik naar de spiegel in de badkamer liep, voegde de jurk zich naar mijn lichaam. Ik bekeek mezelf van alle kanten, en ik hield mijn haar omhoog om de rug te kunnen bekijken. Ik zoog mijn wangen naar binnen, ik trok een pruilmondje. Joe liet zijn speeltje uit zijn bek vallen en keek naar me.

Het speet me dat ik mijn moeder niet kon bellen om haar te vertellen dat ik de jurk eindelijk eens zou dragen.

18

De volgende avond om vijf voor zes gromde Joe en rende naar mijn slaapkamerraam. Op twee verschillende schoenen hobbelde ik achter hem aan; ik kon maar niet kiezen.

Toen ik uit het raam keek, zag ik Alex' pick-up op de inrit staan. Gauw schopte ik de schoen met lage hak uit. Ik ging voor die hooggehakte met een strikje op de wreef. Maar toen ik de andere schoen met hoge hak en strikje niet kon vinden, besloot ik dat deze schoenen te deftig waren en ik beter die met lage hakken kon aantrekken.

En nog steeds had hij niet aangebeld. Ik maakte me al zorgen dat hij van gedachten was veranderd.

Ik keek uit het raam. De pick-up stond er nog.

Gauw ging ik de badkamer in. Ik spoelde mijn mond met mondwater en deed lipgloss op. Toen ik in de spiegel keek, voelde ik me mooi. Ik was vergeten dat ik mooi was. Ik was zo gewend aan versleten spijkerbroeken en rommelige staartjes dat ik was vergeten hoe fijn het is om er goed uit te zien.

Ik rende de trap af en keek door het raam. De pick-up reed verder over de inrit.

Om precies zes uur ging de bel.

Joe rende naar de deur en bleef daar blaffend zitten.

Ik deed de deur open, en Joe stormde naar buiten en sprong tegen Alex op.

'Sorry!' riep ik uit, en ik deed mijn best Joe bij zijn halsband te grijpen en weer naar binnen te sleuren.

Zodra ik me vooroverboog, gleed de hals van mijn jurk naar beneden en werd mijn beha zichtbaar. Gauw trok ik alles weer goed. Als Alex het had gezien, kon hij heel goed doen alsof er niets aan de hand was.

'Geeft niet, hoor.' Hij haalde een bot van buffelhuid uit de zak van zijn sportjasje. 'Mag ik hem dat geven?' vroeg hij.

'Tuurlijk.'

'Hier, ouwe jongen.' Hij stak het bot naar Joe uit.

Voorzichtig nam Joe het in zijn bek en sprong ermee op de bank.

'Sommige mannen nemen bloemen mee, en jij een bot,' merkte ik lachend op. 'Je hebt dus ontdekt dat de weg naar mijn hart via mijn hond gaat?'

'Ja,' antwoordde Alex vrolijk. 'En dit is voor jou.' Hij gaf me een paar opgerolde velletjes papier. 'Ik heb alle termen erbij geschreven. Laat maar weten als je mijn handschrift niet kunt ontcijferen.'

'Dank je wel!' Het was een vreemd handschrift, in een soort blokletters, alsof hij extra zijn best had gedaan het leesbaar te houden.

Ik liet hem binnen. Zodra ik de deur had dichtgedaan, sloeg hij zijn armen om me heen. 'Ik ben hier toch zo blij mee,' zei hij.

Het was fijn om door hem omhelsd te worden. Zou het voor hem net zoveel betekenen als voor mij? Misschien was hij zo iemand die iedereen omhelsde. Ik hoopte maar dat hij mijn hart niet tekeer voelde gaan.

Hij haalde diep adem, alsof hij de geur van mijn haar opsnoof. Ik hoopte dat het lekker rook. Ik had mijn haar gewassen, maar niet met bloemetjesshampoo, want ik had alleen het spul dat bij Wegmans in de aanbieding was geweest.

Alex liet me los en nam mijn hand in de zijne. 'Je ziet er geweldig uit,' zei hij.

'Dank je.' Ik herinnerde me dat ik op tv iets had gezien over glimlachen. Blijkbaar kunnen we heel veel onoprechte glimlachjes op ons gezicht toveren, en maar één echt welgemeende. Naar Alex glimlachte ik welgemeend. Mijn wangen deden er pijn van.

Bij de kraag was zijn lichtblauwe overhemd rafelig. Hij had een antracietkleurige broek aan met een scherpe vouw. De broek zag er nieuw uit. In het borstzakje van zijn jasje zat een stropdas gepropt. Die trok ik eruit. Het was een zachtgele das met een bordeauxrood en blauw paisleypatroontje. Ik hield de stropdas op.

'Ik kan geen dassen strikken,' legde hij uit. 'Ik dacht dat jij dat wel zou kunnen.'

'Nou ja, ook niet erg goed,' zei ik. 'Maar ik zal mijn best doen.'

Hij knoopte de twee bovenste knoopjes van zijn overhemd dicht en spreidde zijn armen als een aankleedpop.

Ik zette zijn kraag op, sloeg mijn armen om zijn nek, gaf het einde van de das door van mijn ene hand naar de andere en trok vervolgens beide uiteinden naar voren. Ik maakte er werk van. Het was fijn zijn haar op mijn handen te voelen, en het was nog fijner zijn gezicht zo dicht bij het mijne te hebben dat ik zijn warme adem kon voelen.

Ik strikte de das en duwde de knoop omhoog. De laatste keer dat ik een das had gestrikt, was voor Peter geweest. Toen had ik er ook de tijd voor genomen om maar dicht bij hem te zijn, maar toen hadden mijn handen niet getrild en was ik minder onhandig geweest.

'Dank je,' zei Alex.

Ik streek de das glad, en Alex legde zijn hand op de mijne. Vervolgens boog hij zich naar me toe en kuste me. Ook toen hij de kus al had beëindigd, hield ik mijn ogen nog even gesloten. Ik zag een warme rode gloed, en toen ik mijn ogen opende, bleef dat warme.

Hij vlocht zijn vingers door de mijne en kneep even. We lachten breed naar elkaar.

'Ik heb gereserveerd...' zei hij zacht.

'O?' reageerde ik, en ik stapte bij hem weg om mijn jas en tasje te pakken.

Hij bloosde. 'Bij Leonardi, om kwart over zes.' Hij nam mijn jas van me over en hield hem voor me op.

'Daar ben ik nog nooit geweest.' Ik knoopte de jas dicht en haalde de handschoenen uit de zakken. Ik deed ze niet aan, voor het geval Alex mijn hand zou willen vasthouden.

'Louis heeft het me aanbevolen.'

We namen afscheid van Joe, die zo aan het knauwen was op zijn nieuwe speeltje dat het hem nauwelijks opviel dat we vertrokken.

Alex maakte het portier open en sloot het zachtjes achter me. Ik maakte me zorgen dat het niet goed dicht zat; zelf sloeg ik een portier altijd met een klap dicht.

Vervolgens stapte hij zelf in. Zodra hij de motor had gestart, schalde er countrymuziek door de cabine. Iets over een wasmachine en wasdroger. Ik wist niet of het reclame was of een echt nummer. Gauw zette Alex de radio zachter.

'Je bent vast geen fan van country,' zei hij.

'Hoe weet je dat?' vroeg ik, nog steeds met die brede lach. Die wilde maar niet van mijn gezicht.

'Je hebt niet zo'n accent.'

'Ik heb helemaal geen accent.' Ik lachte. 'Jij wel.'

'Nou ja!' riep hij gespeeld verontwaardigd uit. 'Dame, ik hoor wel een accent bij jou!'

'O ja?' Ik stak mijn tong naar hem uit.

Hij keek naar mij en vervolgens naar de weg. 'Steek je tong alleen uit als je die wilt gebruiken.'

'Hé, zitten we soms nog op school?' Ik gaf hem een por.

Toen hij naar me lachte, zag ik bij het schijnsel van de straatlantaarns de lachrimpeltjes bij zijn ogen.

'Zet je de auto stil en ga je aan me friemelen?' flapte ik eruit, zelf verbaasd dat ik dat zomaar durfde te zeggen.

Alex schoot in de lach. Toen we bij een rood stoplicht kwamen, remde hij net iets te abrupt en stak zijn hand naar me uit. 'Door jou voel ik me alsof ik nog op de middelbare school zit,' zei hij, en hij kneep in mijn schouder.

'Is dat goed of slecht?' Ik dacht aan Clearasil, aan vet haar, aan rotopmerkingen van een populair meisje dat erachter was gekomen dat ik een oogje op haar vriendje had.

'Goed,' zei hij, en hij beet op zijn lip.

19

Bij het restaurant aangekomen liet Alex me bij de ingang uitstappen en zette vervolgens de pick-up weg. In de lobby bleef ik op hem wachten. Twee dames met blauwspoeling zaten met hun tasje op schoot in een hoekje. De fonkelende lichtjes in een nepficus werden weerspiegeld in de wanden van glanzend hout.

'Gladys,' zei de vrouw met het goudkleurige tasje tegen de vrouw naast haar op de bank, 'heb je gezien dat die jongen Brandt kwam voorrijden?' Ze boog zich naar Gladys toe alsof ze haar een geheimpje vertelde.

'De jongen Brandt?' vroeg Gladys.

'Ja. In die blauwe pick-up.' Ze zocht in haar tasje en haalde er een lippenstift uit.

'Hij reed langs, maar kwam niet binnen?'

'Volgens mij heeft hij een afspraakje met háár.' De vrouw deed oranje lippenstift op.

'Met wie?' Gladys keek om zich heen, en maakte de vrouw toen duidelijk dat ze haar mondhoek moest afvegen.

'Die daar.' De vrouw wees naar mij. Er was trouwens niemand anders in de lobby.

Ik keek weg en deed net alsof ik hen niet had gehoord. In de hoek stond een kauwgomautomaat. Ik kon me niet voorstellen dat de gasten hier veel van die enorme kauwgomballen zouden aanschaffen.

'Ooo...' zei Gladys. Ze keek de ander aan. 'Ze lijkt sprekend op Mary Alice.'

'Ze is mooier dan Mary Alice.'

'Mary Alice is beeldschoon.'

'Ik zei niet dat Mary Alice niet beeldschoon is, ik zei alleen maar...'

Alex' ex heette Sarah. Wie was Mary Alice in vredesnaam?

Op dat moment kwam Alex binnen. Hij bood me zijn arm aan. Met een lach legde ik mijn hand op zijn arm. Ik deed mijn best me geen zorgen te maken.

'Zullen we dan maar?' vroeg hij.

'Dag Alex,' zei Gladys terwijl ze naar hem zwaaide. 'Hoe gaat het?'

'Mevrouw Liberatella, mevrouw Goldfarb!' riep Alex uit. 'Wat zien jullie er mooi uit.'

'We hadden het net over je,' zei Gladys. 'Toch, Ruth?'

'Ja,' bevestigde Ruth, en ze haalde met een vinger de eventuele lippenstift van haar tanden.

'Nou, ik hoop dat het positief was.'

'O, jij!' Gladys knipoogde naar hem, waardoor haar blauwe oogschaduw goed zichtbaar werd.

'Dit is Savannah Leone.'

Ik stak mijn hand uit. Ruth schudde mijn hand, Gladys gebruikte die om zich aan op te trekken en me te omhelzen. Ze was onvast ter been, rook naar lavendel en was heel zacht.

Ze legde haar hand tegen mijn wang. 'Leuk je te leren kennen, lieverd.'

'Leuk ú te leren kennen.'

'Eh... We hebben gereserveerd...' zei Alex om weg te kunnen.

'Eet smakelijk!' riep een van de dames ons na. Toen ik me omdraaide, zag ik hen zwaaien.

Een ober in een wit overhemd met een zwart vlinderdasje bracht ons naar een rond tafeltje in de hoek. Hij haalde een aansteker uit zijn zak en stak de kaars aan die in een houdertje van rood glas midden op tafel stond. Hij pakte mijn servet, sloeg het met een klapje uit en spreidde het over mijn schoot. Alex legde zijn servet maar gauw zelf op zijn schoot voordat de ober dat kon doen.

'Wilt u iets drinken?' vroeg de ober. Zijn glad achterovergekamde haar blonk in het kaarslicht. Hij legde de wijnkaart open voor Alex neer.

'Heb jij voorkeur?' vroeg Alex.

'Ik?' Ik lachte. 'Ik weet niets van wijn.'

'Ik ook niet,' zei Alex.

'Dan zal ik u laten overleggen,' zei de ober, en hij snelde weg.

Alex schoof de wijnkaart tussen ons in zodat we er samen in konden kijken. Het was schemerig in het restaurant, en de wijnkaart was in een krullerig schrift. Ik moest er zowat mijn neus op drukken. Alex gleed met zijn vinger naar halverwege de lijst met wijnen.

'Lijkt dit je wat?' vroeg hij. Hij wees naar een cabernet.

'Prima,' antwoordde ik, maar ik bleef tegen hem aan zitten.

'Dan nemen we die,' zei hij, met zijn vinger er nog bij. 'We moeten alleen hopen dat de ober terugkomt.'

'Zeg, wie is Mary Alice?' Omdat het zo donker was, durfde ik dat te vragen.

'Mary Alice?'

'Voordat je binnenkwam, hoorde ik mevrouw Liberatella iets over haar zeggen. Ze zei dat ze beeldschoon was.'

'Dat vind ik ook,' reageerde Alex met een lach. 'Mary Alice is mijn moeder, dus misschien ben ik bevooroordeeld.'

'Aha,' zei ik, en ik hoopte dat mijn opluchting niet overduidelijk was. 'Wat is ze voor iemand?'

'Ze is grappig. Ze...' Hij spreidde zijn handen, alsof hij naar de juiste woorden zocht. 'Ze is heel anders dan andere moeders.'

'Draagt ze een cape en pakt ze boeven aan?'

'Precies,' antwoordde Alex ernstig. 'Ze schiet spinnenwebben uit haar polsen en zwaait van het ene gebouw naar het andere. Vliegen kan ze niet. Althans, niet dat ik weet.'

Als ik punten mocht uitdelen, zou hij er heel veel krijgen omdat hij het spelletje meespeelde.

'Mijn moeder kreeg me al heel jong,' vertelde Alex. 'Mijn vader en zij hadden elkaar op de middelbare school leren kennen. Ze zijn elkaars beste vriend. Dat is fijn. Ze zijn al heel lang getrouwd, en maken samen nog steeds lol.'

Opeens kreeg ik medelijden met mijn moeder, die me in haar eentje had moeten opvoeden. Zij had mijn vader ook op de middelbare school leren kennen, maar nadat hij ertussenuit was geknepen, was ze nooit een ander tegengekomen. Diane was zo'n beetje haar beste vriendin. Het speet me voor haar dat ze alles alleen had moeten doen.

'Wat is er?' vroeg Alex. Hij drukte met zijn vinger tegen mijn voorhoofd, en toen hij zijn vinger weghaalde, voelde ik de warmte nog.

'Hebt u uw keuze gemaakt?' De ober was bij ons tafeltje komen staan, waardoor ik tot mijn opluchting geen antwoord hoefde te geven. Maar ik vond het fijn dat Alex had gemerkt dat ik ergens mee zat. Hij was erg makkelijk om mee te praten, maar over mijn moeder wilde ik het nu niet hebben. Op ons eerste echte afspraakje wilde ik niet huilen.

'We willen graag de cabernet, en ik wil ook graag de gegratineerde courgette,' zei Alex, en hij gaf de menukaart terug aan de ober. Vervolgens keek hij naar mij, en ik bestelde pasta met tomatensaus en basilicum.

Ik vond het leuk dat Alex ook niets van wijn wist, en ook dat hij me niet als eerste had laten bestellen, zoals het hoort. Daardoor voelde ik me meer op mijn gemak. Peter was wel van al die dingen op de hoogte, al die maffe etiquetteregeltjes, en dan kreeg ik altijd het gevoel dat me iets ontging. Maar met Alex had ik dat gevoel niet.

Alex pakte een stukje stokbrood uit het mandje, nam er een hap van en zwaaide er vervolgens mee. 'Waar kom je eigenlijk vandaan?'

Ik pakte ook een stukje stokbrood om ermee terug te kunnen zwaaien. 'Uit deze staat.'

'Waar dan?'

'Buiten de stad.' Ik wist wat er zou gaan gebeuren. Zo gingen gesprekken altijd. Ik had het kunnen voorkomen door het over Joe of Louis te hebben, of over het huis, maar nu was er geen ontkomen meer aan. Waar kom je vandaan? Ga je vaak naar huis? Wonen je ouders daar nog? Heel gewone vragen, maar ik vond ze vreselijk omdat ik er geen normale antwoorden op had.

Alex lachte. 'Kun je iets duidelijker zijn?'

'Ongeveer tachtig kilometer noordelijker.' Ik wilde Westchester niet noemen. Dan kreeg ik altijd dezelfde reactie: 'O?' En dan keken ze me eens goed aan of ze wel konden zien dat ik uit het rijke Westchester County kwam. En dan moest ik uitleggen dat niet iedereen in Westchester een rijke snob was, of hen gewoon laten denken dat ik dat was.

'Is het soms een schuiladres? Je doet zo geheimzinnig...'

'Westchester.' Discreet probeerde ik een kruimeltje van mijn borst te verwijderen.

'Hoe ben je hier terechtgekomen?' Alex pakte nog een stuk stokbrood en smeerde er boter op.

'Ik ging hier studeren, en toen ben ik blijven plakken.' Ik besefte dat ik hem meer zou moeten vertellen, maar ik wilde liever van onderwerp veranderen en het weer hebben over superhelden, of over het feit dat we allebei niets van wijn wisten.

Alex stak zijn mes tussen de tanden van zijn vork en liet het mes balanceren. 'Wonen je ouders nog in Westchester?'

'Nee.' Ik pakte nog een stukje stokbrood. Ik brak het in hapklare stukjes boven het kleine bordje, zodat ik niet weer kruimeltjes op mijn borst zou krijgen.

Alex lachte. 'Je geeft niet graag informatie, hè?'

'Nee.' Ik probeerde het weg te lachen, maar mijn lach klonk geforceerd. Het drong tot me door dat ik het hem beter kon vertellen. Hij had mij ook eerlijk over zijn ex verteld. Ik vond het niet prettig om over mijn moeder en haar overlijden te praten, maar ooit zou dat toch moeten. Terwijl ik mijn blik neergeslagen hield, liet ik mijn vinger langs de rand van het bord gaan. 'Mijn moeder is drie jaar geleden gestorven,' biechtte ik op. Ik dacht niet dat het ooit makkelijker zou worden dat te zeggen. Mijn keel voelde dichtgeknepen. Ik haalde diep adem en deed mijn best niet te gaan huilen.

Alex legde zijn hand op de mijne. 'Wat naar voor je.'

'Het geeft niet.'

'Het moet echt rot voor je zijn, Van.' Hij bleef mijn hand maar vasthouden, ook al moest hij zijn arm heel ongemakkelijk om die kaars heen buigen.

'Borstkanker. Daar is ze aan overleden. Mijn vader herinner ik me niet. Die ging ervandoor toen ik twee was.' Ik voelde me een echte kneus. 'Maar nu heb ik Joe.'

'Je hoeft voor mij niet te doen alsof alles prima in orde is.'

'Ik voel me altijd zozo,' zei ik. 'Anderen voelen zich daar ongemakkelijk bij.' Ik merkte dat ik een stukje stokbrood vasthield alsof het een sigaret was, en legde het neer op het bordje. 'Bedankt dat je niet zei dat je wist hoe ik me voel omdat je oma is overleden, of een tante die je nauwelijks kende.'

'Krijg je vaak zulke reacties?'

'Heel vaak.'

'Jezus...' Hij schudde zijn hoofd en drukte een hand tegen zijn voorhoofd. 'Wat verschrikkelijk.'

'Ze bedoelen het goed, maar dat maakt het alleen maar erger. Ik voel me nog eenzamer omdat niemand het begrijpt.' Dit was geen gesprek voor een romantisch afspraakje. Op een afspraakje vertelde je dat je een geweldig leven leidde, dat je heel populair was, dat de telefoon roodgloeiend stond, en dat je voortdurend werd uitgenodigd op feestjes. In plaats daarvan had ik gezegd dat ik heel eenzaam was en dat alleen mijn hond van me hield. Alex leek het echter helemaal niet erg te vinden. Hij probeerde niet van onderwerp te veranderen. Hij stapte niet opeens over op bijvoorbeeld het weer, of de een of andere sport. Hij wilde alles van me weten, ook de minder prettige dingen.

'Ik zal niet zeggen dat ik het kan invoelen, maar ik respecteer het wel.' Nadat hij even in mijn hand had geknepen, liet hij die los.

'Dank je wel.'

'Wat vond je het allerleukste aan haar?' vroeg hij.

Daar moest ik even over nadenken. 'Alles.' Ik werd echt bang dat ik in tranen zou uitbarsten. Ik keek naar boven, naar het plafond. Ik zag systeemtegels die totaal niet pasten bij de deftige uitstraling van dit restaurant. 'Volgens mij kon ze wel vliegen,' zei ik, worstelend met mijn tranen. 'Maar ze droeg geen cape. Hoge laarzen, ja, maar geen cape.'

Alex snapte het meteen. 'Dus óf zo'n cape helpt bij het vliegen, óf die is alleen voor de show,' zei hij, en daarmee redde hij me.

'Ik denk...' Ik haalde diep adem. 'Ik denk dat het zoiets is als een windvaan, om de windrichting mee aan te geven.'

'Interessant,' zei Alex. Onder tafel kwam zijn voet tegen de mijne aan. Terwijl hij luisterde, kreeg hij een zachte uitdrukking op zijn gezicht, en hij keek me aandachtig aan. Daardoor kreeg ik het gevoel dat op dit moment alleen ik voor hem telde.

'Soms denk ik dat ik me mijn vader kan herinneren,' zei ik. 'Maar dan zie ik de een of andere Italiaanse acteur op tv en besef ik dat ik die voor me had gezien. Mijn moeder heeft geen foto's van hem bewaard.'

'Heb je ooit geprobeerd contact met hem op te nemen?' vroeg Alex.

'Eén keer, maar toen was hij niet thuis. Daarna durfde ik niet meer.' Ik schudde mijn hoofd. 'Het geeft niet. Hij heeft ook nooit contact met mij opgenomen.'

'Jammer voor hem,' reageerde Alex. 'Hij mist een hoop.'

'Dank je.'

Alex had nog geen wijn ingeschonken, dus deed ik dat maar. Ik wist niets meer te zeggen, en het gaf me iets te doen.

Na het eerste slokje trok Alex een zuur gezicht.

'Houd je niet van wijn?'

'Ik ben meer een bierdrinker.' Hij lachte er verontschuldigend bij.

'We hadden geen wijn hoeven bestellen.'

'Louis zegt altijd dat bier iets is voor als je het gras hebt gemaaid. Wijn hoort bij het eten. Hij heeft me nog speciaal gebeld om me daaraan te herinneren.'

'Echt waar?' Ik vond het leuk dat Louis van ons afspraakje op de hoogte was.

'Typisch Louis.'

De ober bracht ons eten. Al na twee hapjes had ik tomatensaus op mezelf geknoeid, en op de tafel.

'Italiaans eten is morsig,' zei Alex lachend toen ik met mijn servet de saus van mijn jurk haalde.

Ik sneed de pasta voor het gemak in stukjes, maar het bleef lastig eten, dus dronk ik maar wijn. Alex nam niet nog een glas, dus maakte ik de fles in mijn eentje soldaat. Als het hem al was opgevallen, was hij te beleefd om er iets van te zeggen.

Alex vertelde dat hij ook enig kind was, maar dat zijn neefje Ollie een paar jaar bij hen had gewoond toen het niet zo goed ging met diens moeder, en dat het toen net was geweest of hij een broertje had. Een beetje zoals Janie en ik. Tegenwoordig woonde Ollie in Santa Fe, had hij lange blonde dreadlocks, en werkte hij voor iemand die handgemaakte gitaren maakte. Ze schreven elkaar brieven, want Ollie had geen telefoon of computer. Hij wilde een eenvoudig leven met natuurlijke producten.

We hadden het over van alles en nog wat. Over de modder-taartjes die we als kind hadden gemaakt, over hoe je je voelt als je net bent gaan studeren en je moeder afscheid neemt en je beseft dat je er alleen voor staat.

Alex vertelde dat hij Ram was, maar ik geloof niet in astro-logie. Hij vertelde dat hij met zijn moeder alle zesenveertig toppen van de Aldirondack High Peaks had beklommen, in de zomervakanties. Ollie had er drieëntwintig beklommen. Alex' vader ging liever vissen, en wanneer ze terugkwamen, lag de versgevangen forel al in de koekenpan boven het kampvuur. Ze sliepen in tenten, in slaapzakken op de grond. Hij vond het ongelooflijk dat ik nog nooit had gekampeerd. Hij was voor het eerst verliefd geweest op ene Suzie van de kleuterschool, maar dat ging voorbij toen ze op zijn arm had gespuugd. En zijn teddybeer heette Rusty, en hij had met die beer geslapen tot zijn tiende.

Wanneer hij aan het woord was, wilde ik niets anders dan naar hem luisteren. Ik wilde elk woord in me opnemen, en dat lag niet aan de wijn. Het voelde alsof ik hem al heel lang kende. Dat gevoel had ik nog nooit bij iemand gehad, zelfs niet bij Peter.

Alex gaf de ober zijn creditcard nog voordat die de rekening had overhandigd. Hij stond op en schoof mijn stoel weg terwijl ik opstond. Vervolgens bood hij me zijn arm aan en liep met me naar de deur. Ik vroeg me af of Louis hem dat allemaal had gezegd, of dat hij had gemerkt dat de wijn me naar het hoofd was gestegen.

'Wacht hier,' zei hij in de lobby. 'Dan haal ik de auto.'

'Het regent niet,' zei ik. 'Ik smelt heus niet.'

'Maar je zou wel kunnen bevriezen.'

'Dan waag ik het erop.' Ik liet zijn arm los en zocht naar zijn hand.

Hij deed de deur voor me open. Zwijgend wandelden we naar zijn pick-up. Het was een prettige stilte.

Hij keek omhoog, tuitte zijn lippen en blies wolkjes warme adem uit. Mijn hakken klikklakten over de bestrating. Het was heerlijk fris, en om de maan zat een ring.

'Het gaat sneeuwen,' zei ik, en ik wees met mijn vrije hand naar de maan. 'Er is een ring.'

'O ja,' zei Alex. 'Dat werd tijd. De sneeuw blijft nooit lang liggen, en het is al december.'

Ik was trots omdat ik dat wist van de maan. Dat had ik ergens gelezen. Misschien klonk ik wel als een echte meid die van het buitenleven hield. Ik stelde me ons al voor, staand bij een blokhut, gekleed in bijpassende flanellen shirts en met een gebreide muts op. Of samen aan het houthakken.

'Jij hebt zeker ook nog geen boom.' Alex bleef staan en keek me aan.

Ik schudde mijn hoofd. Ik had nog nooit een kerstboom voor mezelf gekocht. Vroeger hadden mijn moeder en ik een boompje gekocht op het parkeerterrein van de kerk in Mount Kisco. Maar de afgelopen twee jaar had ik gedaan alsof Kerstmis niet bestond. Ik had in de supermarkt sushi gekocht, een hoop oude films gehuurd en me thuis opgesloten totdat het voorbij was. Dit jaar was ik van plan een kous te vullen met cadeautjes voor Joe, maar een boom... Dat was niet eens bij me opgekomen.

'Ik wilde er zondag eentje gaan kopen op de markt.' Alex zwaaide heen en weer met onze handen. 'Ga je mee?'

'Ja,' zei ik. 'Dat lijkt me leuk.' De hand die hij niet vasthield, werd koud, dus stopte ik die in mijn jaszak.

'Er kunnen best twee bomen achterin.'

Twee bomen. Die van mij en die van Alex. Ik dacht aan versieringen kopen, aan lekkers en drank, en aan met Bing Crosby op de achtergrond mijn eigen kerstboom optuigen.

'We moeten er vroeg zijn, voordat de beste bomen weg zijn. Je weet hoe dat gaat.'

Eenmaal bij de pick-up aangekomen hield hij het portier voor me open. Ik stapte in. Hij schoof de rok van mijn jurk goed naar binnen voordat hij het portier sloot, opdat er geen stof tussen kon komen.

'Ik ben nog nooit op de markt geweest,' zei ik. In de cabine was het net zo koud als buiten. Nadat Alex was ingestapt en geen aanstalten maakte mijn hand te pakken, haalde ik mijn handschoenen uit mijn jaszak en trok ze aan.

'Nou ja, de markt kun je niet vergelijken met New York of zo, maar het is er toch leuk.' Hij zette de verwarming aan en deed iets met de blazers. 'De markt begint om vijf uur, maar zo vroeg hoef je niet op te staan, hoor.' Hij hield zijn hand voor de middelste blazer. 'Volgens mij ben je geen echt ochtendmens.'

'Je zei dat ik weinig over mezelf vertelde, en toch weet je alles van me.'

'Ik dacht dat als je thuis werkt, je makkelijker kunt uitsla- pen.' Weer voelde hij aan de blazer. Hij knikte goedkeurend en richtte hem op mij.

Van de warme lucht ontdooiden mijn wangen. Het rook een beetje naar dennennaalden op een antiek kacheltje, althans, op wat ik me daarbij voorstelde.

Alex vertelde me een grappig verhaal over zijn vader die hem vroeger had meegenomen naar de markt, en dat hij daar de kippen maïs had gevoerd wanneer niemand keek. Hij ver- telde ook dat hij al dierenarts had willen worden sinds hij wist wat dat was. En dat hij op zijn zesde een cavia had gehad die hij had vernoemd naar een personage uit het boek dat zijn moeder hem voorlas. Ik keek naar hem terwijl hij vertelde, en opeens besefte ik dat ik álles over hem wilde weten.

Voor mijn huis liet hij de motor draaien.

Ik maakte aanstalten uit te stappen. 'Als je nog binnen wilt komen, moet je de motor afzetten,' zei ik. Dat lag aan de wijn, want anders zou ik zoiets niet durven vragen.

Alex zette de motor uit. 'Ik wilde niets zomaar aannemen.'

'Het is pas halfnegen. Wil je iets drinken?'

'Zo te zien heeft iemand op ons gewacht.' Hij wees naar het raam van de woonkamer. Joe had zijn neus ertegen gedrukt. Het glas eromheen was beslagen.

'Hij is erg streng,' zei ik. Ik haalde de sleutels uit mijn tasje. Dat duurde even omdat er zoveel troep in zat, zoals kassabon- nen en kauwgomverpakkingen. Bovendien vielen er munten uit, die Alex opraapte.

'Niet slecht,' zei ik lachend.

'Pardon?'

'Ik genoot van het uitzicht.' Ik hield mijn sleutels op.

'Heb je soms te veel gedronken?' vroeg Alex terwijl hij la- chend de muntstukken in mijn tasje liet vallen.

'Nog niet echt.' Ik merkte het wel degelijk. Toch lukte het me al bij de eerste poging de sleutel in het slot te krijgen. 'Ik moest die wijn helemaal alleen opdrinken.' Ik deed de deur open. 'Je hebt nog veel in te halen.'

Joe stormde op ons af en besnuffelde ons.

Binnen schopte ik mijn schoenen uit, ik liet mijn tasje op de grond vallen en gooide mijn jas over de armleuning van de bank. Het was een goede smoes om aangeschoten te zijn, dat maakte dat je brutaal en voortvarend kon doen. Ik pakte Alex beet bij de revers van zijn jasje, trok hem naar me toe en kuste hem. Hij beantwoordde de kus en streelde mijn hals. 'Ik zal iets te drinken voor je pakken,' fluisterde ik, mijn mond nog heel dicht bij de zijne. Ik voelde dat hij knikte.

'Ga zitten,' zei ik. 'Ik ben zo terug.'

Zijn ogen waren nog niet helemaal open, alsof hij net was ontwaakt.

Ik had een halfvolle fles wodka en een fles whisky die voor driekwart leeg was. Ik keek in de ijskast of er iets was voor een mixdrankje, maar het pak sinaasappelsap was vrijwel leeg, en de melk was misschien niet meer goed. Gelukkig had ik wel ijsblokjes.

'Whisky of wodka?' riep ik.

'Je hebt zeker geen bier.'

'Sorry...'

'Wodka,' zei hij, maar het klonk als een vraag.

Ik schonk de wodka in twee glazen, deed er ijsblokjes bij en een beetje limoensap uit een flesje.

Alex zat voorovergebogen op de bank. Zijn ene hand rustte op zijn knie, met de andere krabbelde hij Joe over diens kop. Hij zag er niet echt op zijn gemak uit, het was alsof hij zijn beste beentje voorzette.

Ik gaf hem zijn drankje, ging naast hem zitten en trok mijn benen op. Joe sprong ook op de bank en ging tussen ons in zitten.

'Af!'

Joe sprong van de bank, sloop om de salontafel heen en ging daar met een zucht liggen.

Alex lachte. 'Wat een aansteller!'

'Hij is gewend zijn zin te krijgen.'

'Dat moet fijn zijn.' Nadat Alex een slokje had genomen, trok hij een gezicht. Meteen maakte ik me zorgen dat het limoensap misschien niet meer goed was, maar toen ik proefde, was er niets aan de hand.

Daar zaten we zwijgend te nippen. Het geluid van tegen elkaar botsende ijsblokjes was oorverdovend.

'Leuk huis,' zei Alex. 'Jammer dat je hier geen grote hond mag hebben.'

'Dank je. Maar ik vind het wel best om weg te gaan. De buren zijn verschrikkelijk.' Ik strekte mijn benen, en toen ik ze weer optrok, kwam mijn knie tegen zijn been aan.

'O ja?' Hij schoof zijn been niet weg.

'Ze hebben een keffertje, en omdat de muren zo dun zijn, hoor ik ze vrijen...' Opeens drong het tot me door wat ik had gezegd. Ik bloosde.

Alex had een rood hoofd gekregen. Hij nam nog een slokje. Zijn glas was al bijna leeg.

'Ik zal er nog eentje voor je halen,' zei ik. Toen ik zijn glas pakte, raakten onze vingers elkaar. In de keuken nam ik er de tijd voor. Ik wachtte totdat ik niet meer zo bloosde en mijn hart niet meer tekeerging. Heel langzaam boog ik de ijsblokjeshouder, heel langzaam schudde ik de blokjes eruit. Deze keer deed ik dat maar niet gewoon met mijn nagels.

Toen ik terugkwam in de woonkamer, had Joe mijn plaatsje ingepikt.

'Ik breng hem naar boven,' zei ik. 'Hij is er niet aan gewend de bank te moeten delen.'

Ik wilde Joe net in de slaapkamer opsluiten toen ik opeens besefte dat dat misschien geen goed idee was. Gedragen mensen zich zo op echte afspraakjes, wanneer ze volwassen zijn en eigen baas? Wanneer ze niet naar binnen hoeven te sluipen omdat het al laat is? Ging het dan wel zo?

Gauw raapte ik de rondslingerende sokken en slipjes op, wierp ze in de kast en deed de deur daarvan dicht. Vervolgens trok ik een van de dekens van het bed en sjouwde daarmee naar mijn werkkamer. Joe kwam achter me aan, maar toen hij doorkreeg dat ik hem daar wilde opsluiten, stak hij zijn kop door de kier van de deur.

'Terug.'

Hij bleef waar hij was.

'Toe, Joe, ga naar achteren.' Met een verdrietige blik in zijn ogen trok hij zijn kop terug. 'Bedankt. Ik hou heel veel van je.' Voorzichtig deed ik de deur dicht.

Toen ik weer beneden kwam, zat er alleen nog maar ijs in Alex' glas. Voordat ik kon gaan zitten, stond hij op en kuste me. Hij omvatte mijn achterhoofd en hield mijn hoofd zo dat hij gemakkelijk zijn lippen op de mijne kon drukken. Zijn lippen waren zacht. Uit mijn ooghoeken zag ik ons weerspiegeld in het raam, waar het gordijn niet helemaal sloot. Binnen was het licht, buiten was het donker, en de weerspiegeling was duidelijk. Zijn haar dat zich vermengde met het mijne, zijn hand die over mijn rug dwaalde, waarmee hij me tegen zich aan duwde. Ik moest blijven kijken, want zo ziet het eruit wanneer iemand naar je verlangt.

Ik begon met zijn das. Hij trok mijn jurk gevaarlijk laag van mijn schouders. Ik hanneste met de knoopjes van zijn overhemd, ik sloeg er eentje over en moest terug. Op de trap trok ik mijn panty uit. Op de overloop had hij zijn overhemd uit, een eindje verderop zijn broek, en vervolgens zijn sokken. In de deuropening van de slaapkamer trok hij mijn jurk over mijn hoofd. 'Wie er het eerste is,' fluisterde hij in mijn oor, en we renden naar het bed en sprongen erop. Ik kreeg zijn elleboog tegen mijn hoofd. 'Gaat het?' vroeg hij.

Ik ging op hem liggen en drukte zijn polsen tegen mijn hoofdkussen. 'Met mij gaat het prima, en met jou?' vroeg ik speels, alsof we gewoon beleefd converseerden. Hij maakte mijn beha los en hield die even over de rand van het bed voordat hij hem liet vallen.

'Met mij gaat het ook goed,' zei hij, het spelletje meespelend. 'Alles gaat dus goed.'

'Inderdaad, alles gaat goed,' merkte ik achteloos op. Toen drukte ik een kus in zijn hals.

'Het gaat echt heel goed,' zei hij hees, want ik was zijn oor aan het liefkozen.

Toen ik mijn wang op zijn borst liet rusten, voelde ik zijn ribben. Zijn huid rook naar zeep.

'Gaat het?' vroeg hij.

'Ja.' Ik lachte en duwde mijn wang steviger tegen zijn borst. Toen hij zijn vinger over mijn lippen liet dwalen, beet ik er even in.

'Mag dit?' Hij schoof zijn hand onder het elastiek van mijn slipje alsof hij wilde vragen of het uit mocht.

'Misschien moet ik maar eens iets gaan halen.'

'Ja.'

Ik schoof een eindje op en rommelde in mijn nachtkastje. Tussen de pennen en oude afstandsbedieningen vond ik een pakje condooms. Ik schoof terug. In het donker pakte ik zijn hand en drukte daar het pakje in. Ik hoorde hem zijn boxershort uittrekken en de verpakking openscheuren.

'Dit betekent veel voor me,' fluisterde hij.

'Voor mij ook,' fluisterde ik terug.

En terwijl we vrijden, hield hij mijn hand vast.

Toen ik wakker werd, was het buiten nog steeds donker. Ik lag alleen en naakt tussen de rommelige lakens. Ik schoof naar de andere kant van het bed en keek om me heen. Naast mijn beha op de grond lag de opengescheurde condoomverpakking, maar Alex' boxershort was weg. Er sprongen tranen in mijn ogen. Maar toen hoorde ik water lopen. Was hij zich aan het wassen? Wilde hij stiekem weggaan? Ik ging zitten, maar kon zijn broek niet in de gang zien liggen. De badkamerdeur ging piepend open. Ik legde mijn hoofd terug op het kussen en trok het laken op.

De vloer bewoog een beetje toen hij de slaapkamer in kwam. Het bed zakte door toen hij erop ging zitten, en ik gleed zijn kant op. Hij streek het haar uit mijn gezicht. Ik hief mijn hoofd en geeuwde, alsof ik net wakker werd. Hij drukte een kus op mijn voorhoofd.

'Ik moet naar mijn werk.'

'Maar het is nog nacht!'

'Het is vijf uur.'

'Dat is nacht.' Ik pakte zijn arm en probeerde hem terug in bed te trekken.

'Ik moet vrijwilligerswerk bij het asiel doen, en vervolgens staan er in de praktijk twee operaties op het programma. En ik kan tussendoor beter nog even een dutje gaan doen.' Hij lachte. 'Het is gisteren behoorlijk laat geworden.'

'Geef je mij daar de schuld van?' vroeg ik pruilend.

'Ja, schoonheid, dat lag aan jou.' Hij stopte me in en streek even door mijn haar. 'Ga maar weer slapen. Ik bel je nog, oké?'

'Oké.'

Hij kuste me innig.

Voordat hij naar beneden ging, liet hij Joe uit mijn werkkamer. Ik hoorde dat Joe met hem mee ging naar de voordeur. Daarna rende Joe naar boven, naar zijn plekje bij mij op bed. Hij krabde aan de dekens en ging met een gelukzalige zucht naast me liggen. Stil bleef ik liggen en dacht aan wat er die nacht allemaal was gebeurd. Toen Joe ging snurken, gaf ik hem een schop, maar hij bleef snurken. Om het gesnurk te overstemmen, zette ik de tv aan, en denkend aan Alex viel ik in slaap.

20

De telefoon ging. Joe blafte en begon aan me te krabbelen. Ik keek op de wekker. Het was nog maar acht uur. Ik draaide me om en nam op in de veronderstelling dat het Alex was.

'Hoi. Hoe is het in het asiel?' vroeg ik. De tv stond nog aan. Er werd een reclameblok uitgezonden.

'Ik ben in New York, op het vliegveld.' Het was Peter.

'O.' Tussen het beddengoed zocht ik naar de afstandsbediening en zette de tv uit.

'Waarom zou ik in het asiel zijn?' Zijn stem klonk hees.

'Ik sliep nog.' Ik streelde over Joe's kop. Ik was vergeten dat Peter kon bellen, dat hij zou terugkomen. Ik had die cheque geënd en dat had voor mij het einde van Peter betekend. Alsof ik door die cheque te innen mijn telefoontje naar hem ongedaan had gemaakt. Alsof ik hem niet meer kende.

'Ik heb gisteravond drie berichtjes ingesproken,' zei hij.

'Ik heb de voicemail niet afgeluisterd,' zei ik. Ik wilde ophangen. Ik wilde hem weg. Ik wilde dat het voorbij was. Maar door zijn stem smolt ik.

'Ik heb je nodig.'

Ik verstarde. Had ik schade aangericht? Was wat ik had ingesproken indringender dan ik had gedacht? Kon ik hem afwijzen? Kon ik na al die tijd zeggen dat ik hem niet meer nodig had?

'Ik wil je een gunst vragen,' zei hij. Hij klonk erg vermoeid.

'Je maakt zeker een grapje.' Er was een groot verschil tussen 'ik heb je nodig' en 'ik wil je een gunst vragen'. 'Dag, Peter.'

Ik wilde ophangen, maar aarzelde. En toen hoorde ik Peter roepen: 'Janie denkt dat je een feest voor haar geeft!' Ik hoorde het terwijl de hoorn al een heel eind op weg was naar de haak.

'Pardon?' Ik drukte de hoorn weer tegen mijn oor.

'Jane denkt dat je een feest geeft om te vieren dat we weer thuis zijn.'

'Hoezo?' vroeg ik. Was dit weer zoiets wat een getuige hoort te doen, waarvan ik niet op de hoogte was? Zoiets als een stom boeketje maken van papieren bordjes en strikken van de cadeautjes toen we de bruiloft oefenden? Besluiten dat ik klaar was met Peter toen hij in Europa was, was één ding. Ik had er niet goed over nagedacht, want was ik dan ook klaar met Janie?

'Ik weet het niet,' zei hij. 'Maar zij denkt dat je iets hebt georganiseerd.' Peter kon nooit stilstaan terwijl hij telefoneerde. Dat had ik leuk gevonden, maar nu vond ik de gedachte dat hij in de aankomsthal rondjes liep, erg storend.

'Hoe komt ze daarbij? Trouwens, ik heb nog nooit voor iemand een feest gegeven. Waarom denkt ze dat ik dat nu wel zou doen?' Het enige feestelijke dat ik ooit had georganiseerd, was pizza bestellen voor mijn moeders verjaardag.

'Nou ja, ze is nog aan het afkicken van alle opwinding van de bruiloft.' Hij zei het langzaam. 'En toen dacht ik dat een feest haar zou opvrolijken. Dan heeft ze weer iets om naar uit te kijken.'

'Dus jij bent een teleurstelling,' zei ik. Het kwam er heel gemakkelijk uit.

'Wauw.' Hij haalde zo diep adem dat ik het kon horen.

'Ik heb nog geen koffie gehad. Het is pas acht uur. Op dat tijdstip moet je geen aardige dingen van me verwachten.' Ik wilde graag weten of hij mijn ingesproken berichtje had afgeluisterd, maar durfde er niet naar te vragen.

'Zo vroeg is acht uur niet. Waar was je gisteravond eigenlijk?' Hij lachte.

Ik wilde het hem niet vertellen. Het was anders dan vroeger, wanneer ik tegen Peter over andere jongens had gelogen, voor het geval ik nog een kans bij hem maakte. Eindelijk had ik iemand voor mezelf, en dat was fijn. Het had niets te maken met hem, met Janie of Diane. Ik wilde het vasthouden, heel stevig. En ik maakte me zorgen dat als ik hem over Alex zou vertellen, hij het zou verpesten. 'Ik heb lang doorgewerkt,' zei ik. 'Ik heb een deadline.'

'Maar kun je dit doen?'

'Je maakt zeker een grapje.'

'Toe nou, Van,' jammerde hij. De Pete die ik kende, zou het al hebben opgegeven.

Aan de ene kant vond ik het wel fijn dat ik macht over hem had. Aan de andere kant vond ik het vreselijk dat hij dit alles deed om Janie gelukkig te maken zonder ook maar een moment stil te staan bij mijn gevoelens. Vroeger konden mijn gevoelens hem wel schelen. Vroeger wist hij precies hoe ik mijn koffie het liefste dronk, en dat ik niet wilde huilen waar anderen bij waren, of dat ik voor elf uur 's ochtends niet tot een normaal gesprek in staat was, en dat ik drilpudding haatte. Maar sinds Janie en hij een stelletje waren geworden, leek het alsof hij steeds verder van me af was komen te staan. En nu leek het alsof we elkaar nauwelijks kenden.

'Wanneer komen jullie in Rochester aan?' vroeg ik.

'Allemachtig, jij bent ook een getuige van niks,' reageerde hij toonloos. 'Weet je dat niet eens?'

'Allemachtig, jij bent ook een bruidegom van niks om in de eerste huwelijksnacht je bruid in de steek te laten om bij mij op bezoek te komen.' Ik wist dat het vals was, maar dat kon me niets schelen.

'Van, ik... Ik wil...'

'Heb je er ooit bij stilgestaan wat ík wil?' Had ik dat echt gezegd? Het voelde of er iets was geknapt en ik meer adem kreeg. 'Heb je daar ooit bij stilgestaan, Peter?'

'Van, ik... Ik kan het daar nu niet over hebben.' Hij klonk gespannen.

'Prima.' Ik miste de Peter van vroeger. De Peter die opbelde om te vertellen wat hij die dag had gedaan, voordat hij dat allemaal aan een ander was gaan vertellen. Die Peter ging elke vrijdag met me uit eten, en dan praatten we over echte dingen. Die Peter was een goede vriend geweest, iemand op wie je kon bouwen. Deze Peter was gewoon maar de echtgenoot van mijn vriendin. Ik zou deze Peter het liefst zien verdwijnen.

'Het duurt lang voordat we kunnen overstappen, dus het feest kan het best op zondagochtend. Toe, Van...' Ik zag hem voor me met een smekende blik, steeds maar om een paar stoelen lopend.

'Zondag? Moet ik zondag een feest voor jullie geven?' Ik keek op de wekker. 'Vandaag is het zaterdag.' Ik dacht erover op te hangen en de hoorn vervolgens naast de haak te leggen. 'Ik heb andere plannen.'

'Bel mijn ouders maar, dan nodigen zij iedereen uit.'

'Voor wat?'

'Voor een brunch.' Hij zei het alsof zoiets makkelijk was.

'Een brunch? Hier?' Ik had met stemverheffing gesproken, en

Joe werd wakker en hief zijn kop. Ik klopte op het kussen, en hij legde zijn kop weer neer. 'Pete, ik heb heel andere plannen!'

'Je kunt toch wel iets verzetten?'

Ik dacht aan hand in hand wandelen met Alex, aan kijken naar kerstbomen, aan een warm drankje drinken bij een kraampje, aan de frisse lucht inademen, en aan Alex' geur.

'Dat wil ik niet.' Even dacht ik erover de hoorn op de haak te smijten. Iedereen mocht op het feest komen, maar als ik er niet was, was daar niets aan te doen.

'Toe nou... Je bent haar beste vriendin!'

'En daarom moet ik alles maar afzeggen?'

'Ja. Omdat je haar beste vriendin bent.'

Ik kon wel gillen. Maar toen dacht ik aan Janie tijdens de uitvaart van mijn moeder. Ik zag haar heel duidelijk voor me, in een lange zwarte jurk en op zwarte ballerina's. Ik had gedacht dat ze er vreselijk zou uitzien en dat ik haar zou moeten troosten, zoals altijd. Maar ze was er juist voor mij geweest. Ze had nauwelijks gehuild. Ze had gezorgd dat ik uit bed kwam, dat ik me aankleedde en ernaartoe ging, terwijl ik had gedacht dat ik het niet zou kunnen. Ze had een eindeloze hoeveelheid papieren zakdoekjes in haar tas gehad, en steeds weer had ze het nat gesnotterde zakdoekje voor een droge verwisseld. De hele dag had ze mijn hand vastgehouden, en wanneer ik in snikken was uitgebarsten, had ze met haar koele hand over mijn warme hand gestreken. Ze had ervoor gezorgd dat ik iets at. Ze had me geen moment alleen gelaten. Volgens mij was ze de hele dag niet eens naar de wc geweest. Ik had op haar gesteund, en zij was een rots in de branding geweest. Zij had ook van mijn moeder gehouden, maar ze was sterk gebleven om voor mij te kunnen zorgen. En nu wilde ik niet eens een afspraak verzetten om iets voor haar te doen. Bovendien had ik haar echtgenoot gebeld tijdens de huwelijksreis.

'Als ik alles zou verzetten, zou ik nog niet weten hoe ik een brunch moet organiseren.' Zo makkelijk wilde ik het hem niet maken, hij moest er iets voor doen.

'Je haalt gewoon bagels en je zet heel veel koffie.' Hij klonk vriendelijker, niet meer zo geërgerd.

'Waar moet ik dan bagels kopen?'

'Bij Smith.'

'Maar dat zijn geen goede bagels. Dan kan ik net zo goed brood kopen en uit elke boterham een rondje steken.' Ik hield de afstandsbediening nog vast, en ik zette de tv weer aan, met het geluid uit.

'Jane vindt de bagels van Smith lekker. We komen er vaak.'

'Janies ouders komen toch zeker niet? Ik kan Diane echt niet die bagels voorzetten. Ik hoor haar al.' Bij de gedachte aan Diane kromp ik in elkaar. 'Als Janies ouders komen, doe ik het niet, Pete. En zeker niet met die bagels.'

Op tv werd reclame gemaakt voor een huidverzorgingsproduct. Er waren twee foto's van mensen met verschrikkelijk veel puistjes. Even later werden ze getoond met een gave huid. Het leken heel andere mensen. Het speet me dat ik mijn huid niet kon afwerpen om een heel ander iemand te worden, iemand die Pete, Janie of Diane niet kende. Iemand die vrij was om door te gaan zonder schuldgevoelens.

'Natuurlijk komt Diane. Ze is Janies moeder.'

'Denk je dat ze dat op zo korte termijn kan regelen?'

'Ze zijn gisteren al naar Woodcliff gegaan.'

'Diane en Charles zijn gisteren al gekomen voor een feest in mijn huis waar ik niets vanaf wist? O, Pete...'

'Ik weet het, Van.' Hij klonk een beetje verslagen. 'Toe... Dan sta ik bij je in het krijt.'

'Ja, zeker weten.'

'Dank je!'

Joe kwam dichter tegen me aan liggen, met zijn kop op mijn borst. Hij zuchtte eens diep.

'Je stelt je aan,' zei Pete, maar het klonk opgewekt. Het was niet snerend bedoeld.

'Dat was ik niet, dat was Joe.'

'O.' Het klonk gekwetst, en dat beviel me. 'Wie is Joe?'

'O, die ken je niet,' antwoordde ik. 'Je was een hele poos weg.'

'Ik moet ophangen,' zei Peter opeens. 'Zo meteen komt Janie terug van het inkopen doen in de taxfreewinkeltjes.' Hij ademde diep in. 'Dus alles is in orde?'

'Tot morgen.'

'Dag.' Hij wilde dat ik als eerste zou ophangen.

'Zeg Pete...'

'Ja?'

'Waarom heb je me dit niet verteld voordat je wegging?'

'Toen wist ik het nog niet. Je weet hoe ze is...'

'Ja. Dag.' Ik hing op. Joe klauwde aan me omdat hij uit wilde.

Zodra Joe en ik weer thuis waren, deed ik een poging nog een beetje te slapen. Ik trok mijn laarzen uit en kroop in bed. Joe sprong ook op bed, trok een beetje aan de dekens en ging liggen. Zijn poten hadden vochtige vlekken op de lakens gemaakt. Ik sloot mijn ogen. Joe ging draaien om lekker te kunnen liggen. Ik sloeg mijn arm om hem heen om hem rustig te krijgen. Bij elke ademhaling voelde ik zijn flanken bewegen. Toen hij dan eindelijk in slaap viel, zat zijn neus tegen mijn wang, net een stukje warm leer. Hij ademde in mijn oor.

'Oké, ouwe jongen, zo gaat het niet.'

Ik stond op. Ik dacht dat hij ook wel van het bed zou komen, maar hij verschoof naar het plekje waar ik net had gelegen en legde zijn kop op mijn kussen. Nadat hij had gegeeuwd, rekte hij zijn voorpoten eens fijn uit.

'Wat ben je toch een mallerd,' zei ik, en ik ging de kamer uit. Joe snurkte al.

21

Ik ging naar beneden, zette koffie, en ging aan tafel alle oude post doornemen, voornamelijk reclame en catalogi. Helemaal onderop lag het lijstje met telefoonnummers dat Janie me voor de bruiloft had gegeven. Ik pakte de telefoon om Scotty, Peters moeder, te bellen. Maar dat deed ik niet. Ik had er geen zin in. Ik legde de telefoon weer neer. Eerst de oude post opruimen, daarna ga ik bellen, nam ik mezelf voor. Maar toen zag ik de catalogus van L.L. Bean die eigenlijk bestemd was voor de vorige bewoner, Rocco Leonard. Voor Rocco was er ook een dikke catalogus vol lingerie. Het was te vroeg om naar foto's te kijken van in visnet gevangen borsten, die deden me te veel denken aan de tonijnvangst, dus bladerde ik in de catalogus van L.L. Bean en keek naar reisaccessoires met monogram en lammy slofjes.

Ik stelde me Alex en mezelf voor in die ouderwetse tuinstoelen, gehuld in bijpassende warme shirts en uitkijkend over de kust van Maine. We zaten voor een kampvuurtje en hadden een rode deken om ons heen geslagen. Joe lag aan onze voeten. Bij elke foto stelde ik me ons voor, en bij foto's van flanellen shirts die hij misschien mooi zou vinden, maakte ik een ezelsoor. Er was een fotomodel dat erg op Peter leek, met donker haar en een wilskrachtige kin. Hij stond op een steigertje, gekleed in een blazer, een vrijetijdsbroek en bootschoenen en lachte zo'n typische fotomodellenlach. Naast hem stond een vrouw die eruitzag alsof haar kleren nooit kreukten en haar kapsel nooit door de war ging.

Ik sloeg de bladzijde om en keek naar accessoires voor bij de open haard. Ik deed mijn best aan Alex te denken, en aan open haarden en kerstbomen. Ik kon best met Alex meegaan. Ik kon die lui gewoon laten stikken. Ik *hoefde* dit niet te doen. Ik kon verdergaan met mijn leven, en hen alles zelf laten regelen.

De telefoon ging. Ik nam niet op, en wachtte met bonzend hart totdat ik zeker wist dat er een bericht was ingesproken. Ik luisterde de voicemail af.

'Hoi, Van.' Het was Janie. 'Ik mis je toch zo verschrikkelijk! Onze vlucht is vertraagd, maar we kunnen binnenkort boarden. Ik wilde alleen maar even hoi zeggen. Ik popel om je weer te zien en je alle foto's te laten bekijken. En zo ontzettend veel magneetjes! Je ijskast komt helemaal onder te zitten.' Ze lachte. 'O, we boarden. Dag! Dag!'

Voor Janie, Diane, mijn moeder en mij was het een oude grap om overal waar we naartoe gingen lelijke koelkastmagneten te kopen. Janie en Diane hadden de Eiffeltoren en London Bridge voor ons meegebracht toen Charles hen had meegenomen op zakenreis. En wij kochten koelkastmagneten bij benzinestations voor hen, of bij het aquarium van Norwalk. Het doel was de meest kitscherige magneet ooit te vinden. Toen mijn moeder en ik eens in de zomervakantie een tripje hadden gemaakt, hadden we gewonnen. Diane en Janie hadden een enorme, lichtgevende roze sombrero op de ijskast gehad totdat Charles had gezegd dat hij er niet meer tegen kon en het ding eraf had gemoeten. Daarna was de sombrero overal naartoe gegaan, stiekem verstopt in een auto of een tasje. En uiteindelijk was het ding kwijtgeraakt. Niemand wist zeker wie het het laatst bij zich had gehad. Al jaren hadden we niet meer aan koelkastmagneten gedaan, al voordat mijn moeder stierf niet meer. Ik vroeg me af waarom Janie er weer mee was begonnen. Misschien miste zij mijn moeder ook. Misschien miste ze hoe het vroeger was geweest.

Ik wiste alle berichtjes van Peter, meteen nadat ik zijn stem hoorde. 'Hoi, Van,' had hij ingesproken, en: 'Zeg, hoor eens, ik...' En: 'Met mij. Bel me terug...' Verder liet ik hem niet uitspreken.

Er was nog één bericht over. 'Dag Savannah, met Scotty Clarke.' Het klonk gejaagd, alsof ze wel iets beters te doen had dan berichtjes inspreken. 'Ik bel je even in verband met de aantallen voor morgenochtend. Achttien mensen hebben ja gezegd, en er zijn er vijf die het nog niet zeker weten. Janie, Pete en jou heb ik niet meegerekend. Tot morgen om een uur of elf.'

Mijn hart sloeg over. Zelfs Scotty had eerder dan ik geweten dat er een feestelijk welkom zou worden geregeld. Ik nam een slok koffie. Die was veel te warm, en ik verbrandde mijn mond. De tranen sprongen in mijn ogen.

Tijdens de festiviteiten rond de bruiloft had ik de Clarkes kunnen ontlopen. Dat was niet moeilijk geweest. Ze hadden niet naar me gezocht. In de loop der jaren had ik hen wel eens gezien. De enige keer dat ik hen echt had gesproken, was toen Peter me tijdens het eerste jaar op de universiteit mee naar zijn ouders had genomen voor een etentje.

Urenlang was ik bezig geweest met uitzoeken wat ik het beste kon aantrekken. In principe had ik het al geweten: een zwart topje op een lange beige rok. Maar de truien waren allemaal niet goed geweest. Ze zaten te strak over mijn borsten gespannen. Ik had net een blauw shirt uit mijn kast gehaald om dat eens te passen toen de bel ging. Ik was naar beneden gerend om voor Peter open te doen.

Hij kwam binnen met een heleboel koude lucht. Ik huiverde.

'Hallo,' zei hij, en hij wreef over mijn armen om ze te warmen. Zijn handen waren koud, maar dat kon me niet schelen, want dit was de eerste keer dat hij me aanraakte.

'Hoi.'

'Je ziet er goed uit.'

Ik lachte. 'Ik heb me nog niet eens helemaal aangekleed! Kom je even mee naar boven?'

'Tuurlijk,' reageerde hij met opgetrokken wenkbrauwen.

'Hoop maar op niks,' reageerde ik, ook met opgetrokken wenkbrauwen. 'Ik trek niets uit.' Ik maakte een weids gebaar naar mezelf, alsof ik de prijs in een quiz was.

Heupwiegend liep ik voor hem uit de trap op. Ik wist dat hij naar me keek, en ik moest de neiging onderdrukken achterom te kijken.

Eenmaal in mijn kamer liep hij een beetje rond om alles te bekijken.

'Heb je geen kamergenote?' vroeg hij terwijl hij wees naar het onopgemaakte bed tegenover het mijne.

'Eigenlijk heb ik wel een kamergenote.' Ik trok het blauwe shirt aan en knoopte het dicht. 'Ze heeft hier één nacht geslapen en moest aldoor huilen.'

'Wauw.'

'Ja. Haar ouders wonen hier een kwartiertje vandaan,' vertelde ik. 'Dus zit ze meestal daar. Ze heeft haar spullen ook teruggebracht naar haar ouders. Ze komt hier heel soms tussen de colleges door om te leren.' Ik wees naar haar bureau.

Peter trok de bovenste la open. Er rolde een eenzame pen in rond. 'Dan voel je je zeker vaak alleen.'

'Och, dat valt wel mee.' Ik glimlachte dapper. 'Eigenlijk heb ik een kamer voor mezelf, en dat is best cool voor een eerstejaars.' Feitelijk voelde ik me heel erg alleen. Alle andere meisjes op mijn verdieping gingen samen met hun kamergenote eten, ze ruilden kleren en deelden hun schoenen. Zelfs de kamergenotes die niet bij elkaar pasten hadden iemand om mee om te gaan totdat ze anderen hadden leren kennen. 'Wat vind je hiervan?'

Peter legde zijn kin in zijn hand alsof hij een schilderij bekeek. Vervolgens gebaarde hij dat ik moest draaien, dus draaide ik me langzaam om.

'Wat heb je nog meer?'

'Zo vreselijk is het toch niet?'

'Je ziet er goed uit, maar ik wil wel iets te kiezen hebben.'

'O, bedoel je het zo?' Lachend knoopte ik het shirt open, mijn blik strak op hem gericht. Was dit mijn nieuwe leven? Ging het er tijdens mijn studie zo aan toe? Iemand die ik ongelooflijk sexy vond, was in mijn kamer en hielp me iets uitzoeken om te dragen naar zijn ouders.

'En omdat ik je weer alleen in dat topje wil zien.' Hij beet op zijn lip en trok zijn wenkbrauwen op. Ik gooide het shirt naar hem, en hij ving het op. 'Ik heb mijn handen vol aan je...' Hij keek naar mijn borsten terwijl hij dat zei, maar zo bedoelde hij het niet. Toen onze blikken elkaar ontmoetten, glimlachte hij. Ineens sperde hij zijn ogen wijd open en bloosde hij diep. 'O jee,' zei hij. 'Ik bedoelde: je bent me er eentje...'

'Aha.' Ik lachte.

'Ik ga wel even kijken wat voor cd's je allemaal hebt.' Hij bloosde nog steeds.

Ik keek naar hem terwijl ik de knoopjes weer dichtdeed. Hij snuffelde tussen mijn cd's. U2, Dar Williams, Pete Yorn, Radiohead, die magere kerel die in het koffiehuis van Mount Kisco speelde. Die collectie had ik zorgvuldig samengesteld, om hip te lijken, alternatief, een beetje anders dan anderen. De cassette-bandjes waarop mijn moeder nummers van Boston had opge-nomen, zaten veilig weggestopt in de la met ondergoed.

'Wat vind je ervan?' Ik draaide weer rond.

Peter sloeg zijn armen over elkaar. 'Prima.'

'Niet te?'

'Te wat?

'Te strak.'

'Alleen strak op de goede plek.'

'Ik ga kennismaken met je ouders.' Ik zette mijn handen in mijn zij en keek hem streng aan.

'Je ziet er goed uit,' zei Peter. Hij lachte zijn perfecte lach, en heel even vond ik mezelf ook perfect.

Voordat we bij zijn auto waren, klikte Peter de portieren al open. 'Hij is open,' zei hij terwijl hij instapte. 'Dit is de oude auto van mijn vader. Ik kan haast niet wachten op een nieuwe. Die krijg ik wanneer ik afstudeer.'

De lichtjes op het dashboard waren helderblauw. Ook al was de auto niet nieuw, toch was hij nieuwer en mooier dan de auto's waarin mijn moeder rondreed.

'Wat moet ik tegen je ouders zeggen?' vroeg ik.

'Papa en mama,' antwoordde Peter met een lach.

'Nee, ik bedoel echt.' Ik gaf hem een por.

Met grote ogen keek hij me aan. 'Pas een beetje op, Van, ik bestuur een auto. We zouden een ongeluk kunnen krijgen.'

'Hou je kop,' zei ik lachend.

'Hou jij je kop!' Peter gaf mij ook een por.

'Peter, je bestuurt een auto.'

'Nou en?'

'Nou, we zouden een ongeluk kunnen krijgen.' Ik deed mijn best mijn gezicht in de plooi te houden, maar moest helaas giechelen.

'Hou je kop.' Ook hij lachte nu hardop.

'Hou zelf je kop. Maar wat moet ik nou tegen je ouders zeggen?'

'Wil je dat ik mijn kop hou, of dat ik je dat vertel?'

'Jezus!' Ik moest zo hard lachen dat ik tranen in mijn ogen kreeg. 'Vertel het me nou maar gewoon.'

'Als ik jou was, zou ik meneer en mevrouw Clarke zeggen. Dat is het veiligst. Mijn vriend Drew noemt mijn moeder Scotty, maar hij kent haar dan ook al sinds hij een peuter was.'

'Waarom noemt hij haar Scotty?' Ik droogde mijn ogen en probeerde op adem te komen.

'Omdat ze zo heet.'

'Echt waar?'

'Eigenlijk heet ze Scottsdale.'

'Scottsdale is toch een plaats in Arizona?'

'Scottsdale is ook een bouwzaak.' Het klonk trots, alsof ik onder de indruk zou moeten zijn.

Het zei me niets, dus schudde ik mijn hoofd.

'Vooral isolatiemateriaal.'

'Ik weet niet veel van isolatiemateriaal. Dat is niet mijn sterkste kant,' zei ik met een lach.

'Mijn grootvader heette Ephram Scottsdale. Hij had twee dochters. Niemand om de achternaam aan door te geven.'

'Dus toen noemden ze jouw moeder Scottsdale?'

'Ja.'

'Ik bedoel het niet kwaad, hoor, maar wat verschrikkelijk...' Ik had altijd al de pest gehad aan Savannah, maar Scottsdale was veel en veel erger.

'Nou ja, Scotty valt nog wel mee.'

'Dus zij is de laatste die die naam draagt?'

'Nou ja, van mij wordt verwacht dat ik die doorgeef.'

'Scottsdale Clarke junior.' Ik trok een gezicht.

'Ik moet maar op zoons hopen,' zei hij.

'Zodat ze naar hun grootmoeder kunnen worden vernoemd?'

'Niet helemaal. Ze heet ook nog June, maar dat zou ik dan laten vallen.' Hij praatte net zo gemakkelijk over kinderen krijgen als over naar welke film hij zou willen gaan. Hij had geen moeite met de toekomst. Ik kon niet eens verder denken dan de inrit van zijn ouderlijk huis op rijden. Toen was ik onder de indruk van zijn zelfverzekerdheid geweest. Nu denk ik dat hij zo zelfverzekerd was omdat hij nooit keuzes hoefde te maken. Als je weet wat de toekomst voor je in petto heeft, hoef je het felverlichte en goed aangegeven pad maar te volgen.

Het huis van de Clarkes was kleiner dan dat van Diane, maar toch nog enorm. Diane zou er echter haar neus voor hebben opgetrokken omdat het zo nieuw was. Diane wees graag op tekenen van nieuw geld, ook al had ze zelf geen geld gehad voordat ze met Charles trouwde. Ik vond het grappig dat Diane in een deftig oud huis woonde en Scotty Clarke in een nieuw. De familie Scottsdale was al gefortuneerd geweest ten tijde van Peters overgrootvader. Diane was pas vijfentwintig jaar geleden met Charles in het huwelijk getreden.

Nog voordat we hadden kunnen aanbellen, deed meneer Clarke de deur open. Hij had een cocktailglas in zijn hand, compleet met olijf aan een blauwe glazen prikker. Diane dronk thuis ook cocktails, maar in een gewoon glas, en de olijf liet ze er gewoon in vallen.

'Kijk eens aan, wie hebben we hier?' zei meneer Clarke terwijl hij me eens goed bekeek. Zijn blik bleef hangen op mijn decolleté, ook terwijl hij mijn hand schudde.

'Aangenaam kennis te maken, meneer Clarke,' zei ik. Ik probeerde hem in de ogen te kijken, maar dat ging niet.

'Pap, dit is Van,' zei Peter, en terwijl hij langs zijn vader het huis in stapte, gaf hij hem een schouderklopje.

'Je bent toch zeker niet Peters kamergenoot, hè?' zei meneer Clarke, die in de deuropening bleef staan zodat ik niet naar binnen kon.

Peter riep: 'Mam, we zijn er!' Hij liep verder het huis in, ik kon hem niet meer zien.

'Nee, we volgen samen college.' Ik schuifelde met mijn voeten, in de hoop dat hij me binnen zou vragen en ik Peter zou kunnen vinden.

'Ik wilde net zeggen dat Peter geboft had met de loterij van kamergenoten.' Meneer Clarke nipte van zijn drankje en keek me toen voor het eerst echt aan. 'Kom toch binnen!' zei hij alsof ik degene was die de boel ophield. 'Wil je iets drinken?'

'Nee, dank u,' zei ik.

Hij ging een beetje opzij zodat ik me langs hem heen kon wringen, en zijn lach werd steeds breder.

Peter stond verderop in de gang met twee glazen ijsthee met schijfjes citroen en lange lepels. 'Kom kennismaken met mijn moeder,' zei hij.

'Wacht, laat mij eerst even met haar praten,' zei meneer Clarke, en hij liep snel langs Peter.

'Heb ik soms iets verkeerd gedaan?' vroeg ik.

'Geen idee. Heb je iets over politiek gezegd?'

'Nee.'

'Er is vast niets aan de hand.' Hij gaf me een van de glazen.

Op dat moment verscheen Scotty Clarke, een kleine vrouw met heel steil, heel blond haar, en met nauwelijks heupen. Toen Peter me aan haar voorstelde, zei ze: 'Leuk je te ontmoeten, Van.' Haar stem was zacht en toonloos, en de hand die ze me aanbood, was koud en slapjes. Peter lachte bemoedigend naar me. 'Ik heb de hors d'oeuvres in de woonkamer gezet,' zei ze. Ze streek haar schort glad. Het was zo'n wit gevalletje, smetteloos wit, alsof ze er onder het koken een echt schort overheen had gedragen. 'Ik kom zo.'

De woonkamer had een enorm hoog plafond en veel te veel ramen met veel te veel dingen ervoor. Er waren blinden en overgordijnen, met bij elk gordijn een embrasse. Ook al knapperde er een vuurtje in de open haard, toch stonk het niet naar rook. Op de schoorsteenmantel en op de tafel achter de bank stonden lelies in grote vazen. Hun zoetige geur was welhaast bedwelmend. Het liefst was ik gaan zitten in een van de stoelen, zo ver mogelijk bij de bloemen vandaan, maar Peter nam plaats op de bank en legde een onderzetter op de salontafel voor me neer. Dus ging ik maar naast hem zitten. Van de bloemen gingen mijn ogen tranen.

Op een grote witte schaal op de salontafel lagen bladerdeeghapjes met vullingen waar je maar naar moest raden. Peter hield een servetje onder zijn kin en stak er eentje in zijn mond. Ik volgde zijn voorbeeld. Ik dacht dat er spinazie en kaas in zat, maar eigenlijk proefde ik alleen lelie.

Peter haakte zijn wijsvinger in de mijne en trok er even aan. Toen ik opkeek en naar hem lachte, zag ik dat zijn pupillen verwijd waren. Ooit had ik in de *Cosmo* gelezen dat de pupillen van mannen zich verwijden wanneer ze iets zien wat hen bevalt. Ik gaf ook een rukje aan zijn vinger.

Meneer Clarke kwam binnen met een vol cocktailglas. Hij liep zwaar, zelfs op het tapijt waren zijn voetstappen hoorbaar. Peter maakte zijn vinger los en legde zijn hand op zijn been. Ik legde mijn hand op het kussen naast me, voor het geval zijn vinger zou terugkomen.

Meneer Clarke nam plaats in een van de fauteuils tegenover ons. 'Weet je zeker dat je niets wilt drinken, Van? Peter rijdt immers.'

'Nee, dank u.' Er zat een kikker in mijn keel, en ik kuchte even. 'Dank u wel.'

'En, Petey, wanneer leren we Dan nu eens kennen?'

Peters kamergenoot heette Dan. Ze hadden mij niet verwacht.

'O, dat komt heus nog wel een keer,' zei Peter, en hij stak zijn hand uit voor nog een sigaret.

Meneer Clarke lachte. 'Blijkbaar heb je er weinig zin in.' Hij trok de olijf met zijn tanden van het prikkertje en kauwde er luidruchtig op. Ik vroeg me af of hij net zoals Diane nieuw geld was.

'Och, Dan is een beetje een lul,' zei Peter.

Deze keer schudde meneer Clarkes buik van het lachen. Eerst dacht ik dat de olijf in het verkeerde keelgat was geschoten omdat hij erbij hoestte en zijn gezicht zo rood werd. 'Zo ken ik je. Van, deze jongen weet het meteen als iemand een sukkel is. Hij heeft een grote toekomst als advocaat voor zich.'

Toen hij eenmaal was bijgekomen en een slokje had genomen, zei hij: 'Waar kom je eigenlijk vandaan, Van?' Doordat hij mijn naam zo vaak gebruikte, kreeg ik het gevoel dat hij me een beetje plaagde, of me iets wilde verkopen.

'Van komt uit Westchester,' antwoordde Peter voordat ik iets kon zeggen.

Meneer Clarke leunde achterover en sloeg zijn benen over elkaar. 'Waar in Westchester?'

'Chappaqua,' zei ik.

Hij trok zijn wenkbrauwen op. 'Ik doe wel eens iets in White Plains. Een lange, lange rit.' Hij lachte, waarbij hij zijn grote witte tanden onder de donkere snor ontblootte.

'Ja, het is behoorlijk ver.'

'Ik weet nooit wat vervelender is, het gedoe om te gaan vliegen of kiezen op elkaar en maar met de auto gaan. Weet jij het al, Van?'

'Lood om oud ijzer,' zei ik, en ik ontspande. Ik stond nooit voor de keus om te gaan vliegen of met de auto te gaan.

Meneer Clarke grinnikte. 'Ja, precies.'

'Heb ik iets gemist?' Scotty kwam binnen, zonder schortje,

met een glas witte wijn in de hand. Ze nam plaats op de punt van de andere fauteuil.

'Van vertelde net dat ze uit Chappaqua komt.'

'Wat grappig!' Scotty liet de wijn in haar glas draaien. 'Een nichtje van mij woont in Chappaqua. Bronwyn Childs. Ken je haar soms?' Ze had een heel dunne en rechte neus, en wanneer ze praatte, bewoog ze niet.

'Die naam klinkt bekend.' Ik had nooit van die Bronwyn Childs gehoord, maar ze zou best een van Dianes vriendinnen kunnen zijn.

'Och, Bronwyn is aldoor aan het tennissen. Zoals zij het vertelt, lijkt het of iedereen in Westchester dat doet.' Ze lachte, en ik lachte ook. 'Tennis jij?'

'Een beetje.' Ik had wel eens een balletje geslagen met Janie, wanneer ik van Diane mee mocht naar de club. Maar van de puntentelling snapte ik niets.

'Bronwyn is lid van de Saw Mill Club.'

'Ik heb op Whippoorwill gespeeld,' zei ik snel. Het was er heel gemakkelijk uit gekomen, maar zodra ik het had gezegd, werd ik me bewust van de problemen die eruit voort konden komen. 'Vroeger, bedoel ik. Toen ik daar nog woonde.'

'En nu ben je een heel eind van huis, hè? Het moet je zwaar vallen, zo ver van je familie te zijn.'

'Ja,' zei ik zacht. 'Dat klopt.'

'Ja, Scot,' zei meneer Clarke, 'sommigen laten de kuikens uit het veilige nest.' Zijn glas was alweer leeg.

Meneer Clarke en Peter schoten in de lach. Scotty ging een beetje meer naar achteren zitten en staarde in haar glas. Ik deed mijn best neutraal te kijken, zoals de paspoppen in Neiman Marcus. Toen Peter en meneer Clarke een gesprek begonnen over cliënten, en over welke colleges Peter het best kon volgen, keek Scotty mij aan en trok een gezicht. Ik lachte haar toe en zij lachte terug.

'Zullen we maar aan tafel gaan?' vroeg ze. Terwijl ze langs meneer Clarke liep, pakte ze het glas uit zijn handen.

Het eten bestond uit krielkip in wijnsaus. Ik wist niet goed hoe ik het moest eten, en van de Clarkes werd ik niet veel wijzer. Meneer Clarke en Peter hadden het te druk met praten om meer te doen dan met hun kippetje te spelen, en Scotty sneed alleen maar haar asperges aan heel kleine stukjes. Dat verklaarde haar slanke heupen. Ze keek me niet aan en deed ook geen poging een gesprekje met mij aan te knopen. Ik pulkte het vlees dus maar met mijn vork van de poten en ging vervolgens net zoals Scotty de asperges te lijf.

'Wat doet je vader?' vroeg meneer Clarke ineens terwijl hij met zijn vork een asperge kliefde.

'Dat weet ik niet,' flapte ik eruit zonder erbij na te denken.

'Pardon?'

'Mijn vader is weggegaan toen ik nog heel klein was,' zei ik zacht. 'Ik weet niet wat hij doet.'

'En je moeder dan?'

Ik deed mijn best iets te verzinnen, maar kon niets bedenken. Uiteindelijk zei ik: 'Ze is huishoudster.' Het speet me dat ik niet dapper genoeg was om te zeggen dat ze multimiljonair was en aan het hoofd stond van een gezond bedrijf.

Met grote ogen keken ze me aan. Ze dachten zeker dat ik had gelogen over het tennissen en de club. Ik bedoel, ik kon onmogelijk lid zijn van de Whippoorwill Club met het salaris van een alleenstaande moeder die huishoudster was.

'De familie bij wie ze werkte... Hun dochter was mijn beste vriendin, en...' Ik hoopte dat ik de aangepaste waarheid min of meer kon uitleggen, maar ik hield mijn mond maar. Meneer Clarke viel zijn kippetje aan, Scotty keek Peter vragend aan en kneep haar lippen stevig op elkaar.

Peter pakte onder tafel mijn hand, maar keek me niet aan. 'Het was vast heel moeilijk voor je,' zei hij met een blik op Scotty.

Een tijdlang zei niemand iets. Scotty ging haar eten nog kleiner snijden en drukte af en toe het servet tegen haar mond, alsof ze echt iets had gegeten. Meneer Clarke leegde zijn glas en knoopte een gesprekje met Peter aan over de plannen de bibliotheek van de praktijk te renoveren. Peter zei niet veel, hij maakte alleen af en toe een instemmend geluidje. Ik hield mijn blik op mijn bord gevestigd en haalde eindeloos een stukje asperge door de saus. Er ontstonden kringetjes en sterretjes die bijna meteen weer verdwenen. Het voelde alsof ik na een paar woorden van een gast in een geest was veranderd. Het was pijnlijk duidelijk dat ik hier niet hoorde.

Uiteindelijk haalde Scotty haar servet van haar schoot, vouwde het op en legde het naast haar bord. 'Je zult me moeten excuseren,' zei ze zacht, met een flauw glimlachje en neergeslagen ogen. 'Ik heb een gruwelijke hoofdpijn.' Ze schoof haar stoel geruisloos naar achteren en liep snel de kamer uit.

Meneer Clarke glimlachte naar me. 'Neem het haar niet kwalijk. Ze heeft vaak last van migraine.' Hij schoof zijn stoel naar achteren. 'Ik ga meer aardappels halen.'

'Excuseer, Van,' zei Peter, en hij volgde zijn vader de keuken in.

Ik kon gedeelten van het gesprek volgen, losse zinnetjes, of gedeelten van zinnen.

'Toe nou, pap...'

De stoel waarop meneer Clarke had gezeten, stond voor een raam. Buiten was het al donker, en omdat de gordijnen nog open waren, zag ik mezelf weerspiegeld. Mijn topje zat echt veel te strak.

'Wat je in je studentenhuis uitspookt, is jouw zaak... Maar hiermee heb je je moeder van streek gemaakt...'

Ik knoopte mijn vestje helemaal dicht.

'... geweldig... heel slim...'

'Neem haar nog maar een keer mee als ze de Nobelprijs heeft gewonnen.'

Meneer Clarke kwam terug zonder aardappels, maar met alweer een vol cocktailglas. 'Zo, Vannie,' zei hij. 'Wil je echt niets drinken?'

'Nee, dank u,' zei ik zacht. Ik keek naar zijn bord. Het kippetje was op, er lagen alleen nog botjes.

Met een rood gezicht kwam Peter de eetkamer in. Met zijn vork prikte hij in zijn kip, maar hij at niets.

'Dus je heet Van,' zei meneer Clarke. 'Waar is dat een afkorting van, Van?'

'Pap...'

'Ik interesseer me voor de gast die je hebt meegebracht, Peter.' Hij kneep zijn ogen tot spleetjes. 'In beschaafd gezelschap is het heel acceptabel om te vragen naar de herkomst van een naam.' Hij keek me aan en lachte naar me als een quizmaster.

'Savannah,' zei ik nauwelijks hoorbaar.

'Dat is een mooie naam, Savannah.' Meneer Clarke veegde zijn lippen af met het servet en leunde achterover.

Peter draaide zich naar me om. 'Zullen we gaan?' Zijn stem trilde.

Meneer Clarke maakte een hele vertoning van het afscheid. 'Nou, mevrouw Savannah,' zei hij terwijl hij mijn hand maar bleef schudden, 'je bent hier altijd welkom, hoor.' Zijn hand voelde klam. Toen hij me eindelijk losliet, stond Peter al bij de voordeur.

In de auto had Peter het druk met de cd's in het handschoenenvakje en met de cd-speler.

'Het spijt me,' zei ik. 'Het was niet mijn bedoeling...'

'Laat maar.' Hij klonk zo kwaad dat ik het portier wel had willen openen en me opkrullen in een greppel.

'Nee, ik bedoelde dat ik niet loog. Ik heb echt getennist met Janie, zo'n beetje... Maar ik had niet moeten... Ik had niet... Ik weet heel goed hoe het klonk. Peter, het spijt me.'

'Ze kunnen de pot op,' zei Peter. Hij streek met zijn hand door zijn haar en zuchtte diep. 'Het zijn verdomme snobs. Ik schaam me dood.'

Hij bracht me helemaal tot de voordeur van mijn studentenhuis. 'Het spijt me echt,' zei hij, en hij zoende me op mijn wang.

Dat hele weekend spraken we elkaar niet, en ik werd al bang dat we elkaar nooit meer zouden spreken. Ik bleef in mijn kamer somberen. Ik draaide de cassettebandjes met Boston af en spoelde steeds weer terug naar 'My Destination'. En dan kreeg ik het te kwaad, aangezien ik vond dat mijn bestemming aan Peters zijde was.

De maandag daarna had Peter na college koffie voor me gekocht en waren we gaan wandelen alsof er niets was gebeurd. Maar we waren niet helemaal naar het park gelopen. En later, toen het te koud was geworden voor onze wandelingen, waren we vrijdags uit eten gegaan. Hij had niet meer gepraat over de auto die hij zou krijgen wanneer hij afstudeerde, en hij had het nooit meer over zijn ouders gehad. Ik had gewacht totdat er iets tussen ons zou gebeuren, maar dat was nooit gebeurd.

Na het telefoongesprek met Scotty ging ik met mijn derde mok koffie aan tafel zitten en bladerde verder door de catalogus van L.L. Bean. Achterop stond informatie over het bestellen van een kerstboom. Omdat ik nu niet met Alex een boom zou gaan kopen, belde ik op en bestelde een blauwspar van twee meter hoog. De persoon van het callcenter heette Susan. Ik wist best dat ze gewoon haar werk deed, maar toch klonk ze blij om met me te praten. Ik had haar wel alles willen vertellen, dat ik eigenlijk de volgende dag met de ware warme drankjes zou moeten drinken en kippen voeren, maar dat ik in plaats daarvan een verschrikkelijk feest moest geven voor mijn beste vriendin en de man op wie ik stom genoeg zeven jaar verliefd was geweest. Ik wilde haar vertellen dat ik me ontzettend gekwetst voelde, en dat ik mijn moeder heel erg miste, en dat ik er genoeg van had steeds dingen voor Janie te regelen, en dat ik bang was dat ik geen goede vriendin was en een slecht mens. Maar ik bestelde gewoon een standaard bij de boom, en twee dozijn ballen, en dennenappels met glitter, en lichtjes die knipperden, en voor Joe een ding met een rendiergewei voor op zijn kop, en een rood wollen dekentje, en ook nog een flanellen hemd met een ruitje, in een herenmaat. Vervolgens sprak ik een berichtje in op Alex' voicemail, dat ik helaas niet met hem een kerstboom kon gaan kopen. Ik zei dat ik iets aan mijn maag had. Dat was makkelijker dan alles uitleggen.

22

Ik wist dat ik alles in gereedheid voor het feest moest brengen. Ik moest de afwas doen en bagels bestellen. Maar ik had er helemaal geen zin in. Eerst had ik meer koffie nodig. En ik moest hoognodig douchen, vond ik. Tegen de tijd dat ik had gedoucht en me had aangekleed, was het tijd voor de lunch. Iedereen weet dat je geen boodschappen op een lege maag moet doen, dus at ik samen met Joe een broodje kalkoenfilet en zapte ik de tv-kanalen af. Ik raakte gebiologeerd door een detectiveserie en bleef kijken, ook toen er geen kruimeltje van het broodje meer over was. Dus stapte ik maar over op roomijs. Ik wilde het einde van het verhaal over Miss Marple niet missen om slingers te kopen of bagels te bestellen voor een feest waar ik geen zin in had. Ik wilde niet iets vieren wat voor mij geen feest was. Dus stelde ik alles tot op het laatste moment uit.

Om drie uur 's nachts arriveerde ik bij de Wal-Mart. Het

enorme parkeerterrein was verlaten, afgezien van een rij auto's helemaal achteraan, en een auto op de hoek waarin iemand zat te wachten.

Ik pakte een karretje en drentelde minstens een halfuur door de afdeling met feestartikelen. Ik zocht naar iets waarvan ik me niet meteen zou willen verhangen. Er waren papieren bordjes vol roze hartjes en teksten in krulletters: ZE LEEFDEN NOG LANG EN GELUKKIG. Er hoorden slingers bij waarop stond: ER WAS EENS... Er was ook een setje met tortelduifjes en overal roosjes. Net de mazelen.

Even dacht ik erover bordjes met dinosaurussen van de kinderafdeling te kopen, maar toen zag ik de afgeprijsde artikelen die over waren van Thanksgiving. Ik vond dat ik best kon wegkomen met pelgrims en kalkoenen van crêpepapier tegen de halve prijs. Ik nam er plastic champagneflutes met een redelijk stevige steel bij, om mijn schuldgevoel mee af te kopen.

Verder laadde ik drie pakken diepvriesbagels in, en ik was blij te zien dat er in de Wal-Mart ook gerookte zalm te koop was.

Het was heel leeg in de Wal-Mart, en dat maakte het heel vervreemdend om tussen al die schappen vol spullen te lopen.

Peter en Janie verwachtten waarschijnlijk de gebruikelijke mimosa, een cocktail van champagne en jus d'orange. Maar het was te laat om nog champagne in te slaan, dus moesten ze zich maar tevredenstellen met een andere witte wijn met belletjes. Ik legde een paar pakken sinaasappelsap in de kar, en ook nog een paar blikken limoenlimonade, voor in de eventuele punch. Ik laadde ook nog zo'n net met limoenen in de kar. Want als ik schijfjes limoen in de punch deed, zou niemand denken dat het gewoon met limonade was gemaakt. Diane en Scotty zouden zoiets nooit doen.

Ik kon kiezen tussen een bemande kassa of een zelfbedieningsgeval. De caissière lachte naar me en liet daarmee haar beugel zien. Ze was jong, maar eigenlijk te oud voor een beugel. Ze had slierterig haar en een bril met jampotglazen. Ze leek om een gesprekje verlegen te zitten. Ik lachte terug en ging naar de geautomatiseerde kassa, maar de verdomde kalkoenen lieten zich niet scannen. Ik deed drie keer een poging, toen klonken er piepjes. Ik overwoog de kalkoenen maar achter te laten, maar de caissière kwam al aangesneld. Het naamplaatje op haar borst bleef op en neer gaan, ook toen ze tot stilstand was gekomen. Het was een naamplaatje voor een tijdelijke kracht, haar naam, Tanya, stond er in blauwe letters op, met de hand geschreven. Als haar naam met een i zou worden gespeld, zou ze vast een hartje op de i hebben gezet.

'O, wat hebben we hier?' kirde Tanya. Ze pakte de papieren kalkoen en haalde die langs de scanner. Die piepte weer. 'U bent zeker aan het inslaan voor volgend jaar, hè?' Ze bleef de kalkoen maar langs de scanner halen, en die bleef maar piepen. 'Slim, hoor.' Haar beugel zat vast met roze en groene elastiekjes.

'Dank u.' Ik vroeg me af waarom ze het niet merkwaardig vond dat ik op dit extreem vroege tijdstip papieren kalkoenen insloeg. Wat deden anderen in het holst van de nacht?

'Ik koop altijd feestartikelen als ze zijn afgeprijsd,' vertelde Tanya. Ze was niet eens meer aan het scannen, ze leunde gezellig tegen het apparaat. 'Maar als ik ze dan nodig heb, kan ik ze niet meer vinden.' Ze zuchtte diep en legde haar hand op haar boezem, alsof het een zware crisis was. 'Weet u, er zijn van die kratten.' Ze gebaarde naar een pad. 'Oranje en zwart voor Halloween, en rood en groen voor Kerstmis.' Ze drukte op een knopje en haalde de kalkoen nog eens langs de scanner. 'Ik weet niet of er ook een krat is voor Thanksgiving, maar je zou er eentje extra kunnen kopen van die voor Halloween. Of het groene deksel van die voor Kerstmis gebruiken voor op het oranje krat voor Halloween.'

'Ja...' zei ik. Ik had zin om weg te rennen en alle spullen te laten liggen, maar toen klonk het goede piepje, en kon het volgende artikel worden gescand.

'Hebt u verder nog iets?' Tanya stak haar hand uit.

Eerst wilde ik zeggen dat ik het wel zelf kon, maar toen dacht ik dat het sneller zou gaan als ik meewerkte, dus gaf ik haar het eerste pak bagels.

'O, die zijn lekker!' riep ze uit voordat ze ze scande.

Ik haalde mijn creditcard tevoorschijn terwijl ze de laatste dingen scande, zodat ik al klaarstond toen de metalige stem van de computer erom vroeg.

'Nou, dat is dan klaar,' zei ik, en ik liep snel naar buiten.

Toen ik in de auto zat, schaamde ik me. Tanya had alleen maar aardig willen zijn. We waren de enigen geweest in de Wal-Mart, midden in de nacht. En ze kon normale gesprekjes voeren. Even dacht ik erover terug te gaan voor een pakje boter of zo. Dan kon ik afrekenen bij Tanya en een babbeltje maken. Ik kon vragen of er ook kratten voor Pasen waren. Maar ik moest naar huis om op te ruimen voor het feest.

23

Nadat ik alles naar binnen had gebracht, en Joe had uitgelaten, had ik nog zes uur en een kwartier over. Dat kwartier verspilde ik aan naar mezelf in de spiegel kijken, gebiologeerd door de verstopte poriën op mijn neus.

Nog zes uur.

Ik zocht de vuile borden bij elkaar zodat ik de afwasmachine kon laten draaien. In mijn werkkamer stond een heel legertje mokken, en op mijn nachtkasje stonden vijf glazen, allemaal met een beetje water erin. Er dreef stof en hondenhaar op het water, afgezien van het nieuwste glas. Ik goot al het water in één glas en stapelde ze op. Toen drong tot me door dat de afwasmachine al vol was. Als ik alle afwas niet op tijd gedaan kreeg, moest ik maar wat in de garage verbergen, in de vuilnisbak of zo.

Vervolgens ging ik alle troep opruimen. Joe liep achter me

aan door het huis. Hij liep flink in de weg omdat hij alles wat ik pakte, wilde besnuffelen. Het speet me dat ik hem niet had geleerd mijn rommel op te ruimen. Toen leegde ik het afvalbakje in de badkamer. Het zal vol watjes en tissues. Onder mijn hoofdkussen lagen zeven verfrommelde papieren zakdoekjes, en nog een hoop naast het bed. En overal kon ik handen vol hondenhaar oprapen. Tegen de tijd dat ik terugkwam in de keuken, was de vuilniszak vol. Alex was laatst zo vroeg weggegaan dat het nog donker was geweest, dus troostte ik me met de gedachte dat hij vast niets had gezien.

Joe stormde de woonkamer in en sprong op de bank. Hij stak zijn kop tussen de luxaflex, hield op met kwispelen en gromde.

Ik sprong ook op de bank en keek met hem mee naar buiten. Op de inrit stond een Beamer, en in die auto zat Peter. Ik had die auto niet eens horen aankomen. Ik haalde het elastiekje uit mijn haar en maakte een wrong, in de hoop dat er geen pieken uit staken. Vervolgens haalde ik met mijn vinger zo goed mogelijk de restanten oogmake-up onder mijn ogen vandaan. Het was een hopeloze zaak.

Gauw pakte ik mijn jasje.

'Achteruit,' zei ik tegen Joe. Hij sjokte weg bij de deur en ging zitten. '*Zustan*,' zei ik. Ik stak mijn hand uit om hem duidelijk te maken dat hij moest blijven waar hij was, en trok de deur snel achter me dicht.

Peter zat achter het stuur. In het licht van de garage kon ik hem duidelijk zien. Hij keek naar beneden toen hij me had zien komen, en toen ik het portier opende en instapte, keek hij niet op.

'Zit daarbinnen een hond?' vroeg hij nog voordat ik iets kon zeggen.

'Bespioneer je me soms?'

'Je moet de luxaflex beter dichtdoen,' zei hij. Hij klonk moe en een beetje uit de hoogte, zoals wanneer ik grapjes had gemaakt terwijl hij probeerde te leren.

'Zodat engerds niet naar binnen kunnen gluren?'

'Je hebt je niet uitgekleed,' zei hij. 'Als je dat had gedaan, zou ik niet meer hebben gekeken.'

'Dank je wel, Peter. Heel erg bedankt.' Het kwam er zuur uit.

'Zo bedoelde ik het niet. Ik...'

'Laat maar,' onderbrak ik hem. Ik wist dat hij het zo niet had bedoeld, maar het was fijn om boos op hem te zijn en hem dat te laten merken.

Hij hief zijn hoofd en keek me aan, maar ik maakte geen oogcontact met hem.

Vervolgens keek hij naar zijn handen op het stuur. 'Vraag je me niet binnen?' zei hij. 'Het is hier koud.'

'Dat kan me niet schelen.' Ik haalde een snoepje uit het handschoenenvakje, pakte het uit en stak het in mijn mond. Het smaakte een beetje muf.

'Kom op, jij hebt het vast ook koud,' zei hij. Hij balde zijn vuisten en ontspande ze weer.

'Ik kan naar binnen wanneer ik maar wil.'

'Oké,' zei hij, en hij draaide het sleuteltje om.

'Waar neem je me mee naartoe?' vroeg ik. Aan de ene kant wilde ik nog steeds dat hij me mee zou nemen, bijvoorbeeld naar de luchthaven en dan het eerste het beste vliegtuig pakken, ongeacht waarheen. Ik vond dat geen prettige kant van mezelf, die gedachten moesten maar eens verschrompelen. Ik was diep teleurgesteld in mezelf.

'Nergens. Ik wil alleen niet blauwbekken van de kou.' Hij richtte de warme lucht op zichzelf. Toen richtte hij de middelste blazer op mij.

'Benzineverspilling,' zei ik.

'Kan me niet schelen,' zei hij, en hij sloeg op het stuur. Hij klonk nog meer uit de hoogte dan daarnet.

'Wat heb je toch?' vroeg ik. Ik schrok er zelf van, omdat het zo streng klonk.

'Pardon?'

'Pete, wat doe je hier?'

Zijn mobieltje klonk. Het muziekje van *Mission Impossible*.

'Schattig,' zei ik.

In paniek keek hij me aan.

'Moet je niet opnemen?' vroeg ik. Ik sloeg mijn armen over elkaar en trok mijn wenkbrauwen op.

Hij bleef roerloos zitten. Het mobieltje zweeg, maar net toen hij het terugzette in de houder, klonk dat muziekje weer.

'Ik houd mijn mond wel,' zei ik, en ik stak mijn hand op alsof ik een eed aflegde. 'Hoe langer het duurt voor je opneemt, des te meer ze van streek raakt.'

Hij klikte het toestel open en drukte het tegen zijn oor.

'Dag Baby Jane,' zei hij, en er verscheen een glimlach op zijn gezicht die net zo onoprecht was als de lieve toon in zijn stem.

'Nee, onze Wegmans heeft die niet.'

'Oké. Ze hadden alleen hun eigen merk, en ik weet dat je dat niet fijn vindt...'

'Precies. Ik ben bij Wegmans aan University Avenue.'

Hij keek me aan terwijl hij praatte, alsof hij verwachtte dat ik zou gaan krijsen: Janie, hij staat op mijn inrit!

'Ja,' zei hij. 'Als ze het daar niet hebben, probeer ik de Wegmans bij de markt, en dan kom ik naar huis.'

Hij keek weg.

'Dat bedoelde ik. Als ze het daar niet hebben, ga ik wel naar cvs of een Wal-Mart of zo. Dat bedoelde ik dus.'

Hij wendde zijn gezicht af. 'Ik ook van jou,' zei hij in het toestel.

Net toen hij het had dichtgeklikt, riep ik: 'Hoi Janie!'

Geschrokken draaide hij zich terug naar mij. 'Waarom deed je dat nou?'

'Je mobiel stond al uit.'

'Maar waarom deed je dat?'

'Waarom ben jij hier?' vroeg ik, al wist ik niet zeker of ik het antwoord wel wilde weten.

'Hoe we de dingen hebben achtergelaten, bevalt me niet,' zei hij zacht.

'Weet je dan nog hoe we het hebben achtergelaten?' vroeg ik terwijl ik mijn handen voor de warmeluchtstroom hield. 'Je was stomdronken.'

'Ik weet het nog.'

'Wat moet ik nu zeggen?' vroeg ik. 'Wat wil je van mij?'

Een poosje keek hij me zwijgend aan. Toen boog hij zich naar me toe en kuste me. Heel even liet ik me kussen. Ik stond mezelf toe te voelen hoe het was om na al die tijd door hem te worden gekust. Het was bijna zoals ik had gedacht. Zijn lippen waren zacht, zijn adem aangenaam, en mijn hart ging tekeer.

Ik probeerde me los te maken, maar Peter hield mijn hoofd vast. Ik kneep mijn lippen op elkaar. Zijn kus werd steviger.

'Toe nou, Van,' fluisterde hij. 'Dit is toch wat je wilt? Hierom had je me toch gebeld?'

Hij ging weer door met zoenen.

'Nee,' zei ik. Ik deed mijn best hem weg te duwen, maar hij trok me tegen zich aan. Toen gaf ik hem een stomp in zijn maag.

Hij schoot naar achteren en legde zijn hoofd op het stuur.

Ik bood geen verontschuldigingen aan. Ik had hem niet willen stompen, maar spijt had ik er ook niet van.

'Wat was dat nou?' zei hij.

'Dat weet je best!'

'Ik had niet gedacht dat het zo zou gaan,' zei hij.

'Als wat?'

'Als een bezetene rondrennen om speciaal spul te kopen omdat ze van het lange stilzitten in het vliegtuig last van aambeien heeft gekregen.' Hij draaide zijn gezicht naar me toe. Zijn wang lag op het stuur.

Ik zag dat zijn ogen vochtig waren.

'Je rent niet als een bezetene rond, Peter. Je zit in de auto op mijn inrit.'

Hij zei niets terug, hij keek me alleen maar aan.

Ineens ging er een lichtje bij me op. 'Dit heeft niets te maken met eventuele gevoelens die je voor me koestert, hè?' Ik keek naar beneden en deed mijn best niet te ontploffen. 'Dit heeft te maken met het huwelijksleven, dat niet zo perfect is als je had gedacht.' Ik zocht op de tast naar de deurkruk, want ik wilde zeker weten dat ik kon vluchten. Het metaal voelde glad en kil. 'Het gaat niet over mij, het gaat over jou.'

'Maar Van...'

'Nee!' riep ik uit. 'Nee. Ik wil me niet laten gebruiken.' Ik kon hem niet aankijken, daarom keek ik maar naar de garage-deur. Ik hield de deurkruk zo stevig vast dat mijn vingers er pijn van deden.

'Ik weet niet waar je het over...'

'Ik wil me niet laten gebruiken. Niet door jou, niet door Diane, niet door Janie.'

'Rustig nou, Van.' Hij legde zijn hand op mijn schouder, maar die sloeg ik weg.

'Je vergeet dat ik ook een echt mens ben,' zei ik. 'Weet je, wanneer jij weg bent, ben ik er nog. Mijn leven gaat gewoon door, ook als jij er niet bij bent.'

'Toe nou!' Hij stak zijn hand weer naar me uit, maar raakte me net niet aan.

'Wat nou: "Toe nou"? Straks rijd jij weg, en dat zit ik hier te denken aan het feit dat de echtgenoot van mijn beste vriendin me heeft gekust.' Ik zag de plek op de garagedeur, waar ik die in juni met de bumper had geschampt. 'En met wie kan ik bellen om het erover te hebben? Met niemand. Echt met niemand.

Want Janie is verdomme mijn beste vriendin, en jij bent mijn beste vriend. En mijn moeder is dood,' zei ik met trillende lip. 'En Diane kan ik hierover ook niet bellen.'

'O, Van...' Hij wilde zijn arm om me heen slaan om me te knuffelen, maar trok die terug toen ik hem een blik toewierp.

'Weet je, Peter, zo gaat het nou altijd.'

Joe keek nog naar ons door het raam, zijn zwarte snuit door de luxaflex gestoken. Ik wilde dit achter de rug hebben, ik wilde met Joe op de bank zitten en net doen alsof Peter niet bestond.

'Maar Van,' zei hij, en hij greep mijn schouder beet alsof die zijn laatste strohalm was. 'Ik hou van je.'

Jarenlang had ik ervan gedroomd dat hij dat zou zeggen, en nu maakte het me kwaad.

'Verdomme, Peter, ik hield ook van jou, maar dat heb ik nooit als excuus gebruikt om geen vriendin van je te zijn.'

Ik rukte aan de deurkruk en opende het portier.

'Wacht!' zei Peter voordat ik het portier had kunnen dichtsmijten.

Ik keek om. 'Waarom?' vroeg ik, maar ik gaf hem niet de tijd om te antwoorden. Ik duwde het portier met een klikje dicht. Terwijl ik door het licht van de koplampen liep, keek ik naar mijn schaduw op de garagedeur om Peter maar niet naar me te zien kijken.

Zodra ik de voordeur opende, rende Joe naar buiten. Hij liep een rondje en kwam vervolgens met me mee naar binnen.

'We gaan niet depressief zitten doen,' zei ik tegen Joe. Hij rende terug naar het raam. Ik liep achter hem aan en gluurde naar buiten. Peter zat nog steeds in de auto, op mijn inrit. Misschien zat hij alles te overpeinzen. Misschien deed hij zijn best te bedenken wat hij moest zeggen zodat ik met hem zou weglopen. Misschien zocht hij de kracht om verder te zoeken naar een middeltje tegen aambeien. Wat hij ook aan het doen was, het maakte me niets uit. Ik wilde alleen maar dat het was afgelopen. Ik wilde Alex bellen, ik wilde samen met hem gehuld in flanellen hemden iets warms drinken, ik wilde naast hem wakker worden.

Dit is het dan, dacht ik. Ik geef dat feest nog en dan is het klaar. Dan kan ik verdergaan en een eigen leven gaan leiden. Ik ging weg bij het raam en veegde de salontafel schoon met mijn mouw.

Eindelijk hoorden we Peters auto wegrijden. Joe sprong op de bank om te kijken, en gromde. Toen de koplampen zijn kop verlichtten, blafte hij, alsof hij wilde zeggen: 'Ja, donder maar op.'

24

Nog vier uur en drie kwartier. Ik pakte de stofzuiger om de kruimeltjes en het hondenhaar van het tapijt te zuigen, maar zodra ik het apparaat aanzette, ging Joe heel hoog janken en blaffen. Hij wrong zichzelf tussen mij en de stofzuiger in en hapte naar de wieltjes.

Ik zei heel vaak: 'Foei.' Maar hij bleef maar doorgaan. Hij gromde, hij blafte en hij ontblootte zijn tanden naar het apparaat. Als hij zich zo had gedragen toen ik hem pas had, zou ik het huis zijn ontvlucht.

Het drong tot me door dat Joe zich als mijn beschermer had opgeworpen. Dat hielp niet echt bij het schoonmaken. Ik sloot Joe op in de slaapkamer. Hij piepte en jankte, en ik voelde me ontzettend schuldig, maar ik had geen keus. Er was nog maar weinig tijd, en ik moest echt stofzuigen.

Even later ging de bel. Boven blafte Joe. Ik keek door het gaatje in de deur en zag Mitch staan, de echtgenoot van Gail.

Zijn haar stond alle kanten op, en hij had een badjas aan met groene en bordeauxrode strepen. Nadat ik diep adem had gehaald, deed ik open.

'Het is halfzeven in de ochtend, Savannah,' zei Mitch gespannen. Zijn badjas was iets te kort, ik moest steeds kijken naar zijn bleke, knokige knieën. 'Bovendien is het zondag.'

'O,' zei ik. 'Daar heb ik niet aan gedacht.' Ik wilde niet brutaal klinken, ik had er echt niet aan gedacht. Ik had haast, de tijd drong, het stofzuigen kon niet wachten tot een christelijker tijdstip. 'Het spijt me, maar er komen straks allemaal mensen en...'

Mitch liep rood aan. 'Dit is ongepast! Dit is hoogst ongepast!' Hij hield zijn vuisten gebald, en de adem kwam als wolkjes uit zijn mond. 'Wij proberen te slapen, en dat monster van jou houdt me wakker.'

'En dat keffertje van jullie is zeker niet de hele dag aan het keffen terwijl ik moet werken.'

'Zorg dat hij ophoudt!' Hij gebaarde druk met zijn handen, net de dirigent van een groot orkest. 'En hou op met stofzuigen. Normale mensen maken om zes uur 's ochtends niet zo'n herrie.'

'Nou, de volgende keer dat Gail en jij bezig zijn, kom ik wel langs om jullie te vertellen wat voor geluiden normale mensen maken.'

'Doe hem weg!' tierde hij. 'Meneer Wright heeft gezegd dat je hem weg moet doen!'

'Ik heb nog drie weken. Tegen die tijd zijn we allebei weg,' zei ik, in de hoop dat het inderdaad zo zou zijn.

'Godzijdank!' snauwde hij.

Ik sloeg de deur dicht en tuurde door het kijkgaatje. Zijn badjas waaide open toen hij wegliep. Hij had heel platte billen, zo bleek dat ze bijna oplichtten in het schijnsel van de straatlantaarn.

Een uur voordat het feest zou beginnen, haalde ik de bagels uit de diepvries, klapte ermee op het aanrecht totdat ze spleten en legde de helften op het ovenrooster. De verpakkingen deed ik in de vuilnisbak, hoewel ik best wist dat ik niemand voor de gek kon houden.

Zodra de bagels een kleurtje hadden gekregen, draaide ik de oven uit, maar ik liet ze erin om warm te blijven.

Drie kwartier voor het feest besefte ik dat ik dringend onder de douche moest. Ik rende de trap op, struikelde en schaafde mijn knie. Joe had liggen slapen, maar toen ik viel, kwam hij ook naar boven, nog helemaal slaperig. Zo slaperig dat hij over mijn been viel.

Een halfuur voordat het feest zou beginnen, sprong ik onder de douche, smeerde me in met douchegel en draaide een paar keer onder de straal warm water. Toen ik me afdroogde, zat er nog schuim op mijn lijf. Joe likte het schuim van mijn kuiten terwijl ik mascara op mijn wimpers deed en tegelijkertijd mijn haar probeerde te drogen. Daardoor kwam er mascara in mijn haar, en voor de eerste keer was ik blij met mijn inktzwarte lokken.

Ik moest nog iets aantrekken wat gepast was voor een brunch. Een pakje dat niet te formeel was. Misschien iets in een pasteltint, of zwart met een wit randje. Daar zou ik bijpassende schoenen bij moeten dragen. En ik zou mijn haar moeten krullen met een krultang, zodat de krullen bewogen wanneer ik liep.

Maar ik had maar heel weinig schone kleren, en ik had niet eens tijd om mijn haar goed te drogen. Dus haalde ik de spijkerbroek met de minste koffievlekken uit de kast, en vond een schoon shirt. Waarschijnlijk het enige. Ik zette mijn haar met een elastiekje hoog op mijn hoofd vast, en deed alsof het juist de bedoeling was er nonchalant uit te zien, met handdoekdroog haar.

Vervolgens rende ik naar beneden en ruimde nog wat dingen op, zoals pennen, paperclips en elastiekjes, die ik in een la dumpte. Met mijn mouw veegde ik het stof van de boekenkast. Ik vond het verschrikkelijk op de gasten te moeten wachten. Ik wilde gewoon dat dit hele gedoe achter de rug was.

Een kwartier voor tijd ging de bel. Blaffend rende Joe naar de deur. Toen ik door het kijkgaatje keek, zag ik Peter en Janie staan.

Ze stonden voor de deur alsof ze voor een foto poseerden. Peters arm zat om Janies middel geslagen. Peter zag er zelfvoldaan uit. Er was niets meer te zien van de wanhoop die hij op mijn inrit had getoond. Hij was teruggevallen in de rol van de perfecte echtgenoot.

Ik haalde diep adem. Joe sprong tegen me op en gaf mijn kin een lik. Toen ik de deur opendeed, stormde hij op het paar af.

Nog voordat ik een lach op mijn gezicht kon plakken en doen alsof ik blij was hen te zien, sprong Joe tegen Janie op.

Ze gilde het uit.

Peter riep steeds maar: 'Af! Af!'

Ik keek ernaar. Ze begrepen niets van Joe. Pas na een poosje riep ik hem naar binnen.

'Joe! *Ku mne!*' Hij rende naar me toe. 'Sadni!' Hij ging zitten. Ik krabde hem op zijn kop. 'Braaf. *Hodny.*' Ik maakte goede sier met mijn Slowaaks. Zoiets hadden Peter en Janie vast niet achter me gezocht.

'V-Van...' stamelde Janie klaaglijk. Ze had weer eens zo'n bui. Ik zag het aan haar gezicht, aan haar gefronste voorhoofd en de doordringende blik in haar ogen. Soms kreeg ze het op haar heupen. Niks was dan goed genoeg, en alles irriteerde haar. Als kind al werd ze soms humeurig wakker, en daar viel geen enkele verandering in aan te brengen. Diane noemde haar dan: Janie de Verschrikkelijke. Ik had de afgelopen nacht mijn bed niet gezien, en ik had sowieso geen zin gehad een feest te geven. Ik was totaal niet in de stemming voor zo'n bui van Janie. En ik was te moe om me druk te maken over de vraag of ik dan geen echt goede vriendin was.

'Dit is Joe. Mijn hond.'

Peter keek nog zelfvoldaner. Ik denk omdat hij besefte dat de Joe waarover ik had gesproken, niet mijn sexy nieuwe vriend was.

'Je hond?' vroeg Janie. Ze sloeg haar armen om me heen en zoende me op mijn wang, maar ze keek een beetje angstig naar Joe. 'Je hebt helemaal geen hond.'

'Nu wel.' Ik sloeg mijn armen om haar heen. Ze rook naar lentebloesem. En naar nieuw leer. Het tasje dat om haar schouder hing, van zwart leer met zilveren versiersels, zou best wel eens meer gekost kunnen hebben dan mijn auto. Ondanks de ontevreden uitdrukking op haar gezicht zag ze er beeldschoon uit.

'Maar je bent geen hondenmens,' zei ze.

'Toch wel. Ik heb alleen nooit een hond gehad.' Ik krabde over Joe's kop en zei: 'Oké.' Dat betekende dat hij mocht gaan staan. 'Ik mocht van Diane geen hond.'

'O...' reageerde Janie. 'Maar als je echt graag een hond had willen hebben, zou mijn moeder vast wel...'

'Ik wilde heel graag een hond, maar...'

'Laten we naar binnen gaan en overleggen hoe we dit aanpakken,' zei Peter. Hij keek me met opgetrokken wenkbrauwen waarschuwend aan.

Ik vond het vervelend dat hij me in de rede was gevallen. Ik besefte dat ik bozer was op Peter dan op Janie, maar ik had graag een smoes gehad om kwaad te kunnen weglopen en hen in hun eigen sop te laten gaarkoken.

'Heb je de bagels gekocht?' vroeg Peter.

'Ja, die staan warm te blijven in de oven,' antwoordde ik. Ik pulkte aan een afgebroken nagel om hem maar niet te hoeven aankijken.

'Mooi zo,' zei Peter. 'Dan moeten we de roomkaas neerzetten en koffiezetten.' We moesten inderdaad de roomkaas neerzetten en koffiezetten, maar het stoorde me dat hij in mijn huis zei wat er moest gebeuren. Ik kon echter moeilijk zeggen dat hij wel lef had om naar me toe te komen om me te vertellen dat hij van me hield, omdat hij geen zin had om aambeienzalf te kopen. Dus slikte ik die woorden maar in en ging koffiezetten, al had ik het gevoel dat de stoom uit mijn oren kwam.

Janie stond daar maar naar ons te kijken. Volgens mij wist ze niet hoe ze moest helpen.

Ik pakte twee kommetjes en een lepel, en gaf alles aan Pete. Hij schepte de roomkaas in de kommetjes. Ik schonk sinaasappelsap in een plastic kan.

Pete en ik werkten als een geoliede machine. We peuterden de gerookte zalm van het kartonnetje en legden de plakken keurig recht op een bord. Hij vermeed elk oogcontact, en dat gold ook voor mij.

Janie stond in de deuropening en vermeed elk contact met Joe. Ze hield haar armen om zich heen geslagen, alsof ze het koud had.

'Zo,' zei Pete, terwijl hij een klodder roomkaas van zijn hand veegde met een theedoek waarvan ik wist dat die niet al te schoon was. 'Dan nu de bagels.'

Ik wees op de oven. Hij trok de klep open, en voelde voorzichtig aan een van de bagels of hij er zich niet aan kon branden. Vervolgens haalde hij er een helft uit en tikte ertegen, om vervolgens met de halve bagel op het fornuis te tikken.

'Maar Van, ze zijn keihard...'

'Nee!' Ik griste de halve bagel uit zijn hand en stak mijn vinger door het gat. De bagel voelde als een brok beton dat in de zon had gelegen.

'Het feest is verpest...' Janie drukte haar hand tegen haar voorhoofd en haalde een paar keer diep adem.

Wanneer we als kind ruzie hadden gehad, had mijn moeder ingegrepen en me verteld dat ik ongelijk had. 'Kom op, Van, wees sportief en zeg tegen Janie dat het je spijt,' had ze dan gezegd terwijl ze zenuwachtig naar papieren zakdoekjes had gezocht om Janie haar neus in te laten snuiten. Ik had er genoeg van om altijd sportief te moeten zijn. Kom op, sla je hier doorheen en ga verder met je leven, dacht ik steeds maar, als een soort mantra.

Janie liet een snikje horen, en ik vroeg me af of ik nog ergens papieren zakdoekjes had. Joe drentelde naar haar toe en leunde tegen haar been.

'Jezus!' Ze stapte bij hem weg, maar hij ging weer tegen haar leunen. 'Ga weg! Ga weg!' Ze maakte drukke gebaren. 'Haal hem bij me weg, Van.'

Ik haalde diep adem. 'Joe, ku mne,' zei ik. Joe liep op me af en ging tegen mij leunen. Ik streelde zijn flank. 'Hij wil je alleen maar troosten.'

'Nietes. Het is een hond, Van.'

'Nou en?'

'Nou, voor mij is hij geen troost.'

'Maar hij deed zijn best, Janie.' Ik had willen zeggen dat we allemaal ons best deden. Ik wilde zeggen dat het helemaal aan haar lag als het haar niet beviel. Maar toen dacht ik aan hoe ze zich zou voelen als ze wist dat haar echtgenoot tijdens zijn speurtocht naar haar aambeienzalf ook bij mij was geweest. En die gedachte maakte het makkelijker mijn mond te houden.

'Hij verhaart.' Janie plukte zwarte haartjes van haar roomkleurige rok.

Ik was me ervan bewust dat Peters blik op me rustte. Toen ik hem uiteindelijk aankeek, trok hij zijn wenkbrauwen omhoog en haalde zijn schouders op. Hoogst ergerlijk.

'Waarom gaan jullie geen bagels kopen?' zei ik. Ze waren nog geen kwartier in mijn keuken en ik wilde hen al weg hebben. Ik had even rust nodig.

Janie snifte. Dat was haar manier om duidelijk te maken dat het hoogst onredelijk was haar eropuit te sturen om eten voor haar eigen feest in te slaan.

'Dan kun je daarna een indrukwekkende entree maken,' zei ik.

'O, goed idee,' reageerde Peter, en hij sloeg een arm om Janie heen. 'Vind je niet, Jane? Dan is iedereen er en kunnen we een indrukwekkende entree maken.'

Janie slaakte een zucht. 'Oké.'

Terwijl ze op weg naar de voordeur waren, keek Peter even om. Hij was zo brutaal om naar me te knipogen. Zodra hij de deur achter zich dicht had getrokken, smeet ik de halve bagel op de grond. En voelde me meteen belachelijk. Maar Joe pakte hem onmiddellijk op en sprong ermee op de bank om er eens fijn op te gaan knauwen. Het was alsof ik hem iets lekkers had gegeven.

25

Ik pakte de fles wodka die ik in het gootsteenkastje bewaarde. Even dacht ik aan de limonade en het sinaasappelsap die ik had gekocht, maar om tijd te winnen dronk
ik gewoon uit de fles en toen ging de telefoon.

'Hallo?'

'Hoi, Van!' Het was Alex.

Joe liet de bagel uit zijn bek vallen en ging zitten om uit het
raam te kunnen kijken. Ik sprong naast hem op de bank. Een
zwarte Town Car kwam de inrit opgereden.

'Hallo,' zei Alex.

'Eh... hoi.' Met mijn vrije hand liet ik Joe's bagel achter de
bank vallen en streek ik de kruimels van de kussens.

Charles stapte uit en liep om de auto heen.

'Voel je je niet lekker?' vroeg Alex.

Charles opende het andere portier, en Diane zette een zwarte
pump op het asfalt.

'Nee,' zei ik. 'Sorry, ik kan nu niet praten.' Ik nam nog een grote slok uit de fles.

Diane stond buiten de auto haar rok glad te strijken.

'Ik bel je later nog wel. Ik wilde alleen weten of je nog iets nodig had. Moet ik boodschappen voor je doen? Iets te drinken? Droge kaakjes?'

Charles en Diane liepen naar de voordeur. Diane keek naar het huis en zag Joe en mij uit het raam kijken. Er verscheen een kil glimlachje om haar mond.

'Van?'

'Nee, ik heb niets nodig. Ik zou niet willen dat jij het ook kreeg.' Ik kuchte even, en voelde me meteen heel schuldig. Hij was echt lief. 'Ik moet hangen. Maar dank voor je telefoontje. Ik spreek je later nog wel,' zei ik snel, want ik wilde dit gesprek beëindigen voordat Charles en Diane voor de deur stonden. Ik hing al op toen Alex nog afscheid aan het nemen was, en liet de telefoon op de bank vallen.

Ik rende naar de deur, zodat ik die kon opendoen voordat ze aanbelden en Joe ging blaffen.

Zodra ik de deur opende, stormde Joe naar buiten om hen te begroeten.

'Savannah, haal dat beest bij me weg,' zei Diane heel rustig.

Ik had me erg druk gemaakt over hoe Diane tegen me zou zijn. Ze had me betaald om uit de buurt van Peter te blijven, en nu gaf ik een feest voor het jonge paar. Maar ik had kunnen weten dat ze heel kalm zou doen.

'Joe, ku mne.'

Joe rende naar me toe en ging zitten.

Diane en Charles kwamen binnen, trokken hun jas uit en overhandigden die.

Ik had nog steeds de fles wodka in mijn ene hand. Gauw pakte ik de jassen met mijn vrije hand aan en legde ze op de armleuning van de bank.

Diane perste haar lippen op elkaar.

'Zodra iedereen er is, breng ik de jassen naar boven,' zei ik.

'Moet daar niet een papieren zak omheen?' Diane gebaarde naar de fles.

Als Diane en ik alleen waren geweest, zou ik hebben gezegd dat ze haar mond open moest doen en dan zou ik de wodka naar binnen gieten. Maar zoiets wilde ik niet zeggen met Charles erbij. Die zag er altijd uit alsof hij witte handschoenen uit zijn zak wilde halen om me mee in het gezicht te slaan. Dus zei ik maar: 'Ik dacht dat jullie wel een cocktail zouden willen.'

'Charles?' vroeg Diane.

'Graag,' mompelde hij tegen Diane. Charles sprak nooit tegen mij als het niet per se hoefde. Ik hoorde niet eens bij het personeel, ik was een verlengstuk van het personeel.

Diane volgde me naar de keuken. Joe liep met haar mee en gaf haar hand een likje.

'O!' Diane bekeek haar hand alsof ze verwachtte dat die zwart zou worden en eraf zou vallen. 'Vertel me over dit beest.'

'Hij is geen beest.' Ik haalde het sinaasappelsap uit de koelkast.

'Hij ziet er behoorlijk woest uit.' Diane hield haar hand voor zich uit zodat er niets aan haar kleren kon komen.

'Hij komt uit Slowakije,' zei ik, en ik deed in elk glas drie ijsblokjes. 'Hij heeft een arbeidersachtergrond.'

'Een arbeidershond dus?' vroeg ze met opgetrokken wenkbrauwen.

Ik schonk wodka in een glas en vervolgens zo veel sinaasappelsap dat de kleur veranderde. Ik stak het glas naar haar uit, maar ze keek naar haar hand.

'Eerst handen wassen.'

'Boven,' zei ik. 'Het is de enige deur die openstaat.'

Dianes hakken klikklakten over het linoleum totdat ze het tapijt bereikte. Joe kwam achter haar aan. Ik hoorde haar nog zeggen: 'Laat me met rust.' Toen ging de badkamerdeur dicht.

Ik gaf haar glas aan Charles. Hij stond naar de bank te kijken alsof hij zich afvroeg of hij daar wel veilig op kon plaatsnemen.

'Hier,' zei ik. 'Er zit vooral wodka in.' Hoewel ik Charles bijna mijn hele leven heb gekend, heb ik me bij hem nooit op mijn gemak gevoeld. Volgens mij voelden Janie en Diane zich ook niet bij hem op hun gemak. Hij was mopperig, en beschikte over geen greintje humor. En zelfs wanneer hij redelijk vriendelijk was, wist je nooit wanneer hij ging ontploffen. Het was niet fijn om Charles kwaad te zien, en je wist nooit wanneer hij opeens uit zou vallen. Meestal merkte ik pas wanneer hij wegging dat ik ademloos had afgewacht.

'Dank je,' zei hij zonder me aan te kijken.

'Je krijgt er niets van,' zei ik terwijl ik naar de bank wees.

Hij haalde een zilveren sigarettenhouder uit de binnenzak van zijn sportjasje en schudde daar een sigaret uit. 'Asbak.'

'Ik rook niet,' zei ik.

'Ik wel.' Hij keek weg. Vervolgens haalde hij een aansteker tevoorschijn. Het was een slanke, zilveren aansteker. Hij stak op en blies een wolk rook tegen de kussens van de bank aan.

Ik ging naar de keuken en pakte een oude beker. Die zette ik met een klap op de salontafel. 'Asbak,' zei ik. Ik overwoog nog meer te zeggen, want als Charles kwaad werd, zou het feest misschien gauw zijn afgelopen. Maar toen ging de bel weer.

Blaffend stormde Joe de trap af. Het haar op zijn rug stond overeind en hij ontblootte zijn tanden.

Charles deinsde achteruit. Hij zag bleker dan anders, en de hand met de sigaret trilde.

Ik riep naar Joe: 'Štekat'! Štekat'!' Dat betekende dat hij moest blaffen. Maar ondertussen maakte ik gebaren alsof ik hem wilde sussen.

Het zweet was Charles uitgebroken. 'Moet je niet opendoen?' vroeg hij. Zijn stem klonk een stuk hoger.

Zodra ik de deur opende, banjerde Peters tante Agnes naar binnen. Ze had een grote rode hoed op, en droeg een paarse jas waarin ze er bijna vierkant uitzag.

'Dag Vannie, ken je me nog?' vroeg ze op zangerige toon. 'Peters lievelingstante.'

Ik werd bang dat ze in mijn wang zou knijpen.

Joe liep op haar af en ging voor haar zitten.

'O, wat een lief hondje!' kirde ze. Ze bukte, en hij likte haar in het gezicht. Ze omvatte zijn snuit. 'Och, wat ben je een lieverd. Ja, hè, je bent een schatteboutje!'

'Tante Agnes, Joe is echt dol op u,' zei ik met een brede lach. Voor het eerst was ik blij haar te zien.

Met een kwaad gezicht drukte Charles zijn sigaret uit in de oude beker.

'Ik heb iets voor jou, Van,' zei Agnes, en ze duwde me een rood tasje in handen. Er zat iets zwaars in. 'Gewoon iets kleins voor de gastvrouw.' Ze keek Charles aan. 'Hoe gaat het, Charles? Misschien weet je niet meer wie ik ben. We hebben elkaar even gesproken tijdens de brunch om de verloving te vieren. Op de bruiloft heb ik je nauwelijks gezien.'

Charles bromde iets en nam vervolgens plaats op de bank. Hij zonk erin weg. Zijn knieën kwamen bijna op borsthoogte.

'Kom, dan brengen we dit naar de keuken,' zei Agnes, en ze klopte op haar tas. Nadat ze haar arm om mijn middel had geslagen, duwde ze me de keuken in. 'Het speet me verschrikkelijk dat we op de bruiloft niet even konden babbelen.'

'Mij ook,' reageerde ik, en meteen speet het me dat ik haar toen had ontlopen. Op dit moment had het babbelen met Agnes iets vertroostends.

Ze trok de kastjes open totdat ze het juiste had gevonden, en pakte er twee glazen uit. 'Ik mocht je altijd graag, Van. Je doet mijn Peter goed.'

Ik hield het rode tasje nog vast. Agnes stak haar hand erin

en haalde er een fles whisky uit. Vervolgens haalde ze ijsblokjes uit de vriezer en deed twee handjes in de glazen. Daarna
pakte ze de melk uit de ijskast. Voordat ze inschonk, rook ze
aan het pak. Toen gebaarde ze dat ik whisky in de halfvolle
glazen moest schenken.

Ik deed in elk glas een flinke scheut en keek haar aan. Ze
trok lachend haar wenkbrauwen op. Ik deed er nog wat bij.

'Prima!' Ze hief het glas, en ik volgde haar voorbeeld. 'Op
Peter,' zei ze.

'Ja,' zei ik, en we klonken.

'Weet Peter al dat Joe een hond is?' Agnes nam een slokje en
keek me aan. Haar ogen fonkelden, en dat effect werd ver-
sterkt door de kraaienpootjes. Ik wist dat Peter haar heel vaak
belde, maar ik vond het ongelooflijk dat hij haar over Joe had
verteld. Dat vond ik echt raar, zelfs voor Peter en Agnes.

'Had je dat expres gezegd, of was het gewoon toevallig?'
vroeg ze.

'Heeft hij je verteld over Joe?' Ik nam een grote slok. Ik
dacht niet dat het zou lukken net te doen alsof ik van niets
wist. Door de melk brandde de whisky minder in mijn keel,
maar toch.

'Lieverd, die jongen vertelt alles. Ik weet niet wat ik met hem
aan moet.' Ze nam weer een grote slok. 'Hij denkt dat hij sluw
is door mij te vertellen dat je een vriend hebt, alsof het hem
niks kan schelen. Maar je weet hoe hij is.' Ze keek me recht in
de ogen, alsof ze me duidelijk wilde maken dat ze niet zomaar
iets zei. Haar ogen waren net zo grijsblauw als die van Peter.
'Hij wil je beschermen.'

'Het... het gebeurde gewoon,' zei ik. Ik vond haar eerlijkheid
ontwapenend, en de whisky ook. Dit was de eerste keer dat ik
iets had toegegeven wat betrekking had op Peter. Tot nu toe
had ik de puzzelstukjes door elkaar gehusseld en verborgen gehouden, maar nu had ik Agnes een hoekstuk laten zien. En het

ene stukje paste in het andere, en na een tijdje zou het plaatje zichtbaar worden.

'Och, lieverd, dat moest ook wel na al die tijd,' zei Agnes, en ze wreef over mijn arm.

Ik wist niet goed wat ze daarmee bedoelde. Ik wist niet eens of we niet allebei een heel ander gesprek voerden. Ik nam nog een slok. De warmte verspreidde zich door mijn buik.

'Waarmee kan ik je helpen, Van?' vroeg Agnes.

'Eh... Er valt niks te doen. Dat is het probleem juist.'

'Er is toch wel íéts?'

Ik wist niet wat ze wilde dat ik zei. Ik wist niet waaruit ik kon kiezen. Zou ze mijn vileine bondgenoot worden en hun huwelijk kapotmaken? Ging ze Peter ondersteboven ophangen totdat hij voor mij koos? En wilde ik dat nog wel?

'Maar Van, je hebt nog niets te eten klaargezet. Daar kan ik je toch wel mee helpen?'

Ik kreeg een kop als een biet. Gelukkig merkte Agnes het niet omdat ze druk bezig was met bordjes verplaatsen en een stukje zalm proeven.

'O ja,' zei ik. Ik was me ervan bewust dat ik te hard sprak, maar ik leek niet zachter te kunnen. 'Het eten.' Ik trok de deur van de koelkast open alsof daar iets in zat.

'Ik zag een stoofpot. Die ziet er heerlijk uit. Ik wist niet dat je zo goed kon koken.' Agnes pakte de melk en schonk nog eens in.

'Stoofpot?' Ik zag de pan vol eten voor Joe in de ijskast staan. 'O ja...'

Ik haalde de pan uit de ijskast, haalde de vershoudfolie eraf en maakte daar een prop van. Het condenswater dat eraf droop, veroorzaakte natte plekken op mijn spijkerbroek.

Agnes haalde een ovenschaal uit een keukenkastje en lepelde daar Joe's eten op. Vervolgens verwarmde ze de oven voor.

'Drink er nog eentje met me terwijl we op de oven wachten.'

Voordat ik het wist had ik weer een glas melk en whisky in mijn hand.

Diane stapte de keuken in. Haar hakken klikklakten op het linoleum.

'Je hond is mijn echtgenoot aan het terroriseren, Van,' zei ze. 'Misschien kun je hem beter ergens opsluiten.'

'Charles?' vroeg ik. 'Ja, die moeten we maar opsluiten voordat hij gaat bijten.'

Agnes gaf me giechelend een knipoog.

Diane slaakte een verontwaardigde zucht en klikklakte de keuken weer uit. 'Er brandt iets aan,' snauwde ze nog.

Ik wist niet wat ze bedoelde. Pas toen de rookmelder een paar minuten later afging, viel het kwartje.

Blaffend rende Joe de keuken in.

Ik deed de ovendeur open. Wolken rook kolkten eruit. Ik pakte een van de verkoolde bagels. Ik brandde mijn hand eraan, maar bleef het ding toch vasthouden.

Gauw kwam Agnes met een theedoek aangerend, rukte daarmee de bagel uit mijn hand en wierp die in de gootsteen.

Op mijn hand stond een rode ring. De tranen sprongen in mijn ogen.

'O, stakker,' zei Agnes, en ze streek over mijn haar en zette een piek vast achter mijn oor. 'Wat spijt me dat... Ik wist niet dat er bagels in de oven zaten, en nu heb ik ze verpest.' Ze gaf me haar glas. 'Hier, lieverd, tegen de schrik.'

26

De rookmelder bleef maar lawaai maken. De oven stond nog aan, en van de bagels kwam nog meer rook. Agnes legde een plastic tasje vol ijsblokjes in mijn hand, net op het moment dat Alex de keuken in kwam gestormd. In zijn ene hand hield hij een kerstboom, in de andere een tas van Wegmans. Blaffend en kwispelend kwam Joe op hem af. Hij wilde de boom van Alex overnemen in de veronderstelling dat het een cadeautje voor hem was.

Het was een kleine boom, maar wel een heel mooie. Volmaakt. Net zo volmaakt als Alex in zijn grijze wollen jasje. Hij bracht een fris windje mee, en dat was fijn. Het liefst had ik gehad dat hij me optilde en als een echte ridder zou ontvoeren van het feest. Het feest kon me gestolen worden, evenals alle dramatische ontwikkelingen. Ik wilde verder met mijn leven.

'Gaat het?' vroeg hij terwijl hij de boom neerzette.

Ik knikte. Mijn hand deed pijn en ik voelde me duizelig.

Agnes zette het keukenraam open en wapperde met de theedoek naar de rookmelder totdat die ophield met lawaai maken. Joe deed zijn best de wapperende theedoek te pakken te krijgen.

'Wat gebeurt hier?' vroeg Alex. 'Ik dacht dat je ziek was.' Hij hield de tas omhoog. 'Ik heb soep voor je meegenomen.' Even schudde hij aan de boom. 'Je zei dat je ziek was.'

'Het spijt me,' zei ik zacht.

Agnes wrong zich langs ons heen naar de oven. 'Ik ben Peters tante Agnes,' zei ze terwijl ze met de theedoek de bagels in de vuilnisbak kieperde.

'Wie is Peter?' vroeg Alex.

'Zo, hier is alles onder controle,' zei Agnes, en ze schoof de vuilnisbak terug onder de gootsteen. 'Dan ga ik even kijken naar de gasten. Ik hoor dat er nog meer zijn gekomen.' Ze knipoogde naar me en ging gauw de keuken uit.

'Wat doe je hier?' vroeg ik Alex.

'Je hing zo snel op. Ik maakte me zorgen.'

'Over mij?'

'Doe niet zo bijdehand,' zei hij.

'Ik doe niet bijdehand, ik heb te veel gedronken,' reageerde ik. De tranen biggelden over mijn wangen. 'Ik ben dronken.' Ik verborg mijn gezicht in zijn jasje.

Hij verstarde. 'Hoor eens,' zei hij terwijl hij zich losmaakte, 'als je geen zin had om met mij naar de markt te gaan, had je dat gewoon kunnen zeggen.'

'Maar ik wilde wél,' zei ik. 'Ik wilde het heel graag. Het zit allemaal heel ingewikkeld in elkaar, Alex.' Ik durfde hem niet aan te kijken. Ik was bang dat ik dan pas echt hard zou gaan huilen. Ik haalde het tasje met ijs van mijn hand en keek naar de rode plek. Die gloeide.

'Leg het dan uit,' zei hij. 'Ik luister wel.'

Ik wilde het graag uitleggen. Ik wilde hem vertellen dat ik

werd achtervolgd door mijn oude leven, maar dat dit de laatste keer zou zijn en dat het daarna allemaal rustig zou worden. Maar ik hoorde weer hakken over de vloer klikklakken, gevolgd door het tikken van hondennagels.

'Savannah Leone,' zei Diane terwijl ze naar ons toe liep, 'kom je niet even met je gasten praten?' Ze haalde een sigaret uit haar tasje en stak die op.

'Dit is niet zo'n geschikt moment,' zei ik tegen Alex.

'Wat moet ik dan?' vroeg Alex. 'Moet ik hier blijven hangen totdat het wel een geschikt moment is? Ik snap er niets van, Van. Ik dacht... Ik vertrouwde je.'

Ik dacht aan hem in mijn bed, terwijl hij mijn hand vasthield. Ik dacht aan hoe graag ik met hem verder wilde. En ik wist dat ik Diane daar niet bij kon gebruiken.

Ze stond daar maar, geleund tegen het aanrecht rook uit te blazen, met haar blik op ons gevestigd. Ze was goed in dingen verpesten, maar dit mocht ze niet ook verpesten.

'Ik heb niet gevraagd of je kwam,' zei ik tegen Alex. Ik voelde me echt duizelig, ik raakte in paniek. Het enige wat ik op dat moment wilde, was dat hij zou weggaan. 'Ik heb je niet gevraagd een boom te komen brengen. Ik kan het er nu niet over hebben, het zit te ingewikkeld in elkaar.'

Alex pakte de boom op. 'Nou, dan zal ik het makkelijk voor je maken,' zei hij, en hij beende de keuken uit. De vloer dreunde ervan.

'Alex! Wacht!' riep ik uit, maar hij draaide zich niet om.

Ik wilde achter hem aan gaan. Ik zou achter hem aan moeten gaan, maar ik wilde niet waar Diane bij was om vergiffenis smeken. Diane mocht niets van Alex weten. Het speet me dat ik na het aannemen van Dianes cheque niet meteen was bevrijd van mijn zorg over wat ze van me vond. Maar zo lag het nu eenmaal. Ze mocht niet weten hoe eenzaam ik was, hoe alleen.

Diane kuchte zacht. 'Kunnen we het nu even over je gasten hebben?' vroeg ze. 'Er zijn er tien... Je moet me wel aankijken, Van.'

Ik keek op, ik richtte mijn blik op haar voorhoofd om haar maar niet in de ogen te hoeven kijken. Mijn hand deed pijn, en klopte.

'Dat is beter.' Ze lachte me zelfvoldaan toe. 'Er staan daar minstens tien mensen met hun jas nog aan, maar zonder drankje. Bovendien zal Janie zo wel komen. Je moet opschieten.'

'Jij moet opschieten,' zei ik. Het flapte er zomaar uit. Ik keek naar haar schoenen. Die waren van zwart leer, en ik ving een glimp op van een rode zool. Ik had die schoenen nooit eerder gezien. Vroeger had ik precies geweten wat voor schoenen Diane in haar kast had staan. Maar zonder mij had ze uiteraard ook tijd genoeg om te gaan shoppen.

'Van...' Het klonk waarschuwend. Ze keek me aan en tikte de as van haar sigaret af in de gootsteen.

Ik haalde diep adem in een poging tot rust te komen, maar ineens besefte ik dat ik helemaal niet rustig wilde zijn. Ik had Alex laten weglopen. Waarschijnlijk voelde hij zich gekwetst en in verwarring gebracht. Zo zou ik me hebben gevoeld als ik in zijn schoenen had gestaan. Ik wist wat een rotgevoel dat was, en ik had hem dat rotgevoel bezorgd. En vervolgens had ik hem zomaar laten gaan.

'Verdomme, Diane!' riep ik uit, zo hard dat de conversatie in de woonkamer verstomde. 'Ik heb hier mijn buik van vol. Ik heb er genoeg van om me steeds in bochten te moeten wringen om Janies gevoelens te ontzien.' Ik wees naar de deur. 'Dát was belangrijk voor me. Híj was belangrijk voor me, en ik liet hem gaan omdat jij je druk maakte over het feit dat ik mijn gasten niet begroet. Wat wil je nog meer van me afpakken, Diane?'

'Trap geen scène,' snauwde Diane.

'Jíj trapt een scène,' zei ik, en ik zwaaide met mijn vinger. 'Jíj bent begonnen!' Ik stormde de keuken uit en de garage in. De deur sloeg ik hard achter me dicht.

Ik kon niet weg met de auto. Ook als ik niet aangeschoten zou zijn, was daar nog de hindernis van alle auto's die op de inrit stonden. Wel een stuk of zes.

Ik liep terug de keuken in, mijn hoofd fier geheven. Voor zover dat ging.

Diane stond nog steeds tegen het aanrecht geleund. Ze nam een flinke haal van haar sigaret. Zelfs met het geklets in de woonkamer dacht ik dat ik het papier kon horen branden. 'Nou, dat was een fraaie voorstelling,' zei ze terwijl ze de rook in mijn richting blies.

'Verdomme, Diane.' Het kwam er heel gemakkelijk uit. Ik had het al heel vaak willen zegen, maar ik had het er nooit uit kunnen krijgen.

'Pardon?' Ze plukte een paar hondenharen van haar rok.

'Ik zei: verdomme, Diane.' Het kwam er trots uit, en ik sprak langzaam, alsof ik het tegen iemand had die een beetje doof was. De conversatie in de woonkamer stierf weer weg. 'Je hebt me daarnet ook al heel goed gehoord.' Ik merkte dat ik niet zachter kon praten. 'Waarom moet je toch altijd alles verpesten?' Ik stond tegen haar te gillen, ik kon er niet mee ophouden. 'Ik heb niet veel, Diane. Ik heb nooit veel gehad, en jij pakt alles af alsof het niets is. Alsof jij overal de baas over bent. Maar over mij ben je niet de baas, verdomme. Ik ben niet van jou.' Ik merkte pas dat ik huilde toen er een traan over mijn kin liep. Gauw veegde ik die met mijn goede hand weg. 'Ik ben niet van jou,' zei ik nogmaals, gewoon om het nog eens te horen. Eigenlijk klonk ik behoorlijk dronken.

Diane gooide de nog brandende peuk in de gootsteen en stak er nog een op. Haar handen trilden.

De wodka, de melk en de whisky lagen niet lekker in mijn

maag. Ik rende struikelend de keuken uit en stormde de trap op naar de badkamer.

Gebogen over de toiletpot gaf ik over. Ik had maagpijn en ik kon slechts wazig zien. Ik liet mijn hoofd op de bril rusten, maar de wc was niet goed schoon, en van de zurige lucht moest ik weer kotsen.

Zodra ik echt klaar was, ging ik tegen het bad aan zitten en sloot mijn ogen. Ik hoorde voetstappen en hondenpootjes op de trap. Vervolgens ging de deur open. Joe kwam binnen en gaf mijn gezicht een lik.

'Hij maakte zich zorgen om je,' zei Agnes.

Ik sloeg mijn armen om Joe's nek en luisterde naar zijn gehijg. Ondertussen paste ik mijn eigen ademhaling aan.

'Gaat het een beetje, Vannie?' Agnes pakte een handdoek van het rek en hield een punt onder de kraan. Vervolgens trok ze haar broekspijpen een eindje op en knielde naast me. Toen haar knieën de vloer raakten, kreunde ze even. 'Niet oud worden, Van,' zei ze. 'Soms is dat echt geen pretje.' Ze ging naast me tegen het bad aan zitten.

Ik dacht aan de ton vol gele aapjes waarmee Janie en ik altijd speelden. En aan Agnes met een grote rode hoed op en met haar handen geheven, klaar om het volgende aapje te vangen.

'Ik ben dronken, Agnes,' zei ik, en ik liet haar mijn gezicht deppen met de natte handdoekpunt. Ze maakte me goed en grondig schoon en wrong de handdoek vervolgens uit onder de kraan. Daarna klopte ze op haar been. Ik legde mijn hoofd op haar schoot. Haar bovenbeen was als een lekker zacht kussen. Joe legde zijn kop op haar andere been.

'Ik heb alles verpest,' zei ik.

'Het is jouw feest. Je mag doen wat je wilt.' Ze streek mijn haar uit mijn gezicht.

'Het is Janies feest.'

'Het was niet eerlijk van ze om je dit aan te doen.' Ze aaide Joe over zijn kop.

Ik dacht aan Alex, die in de keuken had gestaan als een hert gevangen in het licht van de koplampen. 'Ik denk dat ik van hem hou. Of dat ik van hem gehouden zou kunnen hebben.'

'Peter is voor jou niet goed genoeg,' zei ze. 'Hij is mijn neefje, ik ben dol op hem, maar hij snapt er niks van. Het is niet goed dat hij je aan het lijntje...'

'Ik had het niet over Peter.' Ik schudde mijn hoofd, waardoor de stof van haar broek over de voering schoof. 'Ik had het over Alex.'

'O. Nou, een knappe kerel, dat moet ik toegeven.' Met een lachje wuifde ze zichzelf koelte toe. Daardoor schokte haar lichaam. Ik werd er duizelig van, ook omdat haar gezicht steeds achter die wuivende hand verdween en dan weer terugkwam. Ik sloot mijn ogen. Ik voelde me leeg, alsof ik alles wat in me was door de wc had gespoeld. Even werd ik bang dat ik met mijn hoofd op Agnes' schoot in slaap zou vallen, zomaar op de vloer van de badkamer, maar toen zei ze: 'Zullen we hier weggaan en iets te eten voor je gaan zoeken?'

Ze duwde Joe en mij van haar schoot en hees zich moeizaam overeind, leunend op het bad en zich daarna vasthoudend aan de wastafel. 'Als we de koppen bij elkaar steken, bedenken we vast wel iets om die jongen terug te krijgen.' Ze stak haar hand uit om me omhoog te trekken, en ze pakte me bij mijn elleboog om mijn pijnlijke hand te ontzien. Ik wist dat het te zwaar voor haar zou zijn, dus krabbelde ik met mijn laatste krachten zelf overeind.

27

Agnes nam me zo vastbesloten mee naar beneden dat niemand een vraag durfde stellen. Ik hield Joe's halsband stevig vast en mijn blik naar beneden gericht, zodat ik in de woonkamer alleen een hoop voeten kon zien. Voeten gestoken in bruine Rockports, zwarte brogues of grijze, orthopedisch verantwoorde schoenen met veters. Bij de deuropening zag ik Peters bootschoenen en Janies Kate Spades. Ik keek op. Peter hield twee grote papieren zakken vast, en Janie omklemde haar tasje.

'Waar gaan jullie heen?' vroeg Janie.

'Even een frisse neus halen, lieverd,' antwoordde Agnes.

Janie zuchtte diep. 'Gaan jullie weg?'

Ik wilde net zeggen dat ik dit hele feest niet had willen geven, en dat dit stomme feest de laatste kans op een eigen leven voor me had verpest, toen Agnes me de deur uit duwde. Ik kreeg de kans niet om iets te zeggen. Ze zorgde dat Joe achter me aan kwam. Zo voorkwam ze dat ik iets deed waarvan ik later spijt zou kunnen krijgen, zoals Peter vertellen wat hij met die bagels kon doen.

'We komen zo terug,' merkte Agnes opgewekt op, alsof er geen vuiltje aan de lucht was.

Ik hoorde Janie zeggen: 'Typisch.' En toen Peter: 'Laat nou maar, Janie.' Vervolgens deden ze de deur van mijn huis dicht om hun bagels te eten en hun geweldige huwelijk te vieren, terwijl ik in de kou stond met een verbrande hand en een gebroken hart. 'Typisch,' zei ik tegen Joe. Hij leunde tegen mijn been terwijl we wachtten totdat Agnes de autosleuteltjes uit haar tasje had gevist.

Zodra ze ze had gevonden, klikte ze op de sleutelhanger en sprongen de portieren van het slot. Vervolgens hielp ze me instappen in haar glanzende zwarte Cadillac en sloot het portier. Binnen rook het naar nieuwe auto en appeltaart. Er hing een kanten zakje vol potpourri aan de achteruitkijkspiegel, versierd met rozenknopjes. De geur was bijna bedwelmend. De leren stoelbekleding was stijf en kraakte onder mijn gewicht. Ik vroeg me af of er wel eens iemand op deze stoel had gezeten.

Ze liep om de auto heen, opende de kofferbak en vervolgens het achterportier. Daarna spreidde ze een bruin dekentje dat naar wasverzachter rook over de achterbank uit en zei: 'Toe maar, Joe.'

Joe sprong op de achterbank. Hij ging hijgend in het midden zitten en zag er heel tevreden uit.

Met een flinke klap gooide Agnes de kofferbak dicht. Nadat ze was ingestapt, drukte ze op een knopje. Meteen schoof haar stoel zo ver naar voren dat het stuur tegen haar buik kwam. 'Zo, dat is beter,' zei ze, en ze startte de motor.

Agnes trok zo snel op dat ik met mijn hoofd tegen de hoofdsteun werd geduwd. Joe besloot dat hij maar beter kon gaan liggen.

'Waar heb je zin in, Van?' Ze bleef staan bij het stopbord aan het eind van de straat en trok toen op om zich tussen het verkeer te voegen. Blijkbaar trok ze zich niets aan van de piepende remmen van de andere weggebruikers. 'We kunnen vroeg gaan lunchen. Chinees? Mexicaans? Italiaans? Er zit een Griekse tent om de hoek, ben je daar ooit geweest? Ze hebben er verrukkelijke souvlaki. Ze doen er niet zuinig met uien.'

Uien, appeltaart, nieuw leer, wasverzachter, Agnes, whisky en lavendelcologne. Ik voelde me niet helemaal lekker. Ik legde mijn wang tegen het raampje. Ik ga niet overgeven in Agnes' nieuwe auto, dacht ik, en ik concentreerde me op het koude glas tegen mijn gezicht. Ik ga niet overgeven in Agnes' nieuwe auto... 'Om de hoek is best,' zei ik.

We lieten Joe achter in de auto, met de raampjes op een kiertje. Agnes zorgde voor een tafeltje terwijl ik naar de toiletten ging, heel discreet was de bedoeling, maar onderweg botste ik bijna tegen een serveerster op die een dienblad vol rijstpudding in metalen bakjes droeg. Geschrokken keken we elkaar aan en vervolgden toen weer ons pad.

De kieren in de vloer van de toiletten zaten vol stof en viezigheid. Het rook er naar sigaretten. Aan de muur hing een rookmelder half van de wand af. Ik keek een poosje naar de wc. Ik voelde me leeg. Mijn maag maakte geluidjes, maar er kwam niets naar boven. Toch trok ik maar door, blij dat ik niet boven de pot had hoeven hangen.

Een poosje hield ik mijn pijnlijke hand onder de kraan. Dat deed nog meer pijn, en ik had graag heel hard willen janken. Ik had willen toegeven aan een driftbui, zoals een klein kind dat van zijn fietsje valt en zijn elleboog schaaft, en mammie heeft geen pleisters met Spiderman meer. Ik wilde gillen en krijsen, en iemand om me naar huis te dragen en in bed te stoppen, en een koude hand op mijn voorhoofd te leggen en me een kusje te geven en te zeggen dat het allemaal goed zou komen.

Maar ik kreeg geen driftbui. Ik droogde mijn handen en keek in de spiegel of mijn mascara niet was uitgelopen. Verder keek ik maar niet naar mijn gezicht, ik wilde het grote geheel niet zien. Ik haalde even een natte wijsvinger onder mijn ogen door en beloofde mezelf dat ik niet meer zou drinken, of althans een hele poos niet. Diane en mijn moeder hadden altijd grapjes gemaakt over dat met een glaasje whisky alles er veel beter uitziet, en dat je van een heleboel glaasjes whisky vergat dat er überhaupt iets aan de hand was. Blijkbaar werkte dat niet bij mij.

'Ik heb thee besteld,' zei Agnes toen ik me weer bij haar voegde. 'Ik vroeg om kamillethee, maar ze hadden alleen deze.' Ze wees naar het labeltje van Lipton dat langs het metalen theepotje hing.

'Dank je,' zei ik. Ik schoof over het roodleren bankje tegenover haar. Er zat een scheur in het leer. Misschien heb ik die driftbui al achter de rug, dacht ik, misschien heb ik die thuis gehad en zorgt Agnes nu goed voor me. Maar het was niet hetzelfde. Agnes was mijn moeder niet.

'Ik kom niet vaak in deze buurt. Mijn vriendinnen houden niet zo van buitenlands eten.' Ze fluisterde, alsof het een beschamend geheim was. Nadat ze twee zakjes suiker in mijn theekopje had gedaan en eens flink had geroerd, schoof ze het kopje mijn kant op. 'Zo, de suiker is goed voor je vochthuishouding.'

Ik nam een slokje en brandde mijn tong. Het kopje was klein en de thee mierzoet.

Voordat ik de menukaart achter het schaaltje met suikerzakjes vandaan kon pakken, zette de serveerster al eten op tafel. Voor Agnes zette ze een kom souvlaki neer, voor mij een kom kippensoep en een bordje friet.

'Tegen de kater,' zei Agnes. 'Precies wat je nodig hebt.'

Ik wilde zeggen dat ik helemaal geen kater had, dat ik nog dronken was. Maar ik zei alleen maar: 'Dank je wel.'

Ik brandde mijn tong nog een keer, nu aan de kippensoep. Mijn hand deed pijn, daarom pakte ik daarmee het glas vol koel water en nam een grote slok. Het water smaakte naar chloor. Ik dacht aan Joe, helemaal alleen in de auto. Ik kreeg spijt dat ik mezelf niet had opgesloten in de slaapkamer. We hadden de deur op slot kunnen doen en in bed tv kunnen kijken totdat iedereen was vertrokken. We hadden de politie kunnen bellen over een luidruchtig feest en iedereen de deur uit laten zetten. Ik zag Diane al voor me, krijsend met haar chique accent.

'Wat zit je te grijnzen, dame?' Agnes maakte keurige vierkantjes van haar souvlaki en pitabrood. Na elk hapje pakte ze het servet van haar schoot om haar mond af te vegen. 'Zat je aan je knappe cowboy te denken?'

Zodra ze dat had gezegd, zag ik Alex voor me. Ik zag hem staan met die kerstboom, met op zijn gezicht een verschrikkelijk verdrietige uitdrukking. Kennelijk was ik niet wat hij had gedacht dat ik was. Ik was een teleurstelling, en dat wilde ik niet zijn. 'Jezus, Agnes, wat moet ik nou?'

'Zo erg is het niet.'

'Hij ging weg...'

'Misschien moest hij even afkoelen.'

'Het is te vroeg voor afkoelen.'

'Hij komt wel terug.'

'Waarom zou hij?'

'Lieverd, als je dat zelf niet weet, kun je niet verwachten dat anderen dat wel weten.' Ze stopte nog een vorkje souvlaki in haar mond. 'Eet wat, schat. Het zal je goed doen.'

Voordat we weggingen, leende ze de pen van de serveerster en krabbelde haar telefoonnummer op een suikerzakje. 'Je moet me bellen om te vertellen hoe het allemaal is afgelopen,' zei ze.

28

Agnes had souvlaki gegeten, minstens vier kopjes koffie en een glaasje sambuca gedronken, en een rijsttoetje met rozijnen soldaat gemaakt. We dachten dat in die tijd het feest wel zou zijn afgelopen.

Ze zette Joe en mij af op de verlaten inrit. 'Bel me als er iets is,' zei ze terwijl ze over mijn schouder wreef. 'En lieverd, dit gaat ook voorbij.'

Ze wachtte totdat ik de deur had opengedaan en reed toen pas weg. Ik hoorde de banden piepen.

Binnen had ik een grote bende verwacht. Een omgevallen lamp, plastic bekertjes waar bier uit liep op het tapijt. Iets als na een studentenfeest.

Toen ik wegging, wist ik wel dat ze van een brave brunch geen woeste orgie zouden maken. Maar ze hadden wel mijn weekend verpest. Het kwam als een teleurstelling dat alles zo keurig was achtergelaten. Ik had liever gezien dat het verschrikkelijke vandalen waren die er een bende van hadden gemaakt die ik moest opruimen.

Joe snuffelde een beetje rond en rende toen blaffend naar boven.

Ik hoorde een vrouw gillen. Het was net zo'n gil als die Janie had geslaakt toen Harold Winston jr. op de countryclub een kikker in haar badpak had gestopt.

Een poosje bleef ik onder aan de trap staan. Ik luisterde naar Joe's geblaf, en naar Janie, die gilde: 'Ga weg! Ga weg!' Ik hield me vast aan de trapleuning en wiegde een beetje heen en weer, om kracht te verzamelen de trap op te gaan. Mijn hoofd bonsde.

Joe zat voor mijn kast te blaffen. Hij keek om toen ik binnenkwam, en begon vervolgens weer tegen de kast te blaffen.

Janie zat op mijn vuile kleren onder in de kast te huilen.

'Janie!'

'Van!' Haar mascara was uitgelopen, ze leek wel een wasbeertje. Ze zag er echt heel erg slecht uit. Ik kende haar al heel lang, maar ik had haar nooit anders meegemaakt dan aanbiddelijk. 'Zorg dat hij ophoudt! Laat hem ophouden!'

'Joe! *Dost!*'

Meteen werd Joe stil. Hij gaf mijn hand een lik en ging op bed liggen. Met een tevreden zucht nestelde hij zich op de dekens.

'Jezus...' zei Janie. 'Ik dacht dat hij me zou verslinden.'

Joe ging op zijn zij liggen en sloot zijn ogen.

'Wat doe je in mijn kast?'

'Waarom ging je weg?'

'Janie...'

'Dit feest was voor mij. Jij zou een feest voor ons geven, maar je hebt de bagels laten verbranden en vertrok vervolgens.' Ze wankelde en viel op een stapel donkere kleren.

'Was je mijn was aan het uitzoeken?' Zulke rare dingen deed ze altijd wanneer ze van streek was. Ooit hadden Diane en

Charles knetterende ruzie gehad, en toen mijn moeder en ik waren thuisgekomen met de boodschappen, hadden we ontdekt dat Janie alle boeken in onze boekenkast netjes op alfabet had gezet, en dat ze de menukaarten van de pizzabezorgdienst en de Chinees en zo in de keukenla op kleur had gesorteerd.

'Je ging zomaar weg!' zei ze, alsof dat verklaarde waarom ze in mijn kast de was aan het sorteren was.

'Ben je mijn was aan het sorteren omdat ik wegging?' Ik liep naar haar toe en bood haar mijn hand aan. 'Kom.'

Ze pakte mijn hand niet. Ze duwde zichzelf juist dieper de kast in, onder de paar oude overhemden die ik daar had hangen.

'Je kleren zijn allemaal vies,' bracht ze snikkend uit. 'Waarom heb je geen schone kleren?'

'Janie, kom mijn kast uit,' zei ik met een zucht. Het was net als vroeger, wanneer we ruzie hadden. We werden allebei kwaad, en dan ging Janie huilen. Ik moest dan alles op alles zetten om haar te troosten, en mijn trots opzijzetten. En nu was ze getrouwd met Peter en verpestte ze mijn leven met haar stomme feest. Moest zíj worden getroost? Als iemand recht had om een potje te huilen, was ik het wel.

Ze zei niets, ze zat daar maar te snotteren.

'Weet je wat? Jij blijft hier,' zei ik, en ik liep de kamer uit, haar achterlatend in de kast. 'Ik ga koffiezetten. Als je wilt praten, kun je me beneden vinden.'

Iemand had alle kopjes en glazen met de hand afgewassen en ze ondersteboven neergezet op een theedoek op het aanrecht. Er stond ook een schaal verse bagels, keurig onder een velletje vershoudfolie. De koffiepot was brandschoon, zelfs de ringen waren eruit gepoetst. Ik ging koffiezetten. En toen zag ik de kalkoenen.

De papieren kalkoenen stonden opgesteld op de keukentafel, en keken me met hun griezelige rode oogjes aan. Ik ben nooit zo'n fan van vogels geweest. De oranje met bruine slingers die ik had opgehangen, lagen er opgevouwen bij. Ik draaide de kalkoenen om, want een stel achtersten van vogels vond ik een stuk minder erg dan die koppen.

Nadat ik een mok had gepakt, zette ik die op het plekje van de koffiepot en wachtte totdat hij vol was.

Verlangend keek Joe naar me op. Hij likte zijn bek af. Het drong tot me door dat hij geen echt maal had gehad sinds ik was teruggekomen van de Wal-Mart. Dus haalde ik een bagel onder de vershoudfolie vandaan en gaf hem die. Hij rende ermee naar de bank om zich eens fijn te goed te doen.

Na een poosje kwam Janie de keuken in, op kousenvoeten, met haar schoenen in de hand. Joe liet de bagel uit zijn bek vallen en rende op haar af. Ze hief een schoen alsof ze van plan was hem ermee te slaan, dus riep ik hem maar bij me. Hij ging aan mijn voeten zitten.

Ze had zich gewassen, zodat ze geen wasbeerogen meer had, maar een grijs waas rond haar ogen, zoals de meisjes op de cover van de *Cosmo*. Haar neus was nog rood, maar niet meer snotterig. Ze zag eruit als een meisje uit een sprookjesboek, een zielig weesje dat moest worden gered. Nog een scheur in haar rok en een vuiltje op haar wang, en het zou perfect zijn.

Ze zette haar schoenen op een stoel bij de keukentafel en ging zelf op een andere stoel zitten. 'Je deed op de bruiloft ook al zo raar,' zei ze.

'Nee, hoor,' zei ik. Het kwam als een schok dat het haar was opgevallen. Ik dacht dat ik heel goed voor opgewekt bruidsmeisje had gespeeld. Ik had mijn ziel en zaligheid in die rol gelegd.

'Het gaat al een tijdje niet zoals het was tussen ons.' Ze strekte haar vingers en bestudeerde haar keurig gelakte nagels.

Ze deed heel rustig, maar ik zag dat de tranen alweer in haar ogen sprongen. 'Waarom kun je niet gewoon blij voor me zijn?'

Jezus, dacht ik, het zit echt veel ingewikkelder in elkaar. Ik had mijn woorden met zorg moeten uitkiezen, maar in plaats daarvan flapte ik eruit: 'Misschien draait het niet altijd alleen om jou.'

Meteen biggelden de tranen over haar wangen. Ik had altijd gedacht dat, als een eekhoorntje kon huilen, het zou klinken als Janie.

'Dit is toch niet te geloven...' zei ze tussen de waterval aan tranen door. 'Ik dacht dat je mijn beste vriendin was.' Ze verborg haar gezicht in haar handen. 'Je hebt mijn feest verpest, en nu doe je boos tegen me.'

Ik vocht tegen de neiging mijn armen om haar heen te slaan, haar te troosten en terug te gaan naar af. Maar ik deed niet boos. Ik was juist heel rustig gebleven. En ik had er schoon genoeg van dat alles steeds zo werd opgeblazen.

'Weet je wat?' zei ik. Mijn stem trilde, maar ik bleef rustig, en dat verbaasde me. 'Ik dacht dat je míjn beste vriendin was.' Ik pakte haar schoenen van de stoel en zette ze op de grond. Vervolgens ging ik zitten, op de verkeerde plek, want de kalkoenen staarden me weer aan. Ik deed mijn best ze te negeren. 'Maar jij doet nooit alsof je mijn beste vriendin bent.'

'Hoe bedoel je? Je mocht mijn getuige zijn! Ik... Je bent mijn beste vriendin! Dat ben je altijd geweest.'

'Ik ben altijd je beste vriendin geweest.' Ik wilde haar niet aankijken, maar ik deed het toch. Ik keek recht in haar ogen en zei: 'Maar jij was nooit mijn beste vriendin.'

'Dat snap ik niet.' Ze schudde haar hoofd alsof ze iets moest ontwijken.

'Ben je ooit in een vertrek vol mensen geweest en heb je toen gedacht dat iedereen daar een eigen leven leidt? Ze leiden een eigen leven, en daar heb jij niets mee te maken. Ze hebben een baan, ze betalen de rekeningen, ze hebben een gezin en huisdieren.'

'Waar heb je het over?' Ze was zo afgeleid dat ze vergat te huilen.

'Zie je wel, je weet niet eens waarover ik het heb,' zei ik, en ik stak mijn wijsvinger naar haar uit. 'Je weet niet waarover ik het heb omdat je anderen niet belangrijk vindt. Maar anderen leiden ook een eigen leven, net als jij.'

'Maar Van, doe nou niet...'

'Ik vind mijn eigen leven belangrijk.' Ik keek haar strak aan. Aan de ene kant voelde ik me vreselijk dat ik dit deed, maar aan de andere kant voelde ik me toch al voortdurend vreselijk. 'Ik leid een eigen leven waar jij geen plek in hebt.'

'O, Van, meen je dat nou echt?' vroeg ze. Ze fronste haar wenkbrauwen, en de rimpel boven haar neus had niets aanbiddelijks. Ze leek opeens heel iemand anders. 'Wacht even, Van.' Ze sloeg met haar hand op de tafel.

Ik was gefascineerd.

'Dus toen je me overhaalde om jongens te vragen op het feest voor mijn zestiende verjaardag omdat dat "cool" zou zijn, en je daarna de hele avond met Leo Birnbaum ging zoenen, deed je dat omdat je mijn beste vriendin was,' zei ze.

'Janie, ik...' Ik voelde me rot, en ik wilde liever kwaad zijn. 'Herinner je je nog dat ik zestien werd, Janie? Weet je dát nog?'

'Ja,' antwoordde ze, en het klonk niet zo verontschuldigend als ik had gewild.

'We aten pizza in het koetshuis, en we keken naar *Sixteen Candles*. Ik was geen prinses. Ik had geen orkestje. Ik kon niet eens met mijn vader dansen.' Mijn stem klonk verstikt. Ik keek naar het plafond in de hoop dat mijn ogen de tranen weer zouden opnemen, maar dat werkte niet, dus moest ik mijn mouw gebruiken.

'Ik was bij je! Ik ben de hele nacht bij je gebleven! Weet je dat nog?' Ze keek me recht aan. Ze schrok niet terug voor deze ruzie.

'Maar je had niks anders te doen,' zei ik.

'O jawel!' zei ze. 'Er was een slaapfeestje bij Michelle Macmillan. Jij was niet uitgenodigd. Maar jij was jarig, en ik koos voor jou.' De frons werd minder diep. 'En het was hartstikke leuk, weet je nog? We droegen dezelfde pyjama, en we sliepen op de grond. We zeiden dat Michael Schoeffling sprekend op Matt Dillon leek. En mijn moeder en Nat waren heel dronken en zongen luidkeels "Scandal".'

Dat herinnerde ik me. Ik zag hen nog voor me, staand op de bank terwijl ze ons toezongen. Mijn moeder zong 'The Warrior' in Dianes hand alsof die een microfoon was, en Diane knoeide whisky op onze bank.

'Ik wilde een verjaarsfeest voor ons allebei. Er was een taart met onze namen erop, en ik had een kroontje voor je, en het orkestje speelde "Sixteen Candles". Maar niemand kon je vinden. Je was er niet. Je was er tussenuit geknepen met een jongen.' Ze keek weg. Ze draaide aan haar verlovingsring. 'En op de bruiloft ging je ook weg, geen idee waarheen. En vandaag liep je weg van mijn feest. Mijn moeder zei dat het weer met een kerel te maken had. En nu zeg je dat je altijd mijn vriendin was, maar ik niet de jouwe. Maar ik was er wel, Savannah. Jíj was er niet.' Het klonk niet jammerend. Ze stelde iets vast.

'Ik vond het moeilijk om er te zijn. Je had mijn moeder gestolen,' zei ik. Opeens besefte ik dat nu we alles eruit gooiden, we ook echt álles eruit moesten gooien. 'En je hebt Peter gestolen.'

'Hij is nog steeds een vriend van je, Van. Je kunt nog best die maffe etentjes met hem hebben. Hij is niet weg.'

Het moet van mijn gezicht te lezen zijn geweest, want ineens keek ze me onderzoekend aan en zei: 'O...'

Een hele poos bleef het stil. Ik keek naar Joe die op de vloer lag te slapen. In zijn droom zat hij weer achter konijntjes aan.

Janie speelde met een van de kalkoenen. Met haar nagels maakte ze scheurtjes in de papieren staartveren. De hele kalkoen bewoog, en de kop ging op en neer alsof het beest me iets wilde vertellen.

'Hou op,' zei ik, en ik duwde haar hand weg.

'Sorry,' zei ze. 'Ik wist niet dat je ze mooi wilde houden.'

'Dat wil ik helemaal niet. Maar dat beest beweegt.' Ik rilde.

'O ja, ik was vergeten dat je iets tegen vogels hebt,' zei ze met een lach. 'Gekkie.' Ze zette de kalkoenen een voor een op de grond, zodat ik ze niet meer hoefde te zien.

'De ene gek herkent de andere,' zei ik, ook met een lach. Die uitdrukking gebruikten we vroeger vaak.

'Hou je nog van hem?' vroeg ze nadat ze de laatste kalkoen op de grond had gezet. De lach was van haar gezicht verdwenen.

'Van Peter?'

Ze knikte, en in haar ooghoek zat alweer een traan.

'Weet je,' zei ik, 'volgens mij niet.' Het was een hele opluchting dat te kunnen zeggen, en te weten dat het waar was. Ook al was ik alleen, ik verlangde niet meer naar de echtgenoot van een ander. Ik wilde niet meer jagen op iemand die toch niet op die manier van me hield. Ik barstte in huilen uit. Ik voelde me schoon, alsof ik gif of oude gevoelens uit me had gewassen.

Janie stond op en sloeg haar armen om me heen. Toen ze haar hoofd op mijn schouder liet rusten, liep er een traan van haar in mijn hals.

'Komt het weer goed tussen ons?' vroeg ze.

Ik huilde een poosje met haar mee. Haar armen waren erg mager, maar ook sterk. Ze hield me stevig vast. Ik dacht aan al die keren dat ik Janie stevig had vastgehouden en had gezegd dat alles goed zou komen. En aan al die keren dat ze stiekem naar het koetshuis was gekomen wanneer Diane en Charles ruzie hadden. Mijn moeder en ik gingen dan ieder aan een kant van haar zitten en hielden haar stevig vast.

Het was fijn om ook eens stevig te worden vastgehouden, dus wachtte ik een poos met zeggen: 'Diane heeft me honderdvijfenzeventigduizend dollar gegeven om Peter en jou met rust te laten.' Ik wilde niet meer dat er geheimen tussen ons waren.

Ze verstarde en stond vervolgens op.

'Wat ben je toch een klotemeid.' Ze trok haar schoenen aan.

'Nee, Janie.'

'Ik dacht dat we ons als volwassenen konden gedragen,' zei ze.

'Wanneer heb jij je ooit volwassen gedragen?'

'Wat bedoel je daar nou weer mee?'

'Ik bedoel dat iedereen altijd voor je zorgt. Mijn moeder, jouw moeder, Peter, ik.' Ik wist dat het vals was. Ik wist dat ik te ver ging, maar ik kon niet ophouden. 'Het moet echt fijn zijn om je mammie en pappie te kunnen bellen wanneer er iets is. En om ze anderen te laten uitkopen wanneer die in de weg staan.'

Ze pakte een van de kalkoenen en gooide die naar me, en daarna liep ze de deur uit. Joe sprong op en wilde achter haar aan gaan, maar ze had de deur al dichtgesmeten.

Ik had verwoord hoe ik me voelde. Ik had de woede en wrok verwoord die ik al een hele tijd aan het opbouwen was, maar toen ik alles hardop tegen Janie had gezegd, voelde ik me een monster. Ik keek haar na terwijl ze over de inrit liep en iets in haar mobiel zei. Ik snapte niet hoe je zoveel om iemand kon geven en je toch zo gekwetst kon voelen. Het was alsof me iets was afgepakt, alsof ze zich had opgedrongen in het leven dat ik had kunnen hebben.

Inwendig was er ook die andere Van, wier moeder serveerster was geweest om haar eigen opleiding te kunnen betalen. Die Van was opgegroeid op een zolderetage in Mount Vernon, met rare oude verwarmingsradiatoren die een lucht verspreidden als van smeltend pastelkrijt. De vloeren kraakten en de kraan in de badkamer lekte, maar de huur was laag en ze waren gelukkig. Haar moeder studeerde af en werd tekenlerares, en in de zomervakanties trokken ze rond en leefden als vrije zigeuners. Ze gingen naar Maine en Nova Scotia, in de auto zongen ze mee met Boston, en onderweg gingen ze eten in rare tentjes langs de weg. Die Van ging naar de universiteit van Rochester en leerde daar Peter kennen. Peter leerde Janie nooit kennen, en na een eenvoudige bruiloft leefden Peter en Van nog lang en gelukkig.

Maar die Van had waarschijnlijk moeten ophouden met haar studie toen bij haar moeder kanker werd vastgesteld. En die Van kwam zowat om in de rekeningen van het ziekenhuis en het uitvaartcentrum. En misschien zou Peter toch niet zo'n rots in de branding zijn. Eigenlijk was Peter nogal een lul. En die Van zou Joe niet hebben gehad.

Ik hield op met Janie nakijken en ging naar bed. Joe kwam met me mee en nestelde zich tegen me aan. Ik verborg mijn gezicht in zijn vacht en huilde.

29

Peter belde niet aan. Waarschijnlijk had ik vergeten de deur op slot te doen nadat Janie het huis uit was gestormd, dus kon hij zo doorlopen. Joe gromde toen Peter de slaapkamer binnenkwam.

'Wat een grote hond,' zei Peter. Zijn stem trilde.

'Eigenlijk is hij nog maar een pup,' zei ik.

Langzaam liep Peter naar me toe, alsof hij zich voorbereidde op een snelle vlucht. Voorzichtig ging hij op de rand van mijn bed zitten. Joe ging naast mij zitten en keek hem strak aan.

'Ik wil niet dat je op mijn bed zit,' zei ik, terwijl ik een beetje overeind kwam.

Meteen stond Peter op. Hij keek om zich heen en hief zijn handen, alsof hij niet wist wat hij moest doen.

'Janie wacht in de auto.' Hij pakte een hoekje van de sprei en speelde met het gerafelde uiteinde. 'Diane heeft dat echt gedaan, hè?'

'Ja.'

'Dat probeerde ik Janie duidelijk te maken, maar ze... Nou ja, je weet hoe ze is. Ze wil niet zien wat ze niet wil zien.'

'Pas dan maar op, Peter. Maak er geen misbruik van.'

Hij ging weer op de rand van het bed zitten. Hij zag er verslagen uit. Ik zei niet dat hij van mijn bed af moest gaan.

'Weet ik,' zei hij, met zijn blik op zijn handen gericht.

'Nou, als je dat weet, heb je geen excuus.'

Hij zat daar alsof hij me een verhaaltje voor het slapengaan wilde voorlezen.

'Wie is die kerel?' Hij keek in mijn richting, maar hij keek me niet aan.

'Alex.'

'Wat is hij voor iemand?'

'Hij is Joe's dierenarts.'

'Dat verklaart die kleding,' merkte Pete spottend op. 'Diane zei dat hij eruitzag als een houthakker.'

'Pas een beetje op, hè?' zei ik op scherpe toon. 'Ik hoef maar te kikken of hij bijt je ballen eraf.' Ik gebaarde naar Joe. 'Het is maar dat je het weet.'

Hij sperde zijn ogen wijd open en keek me een tijdlang zwijgend aan. Ik deed mijn best iets te verzinnen om de stilte te verbreken, maar er kwam niets. Hij zag eruit alsof hij nooit meer iets zou zeggen. Joe vond het niet langer interessant en ging met een zucht weer liggen.

Uiteindelijk zei ik: 'Maar het is nou toch verpest.'

'Je krijgt hem wel terug.'

'Dat weet je niet. Ik heb tegen hem gelogen, over het feest. Ik had gezegd dat ik ziek was.'

'Waarom?'

'Omdat ik niet wilde dat hij hiervan op de hoogte was. Ik wil niet dat hij weet van jou, of van Dianes afkoopsom. Van de chaos. Ik wil een kans om opnieuw te beginnen. En ik dacht dat ik hem beter met een kluitje in het riet kon sturen, tot het feest voorbij was, jij en Janie aan jullie nieuwe leven waren begonnen en ik aan het mijne.'

'Vertel hem dat dan,' zei Peter. Hij zag er net zo ongemakkelijk uit als ik me voelde. 'Wat voor kerel zou jou nou laten gaan omdat je met een onschuldig smoesje bent gekomen?'

'Wat voor kerel zou me laten gaan omdat ik geen goede achtergrond heb en niet erfgenaam ben van een vermogen?'

'Van...'

'Nou, nu heb ik wel geld, dus sliepuit.' Ik lachte alsof ik een leuk geintje had verteld, maar we beseften allebei dat het geen grap was.

'Hoe lang dacht je dat je hem bij je zou houden, Van?'

'Waar doel je op?'

'Nou, bij jou duurt zoiets nooit langer dan een maand, hooguit twee. Dus waarom zou je er verdriet om hebben?' Hij trok zijn advocatengezicht.

'Het wordt vast veel makkelijker, nu ik niet meer verliefd op je ben.'

Weer keek hij me een hele poos aan. Ik sloeg mijn ogen neer. Hij legde zijn hand tegen mijn wang. Zijn hand voelde koud.

'Het spijt me,' zei hij.

Ik duwde zijn hand weg van mijn gezicht, maar toen bleef hij mijn hand vasthouden. Zijn ogen waren vochtig.

'Weet ik,' zei ik.

'Het spijt me dat ik niet...' Hij keek om zich heen, alsof hij daar het juiste woord kon vinden. 'Dat ik niet sterker ben.' Hij wreef over mijn hand.

Ik pakte zijn vingers, en we keken elkaar aan. De tranen biggelden over zijn wangen, en zijn ogen waren rood. Het leek wel alsof ik Peter voor het eerst zag. Voor mij was hij altijd de knappe kerel geweest die me op die eerste collegedag uit een beschamende situatie had gered. Hij was mijn redder in de nood geweest. Dat beeld was me bijgebleven, en daardoor had ik nooit ingezien dat hij een gewoon mens was, net zo onvolmaakt als ik, en als alle anderen. Hij was geen held. Hij was laf. Hij durfde niet voor zichzelf op te komen, of voor wat hij van het leven wilde. En daardoor kwetste hij de mensen om wie hij gaf. Opeens voelde ik me immens verdrietig vanwege de tijd die ik aan hem had verspild, vanwege Janie die hem eeuwige trouw had beloofd, en vanwege hemzelf. Het kon niet makkelijk zijn om te weten dat je tekortschoot, ten opzichte van jezelf, je echtgenote en je vriendin. Het speet me dat hij geen krachtiger karakter had, dat hij niet durfde op te komen voor zichzelf en voor Janie. Kon hij dat maar wel...

'Je echtgenote zit in de auto te wachten,' zei ik. Ik huilde nu ook.

Hij knikte, keek weg en liet mijn hand los. 'Dag, Van,' zei hij terwijl hij opstond.

'Dag.'

Hij wilde weglopen, maar draaide zich om. 'Van, zorg dat die dierenarts weet wat je voelt.'

'Als ik jou had verteld wat ik voelde, zou dat dan verschil hebben gemaakt?'

'Waarschijnlijk niet,' antwoordde hij, en hij draaide zich weer om.

'Je wist het toch wel.'

'Ja.' Zijn handen hingen slap langs zijn lichaam. 'Het spijt me.' Hij haalde diep adem. 'Dag, Van.'

'Pas goed op haar, Pete.'

'Ja...' Met slepende tred liep hij de kamer uit.

Joe wilde achter hem aan, maar ik riep hem terug. Hij ging weer naast me liggen en liet zijn kop op mijn borst rusten. Ik droogde mijn ogen met mijn mouw en keek naar Joe's ogen, die langzaam dichtvielen. En toen viel ik zelf ook in slaap.

30

Toen ik een uur later wakker werd, sliep Joe nog. Hij snurkte, met zijn kop net onder mijn kin. Zijn ogen zaten stijf dicht en er zaten rimpeltjes op zijn voorhoofd. Hij jankte zacht en blafte af en toe, heel hoog en ijl.

Ik lag te denken aan wat Peter had gezegd, dat ik Alex over mijn gevoelens moest vertellen. Ik vroeg me af of het verschil zou maken. Het mobieltje lag op mijn bed, bij mijn voeten, maar ik kon me niet bewegen. Ik keek ernaar. Ik deed mijn best het ding naar me toe te laten zweven zodat ik Alex kon bellen. Uiteraard kwam er geen beweging in. Ik trapte ernaar met mijn voet, en het mobieltje schoof weg.

'Zeg, Joey,' zei ik zacht.

Hij hield zijn kop stil, maar zijn oren bewogen.

'Zeg, Joey, pak jij de telefoon even voor me?'

Hij opende zijn ogen, duwde zijn neus tegen de mijne en gaf me een lik.

'Nou, dan moet ik me er maar bij neerleggen,' zei ik terwijl ik zijn vacht alle kanten op streek. Het klonk akelig. Ik geloofde niet in je neerleggen bij je lot. Ik geloofde in dóén, in dingen in orde maken, in dingen veranderen. Althans, daar geloofde ik vroeger in, toen mijn moeder nog achter me stond. Ik had nooit beseft hoeveel het helpt als iemand je vertelt dat je geweldig bent. Uiteraard besefte ik toen wel dat ze bevooroordeeld was, maar soms had ik haar echt geloofd.

Ik trapte weer naar het mobieltje, en deze keer gleed het mijn kant op. Ik kon erbij. Ik had bemoedigende woorden nodig. Ik had iemand nodig die achter me stond. Ik haalde het suikerzakje met Agnes' telefoonnummer uit mijn zak. Eigenlijk vond ik het gek dat ik met deze probleemoplosser wilde praten, maar zo was het nu eenmaal. Ze bleek niet helemaal te zijn zoals ik had gedacht.

Nadat de telefoon één keer was overgegaan, nam ze al op.

'Met Agnes Clarke.' Ze articuleerde heel duidelijk.

'Dag Agnes. Met Van.'

'Van, lieverd, voel je je al beter?' vroeg ze heel lief. Het was fijn iemand te spreken die bezorgd was.

'Je gelooft vast niet wat er is gebeurd.' Ik vertelde Agnes over Janie, die in mijn kast had gezeten, over Diane en het geld, over Janie op de inrit, en over Peter in mijn slaapkamer.

'Jeetje,' zei ze ademloos. 'Ze belasten je zwaar. Het is niet eerlijk.' Ze slaakte een zucht. 'Heb je je houthakker al gebeld?'

'Hij is dierenarts. Diane had tegen Peter gezegd dat hij houthakker was. Waarom denkt iedereen dat toch?'

'Nou...' merkte Agnes nadenkend op. 'Hij had een boom bij zich.'

'Klopt,' reageerde ik lachend.

'Bel hem maar.'

'Ik denk niet dat hij me zal willen spreken.'

'Bel hem, dame. En bel mij zodra je klaar bent.' Ze hing op voordat ik tegenwerpingen kon maken.

Ik staarde naar de toetsen op mijn mobieltje. Ik dacht eraan hem niet te bellen en de boel de boel te laten. Het was maar één nacht geweest. Een wandeling met Joe, een kaartspelletje, en koffie bij Louis. Ik had wel vaker kortstondig een vriend gehad. Het hoefde allemaal niets te betekenen. Ik kon een andere dierenarts nemen. Ik kon een ander huis kopen. Waarschijnlijk kon ik ook wel iemand anders krijgen als ik mijn best deed. Misschien kon ik verband gaan oprollen bij het Rode Kruis, of puree opscheppen in een gaarkeuken. Misschien kwam ik dan iemand tegen en zou mijn leven totaal veranderen.

Maar in al die jaren dat ik Peter kende, had ik nooit het gevoel gehad dat er iemand beter was dan hij. Bij Alex had ik dat gevoel wel, en dat was het waard mijn nek uit te steken, ook al durfde ik eigenlijk niet. Ik toetste met trillende vingers zijn nummer in. Terwijl ik wachtte totdat Alex zou opnemen, hoorde ik mijn hart bonzen. Toen de telefoon vier keer was overgegaan, had ik het niet meer. Ik wilde de verbinding net verbreken, toen ik zijn stem hoorde.

'Hoi.' Hij had op het scherm kunnen zien dat ik het was, en toch had hij opgenomen. Op de achtergrond hoorde ik hondengeblaf.

'Ben je op je werk?' Ik streelde Joe's snuit, en ik hoorde zelf dat ik erg gespannen klonk.

'Nee, thuis.'

'Nou, je hebt dus een boom.' Ik deed mijn best ontspannen te klinken, alsof er niets was gebeurd, maar ik hoorde zelf dat het geforceerd klonk.

'Ja,' zei hij. Ik wist dat hij er niet bij lachte.

'Heb je hulp nodig met versieren?'

'Morgen komt mijn vader.'

'O. Ik dacht dat ik misschien...'

'Hoor eens, Van...'

'Alex, het spijt me echt heel erg. Wat er gebeurde... Nou ja, het spijt me. Ik had je moeten vertellen wat er aan de hand was.' Ik hield op met Joe te aaien. Joe deed zijn ogen open en stootte mijn hand aan.

'Ik kan dit niet,' zei hij zacht.

'Het ging toch goed, laatst? Het was toch fijn?' Ik had een piepstem gekregen, en ik voelde me erg stom en zielig. Joe likte mijn hand totdat ik hem weer ging aaien.

Alex haalde diep adem. 'Het spijt me, maar ik... Ik kan dit niet. Ik heb het allemaal al eens eerder meegemaakt. Ik kan het niet nog eens.'

Ik wilde hem vertellen dat ik heel anders was, maar hield mijn mond. Ik hoorde mijn eigen ademhaling.

Hij zuchtte diep. 'Hoe is het met je hand? Heb je er verband om gedaan?'

Mijn hand was rood en deed pijn. 'Ik zorg er goed voor.'

'Fijn. Nu moet ik ophangen. Dag, Van.'

Hij hing op voordat ik iets had kunnen zeggen.

31

Toen Agnes wist dat ik een ander huis wilde kopen, wilde ze me geschikte mogelijkheden laten bekijken. 'Dat leidt meteen af van die houthakker.'

Die dinsdag bekeken we een hoop huizen bij haar in de buurt die allemaal veel te duur waren. De berbers op de grond en de chique gordijnen leken zo uit een blad over woninginrichting te komen, en deden me verlangen naar het huis van Louis, met die rare kleuren op de muur en het lelijke tapijt. Ik zou me niet thuis hebben gevoeld in deze huizen, die ik toch niet kon betalen. Ze waren niet ingewoond, het waren geen huizen waar een hond het fijn zou vinden.

'Zal ik nog een makelaar bellen?' vroeg Agnes toen we na het laatste huis op de lijst in haar auto stapten. 'Dan kunnen we morgen weer gaan bezichtigen.'

'Weet je, ik heb iets anders op het oog. Maar dat is nog niet helemaal zeker,' zei ik. Ik deed mijn best zakelijk te klinken, en ik hoopte dat Louis zijn huis nog aan me zou willen verkopen. Het was geen mooi huis, maar ik kon het me gemakkelijk veroorloven, en het voelde als een echt thuis. Maar dat laatste kwam misschien vooral door Louis en Alex, dat wist ik niet zeker.

'Nou, bel maar als je wilt dat ik ook kom kijken,' zei ze.

'Doe ik.'

'Hé, het lijkt wel of de Kerstman een beetje vroeg is gekomen,' zei ze toen we bij mijn inrit kwamen.

Naast de voordeur stond een als een paraplu ingepakte kerstboom tegen de pui geleund, naast twee grote dozen. Even dacht ik dat het een cadeau van Alex was, en mijn hart sprong op. Maar toen besefte ik wat het was. 'Dat heb ik allemaal bij L.L. Bean besteld,' zei ik.

'Jammer,' zei Agnes. 'Ik had gehoopt dat het van Alex kwam.'

'Dat zou fijn zijn geweest.'

Toen Agnes wegreed, toeterde ze drie keer. Joe stond met zijn neus tegen het raam gedrukt. Zodra ik de voordeur opende, stormde hij naar buiten en rende rondjes door de tuin. Voordat ik kon ingrijpen, deed hij een plas op het stuk van Gail en Mitch. Vervolgens sprong hij terug naar mij en deed alsof hij iets had gedaan waar hij trots op kon zijn. Hij rook aan de kerstboom. Hij dacht zeker dat die een erg grote tak was. Enthousiast deed hij zijn best hem in zijn bek te nemen, maar dat lukte niet. Ik tilde de boom bij het midden op en sleepte hem naar binnen.

Toen ik de boom in de kamer zette, vielen er naalden af. Ik ging de dozen halen. Vervolgens ging ik op de vloer zitten en pakte alles uit: de standaard, de glazen ballen, de zilverkleurige dennenappels, de witte lichtjes, de hoofdband met rendiergewei voor Joe, het Schotsgeruite shirt voor Alex en de rode wollen deken. Ik sloeg de deken om me heen en zette Joe het gewei op. Het shirt voor Alex legde ik in de garderobekast, zodat ik het niet hoefde te zien. Joe rende als een wilde rond en schudde met zijn kop, maar hij kreeg het gewei niet af.

Ik weerstond de verleiding aan de fles whisky van Agnes te beginnen, en zette theewater op. Daarna liep ik gauw naar de auto en haalde daar de kerst-cd van de Chipmunks uit die mijn moeder me ooit voor de grap had gegeven. Ik schoof hem in de cd-speler en zong luidkeels mee. Joe knauwde op zijn gewei terwijl ik de boom versierde.

Ik miste de versierselen van vroeger: de dennenappels met glitter erop gelijmd, de smurfjes die we met het touwtje aan de witte mutsjes aan de takken hingen. Waarschijnlijk zaten ze nog in de groene doos in de kruipruimte van het koetshuis.

Diane liet altijd iemand komen om de boom in het grote huis in stijl op te tuigen, met zilverkleurige strikken en porseleinen figuurtjes. Alles altijd qua kleur op elkaar afgestemd. Toch had ik onze boom mooier gevonden. Elk jaar hadden we er iets bij gemaakt. Dan zaten we aan de keukentafel met mokken warme chocolademelk, potten stijfsel en plakkaatverf. Ooit hadden we een heel lange slinger van krantenpapier gemaakt, en een andere keer hadden we in eenvoudige glazen ballen herinneringen aan het afgelopen jaar gestopt: bioscoopkaartjes, de laatste afbetaling voor mijn moeders auto, een kapot kettinkje, blauwe en groene steentjes uit het aquarium waarin de vissen waren doodgegaan, met piepkleine plastic visjes. We waren tot heel laat opgebleven en smikkelden van de zuurstokken. We hadden een enorme troep in de keuken gemaakt, en op tv waren kerstfilms geweest waar we nauwelijks naar hadden gekeken. Het koetshuis had naar dennen en kaneel geroken. Janie werd nooit uitgenodigd. Waarschijnlijk ging ze dan met haar ouders overal op bezoek. Dus waren mijn moeder en ik samen geweest. Gewoon wij met z'n tweetjes, ons gezinnetje.

Het laatste jaar had ze volgens mij verborgen gehouden dat

ze erg ziek was. We hadden origami-pinguïns gevouwen. Die waren niet moeilijk geweest. Er was geen rommel bij komen kijken. Na een uurtje knutselen had ze me een zoen op mijn wang gegeven en gezegd: 'Meisje, ik ga maar eens naar bed.' Het was pas halftien geweest. Eigenlijk had ik toen al iets kunnen vermoeden.

Zodra de versierselen van L.L. Bean in de boom hingen, ging ik aan de keukentafel zitten en vouwde twee pinguïns van krantenpapier. Die hing ik met floss in de boom, zodat ze naar elkaar keken. Het leek net alsof ze in gesprek waren.

32

De volgende dag ging ik naar Louis. Ik wist me de weg naar zijn huis niet goed te herinneren en reed een beetje rond op zoek naar de juiste buurt. De moed zakte me in de schoenen. Misschien was het een voorteken dat ik Louis' huis niet kon vinden, misschien was het geen goed idee. Maar net toen ik het wilde opgeven, drong het tot me door dat ik de goede straat te pakken had.

Toen ik Louis' huis eenmaal had gevonden, zette ik de auto op de inrit en liep naar de voordeur. Halverwege dacht ik erover rechtsomkeert te maken. Even bleef ik staan terwijl ik overwoog te vertrekken of te blijven. Voordat ik tot een besluit was gekomen, tikte Louis op het raam en zwaaide. Even later ging de voordeur open.

'Wat een fijne verrassing, Vannah!' zei hij, en zodra ik dichterbij was gekomen, pakte hij mijn arm. 'Kom binnen, kom toch binnen.'

'Ik stoor toch niet?' vroeg ik.

'Storen?' Hij schudde zijn hoofd. 'Welnee!' Hij deed de deur achter me dicht. 'Ga zitten, dan zet ik koffie.'

Ik nam plaats aan de keukentafel en verzamelde moed om hem naar het huis te vragen. Of om Alex ter sprake te brengen.

Louis schonk water in de percolator en vroeg: 'Hou je van *sfogliatelle?*'

'Dat weet ik niet,' antwoordde ik. 'Ik heb nooit...'

'Waarom zou je dit niet lekker vinden?' Hij zette een bord met bladerdeeggebakjes op tafel.

'Doe geen moeite...'

'Moeite?' Louis wuifde mijn woorden weg. 'Voor vrienden is dit geen moeite.'

'Ik was bang dat je misschien boos op me zou zijn,' zei ik. Ik keek naar de keukentafel vol krassen, kringen en butsen. Dit was een tafel met geschiedenis.

'Dat is iets tussen Alex en jou,' zei Louis. Hij gaf me een kop koffie en ging zelf ook zitten. 'Daar bemoei ik me niet mee. Wij zijn vrienden. Alex en jij moeten het maar uitzoeken.'

'Ik weet niet of er een oplossing is,' zei ik.

Met een glimlach schoof hij het bord mijn richting uit. 'Eet! Dat is de oplossing voor alles.'

Ook al was ik dat niet met hem eens, toch genoot ik van de sfogliatelle. Het bladerdeeg was luchtig, en de inhoud romig met een zweem van sinaasappel.

'Je kunt geweldig goed koken,' zei ik.

'Mijn moeder, God hebbe haar ziel, was een geweldige kok,' zei hij, en hij sloeg een kruisje. 'Ik doe mijn best. Mijn vader zei dat mannen niet in de keuken horen, maar mijn moeder, een echte heilige, zei dat een man zijn hart moet volgen. Ik bak graag, dus bak ik.'

Hij nam een hap van zijn sfogliatelle en keek me bedachtzaam aan. Nadat hij een slok koffie had genomen, zei hij: 'Die jongen is gekwetst. Diep gekwetst.' Hij sloeg zijn hand voor zijn mond. 'Ik zeg weer veel te veel. Ik ken mijn plaats niet.'

'Het was niet mijn bedoeling hem te kwetsen,' zei ik.

'Ik had het niet over jou. Ik had het over háár.' Hij slaakte een zucht. 'Daar ga ik weer. Ik ken mijn plaats niet.' Hij leunde op zijn elleboog. 'Vertel eens, Vannah, wat vind je van dit huis? Is het goed genoeg voor Joe en jou?'

'Ik zou het huis graag willen kopen,' antwoordde ik. 'Als het aanbod nog geldt.'

'Natuurlijk geldt dat nog!' Hij schoot in de lach.

Ik lachte met hem mee omdat zijn lach zo aanstekelijk was.

We gingen op de details in. Louis zei dat hij zijn meubels wilde opslaan en bij een vriend gaan logeren, zodat ik in het huis kon voordat ik nog meer problemen met de bewonersvereniging kreeg.

'Het is beter om in de zomer naar Florida te verhuizen,' zei hij. 'Met de trekvogels mee.'

'Is het dan niet lastig om nu je huis al uit te gaan?'

'Welnee! Dan heb ik meer tijd voor mijn vrienden voordat ik echt vertrek. Ik moet de tijd die me rest goed gebruiken. Misschien zijn sommigen van hen er niet meer wanneer ik de volgende keer op bezoek kom.'

Even zweeg hij. Pas na een poosje zei hij: 'Weet je, die jongen was getrouwd met Sarah.' Hij zei die naam alsof hij hem uitspuwde. 'Hij was een goede echtgenoot. Zij was geen goede echtgenote. Misschien heb ik geen recht van spreken omdat ik mijn echtgenotes niet altijd goed heb behandeld... Maar die jongen, die was een prins. Hij vertrouwde haar en daar maakte ze misbruik van.' Hij pakte nog een stukje sfogliatelle op, maar stak het niet in zijn mond. 'Op de dag dat ze hun handtekening onder de scheidingspapieren zetten, had ze al een ander.' Hij pakte mijn arm. 'Toen al. Arme Alex. Hij was nog in Tennessee. Ik ging per vliegtuig naar hem toe. We hebben samen gegeten. Ik zei: "Nu begint je nieuwe leven. Dat gaan we vieren." Maar toen zagen we haar, met een nare man in een duur pak en een veel te groot, glimmend horloge.' Louis schudde zijn hoofd. 'Je kon goed zien dat ze elkaar al langer kenden.' Hij zuchtte diep. 'Ze werkte vaak over. Alex vond zichzelf een grote stommeling.' Louis stak een vinger op. 'Ik zei dat het niet stom is om verliefd te worden. Maar ik zag hem veranderen. Hij kwam weer hier wonen. Hij werkte zich uit de naad, en zorgde goed voor de oude Louis. Hij heeft geen leven.' Louis staarde in zijn lege koffiekop. 'En toen leerde hij jou kennen, en meteen zag ik de Alex van vroeger weer. De prins.' Met een glimlach keek hij me aan. 'Laat hem niet in de steek.' Hij wreef over mijn hand.

Pas toen nam hij een hap. 'Bovendien heb ik háár nooit gemogen,' zei hij met volle mond. 'Maar jou mag ik graag.'

Hij stond op om nog eens koffie in te schenken. 'O jee,' zei hij hoofdschuddend. 'Ik heb weer veel te veel verteld. Ik praat te veel.'

Zodra ik thuiskwam, belde ik Alex. 'Ik wilde even hoi zeggen,' sprak ik op zijn voicemail in. Ik bleef op, liggend op de bank met Joe. Ik las een bibliotheekboek over het wezen van de hond, en hoopte dat de telefoon zou gaan.

Misschien is hij aan het opereren, dacht ik. Ik blijf tot negen uur lezen en dan ga ik iets anders doen. Misschien heeft hij late dienst. Ik lees nog één hoofdstuk.

Ik verzon allemaal smoesjes om nog langer op te blijven, veel later dan het tijdstip waarop een normaal mens nog zou kunnen terugbellen. Ik wilde de hoop niet opgeven. Pas om drie uur 's nachts, toen ik het boek uit had en hij nog steeds niet had gebeld, sjokte ik de trap op, poetste mijn tanden en stapte in bed, met de telefoon onder het kussen, voor alle zekerheid.

33

Op kerstavond nam Agnes me mee uit eten. We gingen naar een dure tent bij het Ontariomeer waar ik nog nooit van had gehoord. De wanden waren versierd met dennentakken en witte kerstlichtjes, en vanaf ons tafeltje hadden we uitzicht op het meer. Agnes bestelde krab en een fles pinot grigio voor ons allebei. Voordat de krab op tafel stond, dronk ik water en liet ik mijn wijnglas met rust.

Aanvankelijk wilde ik weigeren toen ze me uit eten vroeg. Ik vond het niet prettig op kerstavond met andermans tante uit eten te gaan. Ik had me erbij neergelegd dat ik met Kerstmis geen familiedingen deed, aangezien ik geen familie had. Ik zorgde ervoor dat ik onopgemerkt bleef en deed of ik het reuzedruk had, alleen maar opdat niemand zich gedwongen zag me ergens voor uit te nodigen. Maar blijkbaar wilde Agnes echt graag met me uit eten. Zodra ik met vage plannen op de proppen kwam, viel ze me in de rede en zei: 'Toe, Van, ik moet met Kerstmis toch al naar mijn opgeblazen sufkop van een broer en zijn brave vrouwtje met anorexia. Help me aan een smoesje om al niet op kerstavond naar hen toe te moeten.' Nadat we hadden afgesproken en opgehangen, drong het tot me door dat ze met het brave vrouwtje met anorexia en de opgeblazen sufkop Peters ouders bedoelde.

Sinds mijn moeder was gestorven, leken alle gesprekken die ik voerde erop uit te lopen dat ik iets verkeerds zei. Ik klonk onoprecht en ik kreeg een droge mond. Naderhand speelde ik zo'n gesprek dan inwendig af en hoorde zelf wat een stomme dingen ik had gezegd. Maar Agnes en ik zaten heel gezellig aan tafel te genieten van de krab, en het kon me helemaal niet schelen hoe ik eruitzag of dat ik de verkeerde dingen zei.

'Meisje, meisje toch,' zei Agnes terwijl ze leunend op een elleboog met het kleine vorkje zwaaide.

'En jij dan, dame?' reageerde ik, ook zwaaiend met mijn vorkje.

We moesten lachen, en de glazen op tafel rinkelden alsof ze met ons mee lachten.

'Willen uw moeder en u nog een dessert?' vroeg de ober toen hij mijn bord vol krabbenschaal weghaalde.

Agnes knipoogde naar me. 'Ik ben haar moeder niet,' zei ze. 'Ik ben haar jongste zusje.'

Verwonderd keek de ober van de een naar de ander, en we moesten onbedaarlijk giechelen.

'Ik was er bijna ingetrapt,' zei hij. Waarschijnlijk speelde hij het spelletje mee vanwege de fooi.

'We zijn vriendinnen,' zei Agnes, en ze legde haar hand op zijn arm. 'En ja, we willen graag een toetje.'

34

Eerste kerstdag brachten Joe en ik op de bank door. We keken naar Ralphie, de Griswolds, en naar Cary Grant in *The Bishop's Wife*.

'*It's A Wonderful Life* kan de pot op,' zei ik tegen Joe. 'Geef mij maar Cary Grant als ik moet kiezen tussen hem en James Stewart.'

Mijn moeder en ik hadden deze discussie elk jaar gevoerd, en geen van ons beidjes had ooit een strobreed toegegeven. Joe hield zijn kop schuin, maar hield zijn mening voor zich. Ik had spijt dat ik *It's a Wonderful Life* niet had gehuurd. Ik had met gesloten ogen willen luisteren, zodat ik kon doen alsof mijn moeder in een stoel naast me zat en tegen het einde tranen in haar ogen kreeg. Ze kende die film uit haar hoofd, elk woord ervan.

Nadat ik alle gehuurde films had bekeken, zapte ik de zenders af op zoek naar James Stewart, maar ik kon hem nergens vinden. Dus keek ik maar voor de zoveelste keer naar

A *Christmas Story*, onderbroken door reclame. Ook al had ik die film pas nog zonder reclame gezien. Joe lag uitgestrekt op de vloer. Ik liet me van de bank zakken en krulde me naast hem op. Hij schopte me een beetje voordat hij weer in slaap viel met zijn poot op mijn borst. Ik sloot mijn ogen en luisterde naar zijn gesnurk totdat ik zelf in slaap viel.

Toen ik wakker werd, drong het tot me door dat Diane me niet op de voicemail een gelukkig kerstfeest had gewenst. Dat had ze hiervoor altijd wel gedaan. Nou ja, ik zou toch niet hebben opgenomen als ze wel had gebeld. Ik zou met bonzend hart hebben gewacht totdat de telefoon geen geluid meer maakte, en dan de verdere avond inwendig ruzie met haar hebben gemaakt. Maar dat ze níét had gebeld, zorgde voor een heel andere onrust.

Ik pakte de hoorn van de haak en belde naar het koetshuis. Het was de eerste keer dat ik dat nummer intoetste sinds mijn moeder was overleden. Ik werd doorgeschakeld naar het antwoordapparaat. Ik hoorde de stem van mijn moeder. 'Met Natalie.' Er volgde een korte stilte. 'En met Van.' Dat was ik. Volgens mij was ik toen zestien. 'We kunnen nu niet aan de telefoon komen,' klonk de stem van mijn moeder. 'U weet wat u te doen staat.' Dat was mijn stem, en ik had mijn best gedaan heel officieel te klinken. In de korte pauze voor de piep hoorde ik ons giechelen. Ik hing op en belde meteen nog een keer, om dat bericht weer te horen. Ik belde een keer of zeven. Bij de laatste keer nam Diane op.

'Hallo?' zei ze.

Ik zei niets.

'Van?'

Ik hing op. Even later ging mijn telefoon, maar ik nam niet op en liet doorschakelen naar de voicemail.

Ik ging weer met Joe tv-kijken. Ik zapte net zolang totdat ik James Stewart had gevonden en krulde me toen op de bank op. Ik sloot mijn ogen en deed alsof ik met mijn moeder in het koetshuis was.

35

Vier dagen na Kerstmis belde Peter. Hij smeekte me om naar de kroeg te komen. Hij was aangeschoten, en toen ik zei dat ik geen zin had om nog uit te gaan, zei hij met dubbele tong: 'Nee, Van, nee, je móét komen!' Uiteindelijk gaf ik toe omdat dat makkelijker was dan mijn poot stijf houden.

Ik dacht erover een taxi naar het café te sturen zodat ik zelf niet hoefde te rijden, maar ik wist niet hoe het café heette. Dat had Peter er niet bij gezegd, hij had alleen verteld dat het de kroeg met het grote blauwe anker was.

Het was niet ver van mijn huis. Hoewel ik er elke dag langsreed, had ik nooit opgelet hoe de tent eigenlijk heette. Ik snapte ook niets van het anker, want het enige water in de buurt was een vijver vol algen.

Zodra ik aankwam, zag ik Peter op een barkruk bij het raam zitten. Hij leek niet erg op zijn plek. Hij hield een leeg glas tegen zijn borst gedrukt en keek verlangend naar een vol glas op de toog. Zijn haar stond alle kanten op, alsof het probeerde weg te lopen van zijn gezicht. Het groene licht van de Heineken-reclame in het raam gaf hem merkwaardige wallen onder zijn ogen en rimpels in zijn voorhoofd.

Ik bleef voor het raam staan en keek naar hem, maar hij zag me niet. Uiteindelijk tikte ik maar op het raam. Meteen kwam hij tot leven, alsof hij was opgedraaid en werd losgelaten. Hij zette het lege glas met een klap op de toog en gebaarde wild dat ik moest binnenkomen.

Toen ik de deur opendeed, lachte hij, waarbij hij zijn tanden liet zien en de lijntjes die zich rond zijn mondhoeken vormden. 'Ik ben zo vrij geweest voor jou alvast iets te bestellen,' zei hij. Het kwam eruit alsof hij het tijdens het wachten had gerepeteerd. En hij klonk nog erger aangeschoten dan door de telefoon. Hij pakte zijn jas van de kruk naast de zijne en schoof het volle glas naar me toe. De inhoud had de kleur van slappe thee, en er zat condens op het glas. Op de toog bleef een spoor water achter, alsof er een grote slak overheen was gekropen. Hij hing zijn jas aan een haakje onder de toog, en de jas viel er meteen af, maar dat merkte hij niet.

'Nee, dank je,' zei ik, en ik schoof het glas terug naar hem. Vervolgens raapte ik zijn jas op en hing die aan een kapstok aan de muur, naast een blauw uniformjasje vol vetvlekken. De tent was verlaten, afgezien van de barman en twee kerels die in een hoek aan het darten waren. Ik ging naast Peter zitten.

Hij pakte het glas en nam een slokje. 'Wilde je liever iets anders? Gin-tonic? Ze hebben hier geen echt goede whisky.' Hij dronk het glas voor de helft leeg en schudde zijn hoofd. Toen stond hij op en gebaarde naar de barman. 'Zeg, heb je daar goede gin?' Hij boog zich over de toog. 'Niet van dat bocht dat je daar hebt staan. Ik hou je in de gaten.'

Ik was ervan overtuigd dat Peter deze tent met een blauw oog zou verlaten als ik niet ingreep. Ik wilde hem meenemen naar buiten, maar toen merkte ik opeens dat de barman ge-amuseerd keek.

'Ik bedoel, ik verwacht niet dat je het beste van het beste hebt,' zei Peter hoofdschuddend. 'Maar iets beters dan dat bocht zou fijn zijn.'

De barman pakte een groene fles van het schap achter zich en liet die Peter zien alsof Peter een fles wijn in een chic restaurant moest keuren. 'Is deze naar wens?' Ik kreeg het gevoel dat ze dit toneelstukje al vaak hadden opgevoerd.

'Dat is in orde.' Peter sliste behoorlijk.

De barman schoot in de lach.

'Peter, ik wil geen gin-tonic,' zei ik.

'Wil je niks drinken?' Peter hief zijn handen. 'Maar je bent Van...' Hij pakte mijn arm en trok me naar zich toe, zo onverwacht dat ik bijna viel. 'Je bent Van! Kom op, drink iets.'

'Nee, dank je.' Ik trok zijn hand van mijn arm en liet die vallen.

'"Nee, dank je", zegt ze.' Samenzweerderig boog Peter zich naar de barman. '"Nee, dank je". Wat moet ik daar nou mee?'

'Geen idee, makker,' antwoordde de barman afwezig, en hij sloeg Peter op zijn rug.

'Zal ik eens een rondje geven? En voor mij een gin-tonic.' Peter klopte op zijn borstzakje en vervolgens op zijn kontzak. 'Waar is mijn portemonnee? Waar is mijn jas?'

'Ik heb zijn creditcard hier,' zei de barman tegen mij, en hij wees naar de kassa.

'Kun je hem er na dit rondje uit zetten?' vroeg ik.

Hij knikte en gaf Peter een glas met heel veel ijs erin.

'Hij is een beste kerel,' fluisterde Peter heel hard tegen mij. 'Ik heb gezegd dat hij zich beter moet kleden.'

Ik pakte hem bij de arm en trok hem mee naar het hoekje bij het raam.

'Hier.' Hij drukte me het glas in de hand. Het was al bijna leeg.

'Wat doe je hier? Wat wil je van me?' vroeg ik terwijl ik het glas op de bar zette.

'Wat ik hier doe?' Hij pakte het glas weer op en dronk het leeg. Een ijsblokje glibberde zijn mond in, en daarop ging hij zuigen. 'Waarom drink jij niks? Vertel me dat maar eens!' Hij beet het ijsblokje krakend in stukken, zoals Joe een koekje vermaalde.

'Ik ben de Bob.'

'Jij?' Hij gaf me een por. 'Ik draag je straks naar huis.'

'Daar ben je niet sterk genoeg voor,' reageerde ik terwijl ik zijn hand wegsloeg.

'Ik bedoelde bij wijze van spreken.' Hij hikte.

'Zelfs daar ben je niet sterk genoeg voor.'

'Doe niet zo vals.' Hij liet nog meer ijsblokjes in zijn mond glibberen. Een paar kleintjes gleden langs zijn mond. Vervolgens tuurde hij in het glas, alsof hij zich afvroeg waar alles was gebleven.

'Kom op, ik breng je naar huis,' zei ik.

'Nog niet,' zei hij, en hij vermaalde weer een ijsblokje.

Een poosje bleef hij met gefronst voorhoofd zitten, alsof hij ergens diep over nadacht. Toen keek hij op en zei: 'Je vraagt je zeker af waarom ik je vroeg te komen.' Hij maakte een weids gebaar, en daar leek hij duizelig van te worden. Ik maakte me al zorgen dat hij niet meer thuis zou kunnen komen. Hij hield zich zo stevig aan de rand van de bar vast dat zijn knokkels wit werden. 'Ik heb je gevraagd te komen opdat je ophoudt me lastig te vallen.'

'Hoe maak ik het je dan lastig?'

'Ik doe mijn best, Van, echt waar.' Hij zette zijn elleboog op de toog en wreef zo stevig over zijn voorhoofd dat hij er rode plekken van kreeg. 'En dan hoor ik de hele dag: Van dit, Van dat. Met Kerstmis: ik help Van een huis te kopen, we zijn laatst uit eten geweest en we hadden zo'n lol...'

'Agnes?'

'Ja, Agnes. Waar dacht je dan dat ik het over had?' Hij kneep zijn lippen even op elkaar. 'En je mag Agnes niet eens!'

'Wel waar.'

'Je noemde haar tante Ellende.'

'Dat is iets heel anders,' zei ik.

De barman legde Peters creditcard en de bon voor ons neer.

'Wat was er dan anders?' vroeg Peter.

'Ik was anders.' Ik gaf Peter de creditcard en pakte de bon op. Het was een rekening voor bijna zeventig dollar. Ik deed er fooi bij en zette zijn handtekening, nauwelijks leesbaar.

'Je valt me lastig.'

'Ik ben dol op Agnes. Ze is... We zijn vriendinnen.'

'Onzin, Van.' Hij pakte het glas. 'Totale onzin.' Hij goot de laatste druppel naar binnen en zette het glas met een klap neer. Het verbaasde me dat het niet brak.

'Kom op, ik breng je naar huis. Dan kunnen we er morgen rustig over praten.'

'Nee! Nee!'

'Janie maakt zich vast zorgen over waar je blijft.'

'Ze is zaterdag naar haar ouders gegaan. Ik zei dat ik moest werken. Dan hoefde ik Diane niet te zien.' Hij lachte alsof het een goede grap was.

'Aardig.'

'Diane is niet aardig.'

'Daar weet ik niets op te zeggen.' Ik haalde zijn jas van de haak, viste de sleutels uit de zak en stopte ze in de mijne. 'Kom.'

Hij stond op en hield zijn armen naar achteren alsof hij wilde dat ik hem in zijn jas hielp. Ik legde de jas om zijn schouders en gaf hem een klopje op zijn rug.

'Je kunt hier niet blijven. Ik rij wel.' Ik hield de sleuteltjes rinkelend voor zijn neus. 'Je kunt met mij meerijden of een taxi nemen.' Ik liep naar de uitgang, maar hij kwam niet achter me aan. 'Of je kunt gaan lopen.'

Hij worstelde met zijn jas, en trok de mouw van zijn shirt goed. Tegen de tijd dat ik mijn auto had bereikt, kwam hij aangerend.

Ik nam Peter mee naar mijn huis. Dat vond ik niet prettig, maar ik wilde hem in die toestand ook niet alleen laten.

'Heb je een kerstboom?' vroeg hij zodra hij binnen was. Hij struikelde over het tapijt en landde op zijn handen en knieën.

Joe sliep boven, maar van de bons werd hij wakker. Even later kwam hij blaffend de trap af gestormd. De laatste treden sprong hij, en toen duwde hij Peter omver.

Even was ik bang dat Joe Peter aanviel, maar toen zette hij zijn poten op Peters schouders en likte enthousiast zijn gezicht.

Peter schudde proestend met zijn hoofd en deed zijn best Joe van zich af te krijgen, maar dat maakte Joe nog enthousiaster. Met gesloten ogen en mond bracht Peter piepende geluidjes voort. Ik dacht dat hij misschien in paniek was geraakt, maar toen opende hij zijn mond en lachte luidkeels. Hijgend ging hij met zijn handen door Joe's vacht, en Joe sprong van hem af en haalde een speeltje onder de salontafel vandaan, een groene rubberen ring. Peter pakte de ring, Joe trok eraan en sleepte Peter op zijn buik door de kamer.

Zo had ik Peter nog nooit meegemaakt. Zijn shirt kroop op tot onder zijn oksels, hij kreeg rode plekken op zijn huid van het over het tapijt worden gesleurd, en dat kon hem allemaal niets schelen. Hij lachte totdat de tranen in zijn ogen sprongen, en die biggelden vervolgens over zijn nat gelikte gezicht. Ik moest er ook om lachen.

Ik haalde een deken uit de kast en legde die voor hem op de

bank. Hij was zo druk met Joe aan het spelen dat hij niet eens merkte dat ik naar boven liep om te gaan slapen. Ik liet de lichtjes in de kerstboom aan, omdat Peter zo opgewonden was dat ik een boom had. Boven aan de trap bleef ik nog even staan kijken naar de spelende man en hond. Ik moest toegeven dat het fijn was dat er iemand in huis was.

36

Toen ik de volgende morgen opstond om Joe uit te laten, lag Peter ruggelings op de bank met één voet op de grond. Hij was in zijn hemd en had zijn shirt opgepropt onder zijn hoofd gelegd. De jas had hij over zich heen getrokken, en hij hield de deken stijf vast, als een teddybeer. Hij ademde door zijn mond, en dat klonk als een soort proestend snurken.

Ik liet Joe naar buiten om zijn behoefte te doen. Toen ik terugkwam, sliep Peter nog. Ik ging koffiezetten en gaf Joe zijn eten. Ik deed erg mijn best dat allemaal heel stilletjes te doen, en daarom maakte ik veel meer lawaai dan gebruikelijk. *Kling, klang, boink*. Maar Peter sliep overal doorheen.

Ik schonk twee mokken vol koffie, en voor Pete zette ik melk klaar. Joe rende de woonkamer in, en even later hoorde ik Peter uitroepen: 'Christus!' Meteen kwam Joe kwispelend teruggerend.

Toen ik de koffie naar de woonkamer bracht, zat Peter op de bank zijn gezicht af te vegen. Op zijn voorhoofd kleefde een rijstkorrel van Joe's ontbijt.

'Goedemorgen, slaapkop,' zei ik terwijl ik hem zijn mok gaf. 'Moet ik een paar deksels tegen elkaar slaan?'

'Heb je paracetamol?'

Ik ging naar de badkamer, pakte de paracetamol en gaf die aan Peter.

Hij kneep zijn ogen tot spleetjes. 'Verdomme, Van.'

'Verdomme, Pete. Waarom laat je je zo vollopen? Dat is niks voor jou.'

'Nee, het is iets voor jou.'

'Hou je kop.' Ik ging naast hem zitten en duwde tegen zijn schouder.

Een hele poos keek hij me onderzoekend aan. Uiteindelijk zei hij: 'Toen ik na het feest wegging, dacht ik dat ik gewoon kon weglopen. Dat ik zonder jou best verder kon. Maar dat is niet zo. Er gebeuren allemaal dingetjes en dan denk ik: goh, dat moet ik Van vertellen! En de hele verdere dag voel ik me dan rot omdat ik ze je niet kan vertellen. Alles doet me aan je denken. Ik weet niet hoe het moet zonder jou.' Hij verborg zijn gezicht in zijn handen en maakte een raar geluidje, een soort malle geeuw. 'Ik wilde naar je toe en met je praten over al die onzin van Agnes, maar ik wist niet wat ik moest zeggen. Toen dacht ik dat ik misschien eerst even iets kon gaan drinken en daarna naar je toe gaan, maar hoe meer ik dronk, des te minder ik het snapte. Ik snapte nergens meer iets van.' Hij keek me recht in de ogen, en ik kon aan hem zien dat hij me iets duidelijk wilde maken, maar dat hij niet alles kon zeggen, dat hij voorzichtig moest zijn. 'Waarom kan het niet zijn zoals vroeger? Weet je nog? We deden altijd alles samen. Het was allemaal...' Hij haalde zijn handen door zijn haar en haalde adem alsof het pijn deed. 'Het was allemaal zo gemakkelijk.'

'Ik vond het helemaal niet gemakkelijk,' zei ik terwijl ik over zijn schouder wreef.

'Bij jou voelde ik me op mijn gemak. Dat heb ik met niemand meer.'

'Dat komt omdat je zo'n gekkie bent,' zei ik met een lach. 'Je draagt bootschoenen en luistert naar de verkeerde muziek.'

'Kom op, Van,' zei hij. 'Ik probeer een echt gesprek met je te hebben.'

'Zie je, dat is het 'm nu net. Het was niet echt. We hadden geen echte gesprekken. We draaiden om dingen heen. We vermeden wat ongemakkelijk was.' Ik trok mijn benen hoog op en sloeg mijn armen om mijn knieën. 'Volgens mij heb ik nooit alleen vriendschappelijke gevoelens voor je gekoesterd. En jij wist dat, maar we hadden het er nooit over.'

Hij liet zijn hoofd tegen de rugleuning van de bank rusten en sloot zijn ogen.

'Misschien ben ik wel niet wat je wilt dat ik ben,' ging ik verder. 'En dat spijt me dan. Misschien was het niet eerlijk van jou dat je mijn gevoelens kende en er nooit over sprak, en misschien was het niet eerlijk van mij die gevoelens te hebben en net te doen alsof ik gewoon goede maatjes met je was.'

'Dus we zaten allebei fout,' merkte Peter op.

'Eigenlijk wel,' reageerde ik met een lach. Heel even deden we gewoon. We bleven een poosje zitten. Ik wilde niets zeggen, ik wilde alleen naast hem zitten, want op dat moment was hij even mijn oude vriend Peter. Ik zag hem ademen door zijn mond, ik zag zijn borst onder het witte hemd rijzen en dalen.

Toen draaide hij zijn gezicht naar me toe en deed zijn ogen open. Zijn wimpers waren vochtig. 'En nu? Zien we elkaar nu nooit meer?'

'Misschien moeten we even een pauze inlassen. Jij moet voor een goed begin van je huwelijk zorgen. Dat kost tijd en energie.'

'Weet je,' zei hij snuffend, 'jij bent altijd mijn beste vriendin geweest, ondanks alles.' Hij droogde zijn tranen met de rug van zijn hand, en die hand veegde hij af aan zijn hemd.

'Je moet nu Janies beste vriend zijn,' zei ik. Mijn keel voelde dichtgesnoerd. 'En zij moet jouw beste vriendin zijn. Ik weet niet wat mijn plaats in dit alles is, maar Peter, zo moet het nu eenmaal. Dat is het beste.'

Ik verborg mijn gezicht in mijn handen. Peter trok me tegen zich aan. Ik sloeg mijn armen om zijn hals en maakte met mijn tranen zijn hemd nat.

'Ik vond het toch fijner toen ik nog net kon doen of alles gemakkelijk ging,' zei hij met zijn kin boven op mijn hoofd.

'De goede oude tijd.' Ik kwam overeind en droogde mijn tranen.

'Kijk ons nou eens, net twee meiden,' zei hij, en hij gaf me een por.

'Kijk naar je eigen.' Ik duwde hem weg en haalde mijn neus op. 'Het komt goed, Pete. We hebben alleen even tijd nodig om uit te vogelen hoe het verder moet.'

'Beloof je dat we elkaar blijven zien?' zei Peter.

'Dat beloof ik,' zei ik. 'We moeten erachter zien te komen hoe we vrienden kunnen blijven.'

'Zweer je dat?' vroeg hij. Hij stak zijn pink op.

Ik haakte mijn pink in de zijne. 'Ik zweer het,' zei ik.

37

Ik installeerde Peter op de bank met een mok koffie en een kommetje ontbijtgranen.

'Geef Joe niets,' zei ik. 'Ook al kijkt hij je nog zo smekend en lief aan. Hij heeft al gegeten.' Ik voelde me verlegen bij Peter, alsof we elkaar niet kenden en elkaar op een andere manier moesten leren kennen.

Hij legde zijn voeten op de salontafel en zette het kommetje op zijn knieën. Door een gat in zijn zwarte sok stak een teen.

Sommige dingen kun jij thuis niet doen, dacht ik. Janie zou gek worden van iemand die in de woonkamer met zijn voeten op tafel ontbijtgranen zat te eten. Ik ging naar boven om te douchen, maar nog voordat ik op de overloop was, hoorde ik Joe al krakend van het ontbijt eten.

'Ik hoor het wel!' riep ik naar beneden.

'Hij vindt het lekker!'

'Hij mag niet meer hebben.'

Ik griste wat kleren bij elkaar zodat ik me in de badkamer kon aankleden. Ik wilde niet met een handdoek om me heen op de gang worden gezien. Het was raar om te douchen terwijl er iemand in huis was. Ik zong maar niet te hard of te lang. Ik kromp in elkaar toen ik shampoo uit de fles kneep en het geluid van een windje klonk. Ik vergat de ventilator aan te zetten, en toen ik onder de douche vandaan kwam, hing de badkamer vol stoom. Ik veegde de condens van de spiegel en deed mijn best me op te maken voordat de spiegel weer besloeg. Zodra ik klaar was, veegde ik de spiegel nog eens af. Ik zag er zweterig uit, en mijn mascara liep gevaar uit te lopen.

Mijn spijkerbroek plakte aan mijn benen, en het duurde eeuwen voordat ik die over mijn kont had. De bandjes van mijn beha raakten in de knoop. Meestal douchte ik met de badkamerdeur open en liep ik bloot rond totdat ik was opgedroogd. Alleen Joe kon me zien, en hij droeg immers ook geen kleren.

Peter klopte op de deur.

'Ik kom zo!' riep ik terwijl ik mijn shirt over mijn vochtige buik probeerde te krijgen.

'Van? Er is iets met Joe. Hij...'

Ik rukte de deur open.

Daar stond Peter in zijn hemd. Joe was niet bij hem. Er zat een beetje bloed op zijn hemd.

'Wat heb je met hem gedaan?' vroeg ik zonder erbij na te denken. Het was hoogstonwaarschijnlijk dat Peter Joe had gebeten.

Ik wrong me langs hem heen en rende de trap af. Water druppelde uit mijn haar op mijn shirt. Mijn blote voeten maakten lawaai op de treden.

'Joe! Joey!' riep ik uit.

Joe lag hijgend op de grond. Er droop bloed uit zijn bek. Ik knielde naast hem neer en liet mijn hand over zijn flank gaan. Hij trilde.

'Ik weet niet wat er ineens was,' zei Peter. Hij zag doodsbleek en trilde ook. 'We speelden met die ring, niks aan de hand. Ineens trok hij niet meer. En hij keek me raar aan. Alsof hij alleen maar staarde. En toen rolden zijn ogen weg en viel hij om. Hij bleef trillend liggen. Volgens mij heeft hij op zijn tong gebeten en komt daar het bloed vandaan. Denk ik.'

Met gefronst voorhoofd haalde hij een hand door zijn haar. 'Ik wist niet wat ik moest doen, dus hield ik hem maar een beetje vast.' Hij stak zijn handen in zijn zakken en wiegde heen en weer. 'Ik hoop dat ik het er niet erger op heb gemaakt.'

'Hij moet naar de dierenarts,' zei ik. Ik stond versteld dat ik zo rustig bleef. Het leek of alles in slow motion gebeurde, alsof het allemaal niet echt was. Het kon niet waar zijn. Joe was mijn held. Hij was een hond die over brandende hooibalen zou springen om me te redden wanneer ik in de put was gevallen. Dit kon niet waar zijn.

'Die kerel van laatst,' zei Peter.

'Ja, ik weet zo gauw geen andere.'

Joe maakte een kuchend geluidje en likte zijn tanden.

'Ga je mee?' vroeg ik. Ik besefte dat het me bij Alex geen punten zou opleveren als ik Peter meenam. Maar ik wilde liever niet alleen gaan. Ik was bang dat ik dit niet alleen zou kunnen.

'Natuurlijk,' antwoordde Peter alsof het vanzelfsprekend was.

Peter bleef bij Joe terwijl ik me klaarmaakte. Hij hield zijn hoofd vlak bij Joe's kop en streelde hem achter zijn oren.

Ik trok mijn schoenen aan, maar nam niet de moeite de veters te strikken. Ik kon de autosleutels niet vinden. Daarom ruimen anderen alles netjes op, dacht ik. Als er plotseling iets gebeurt en je moet gauw weg, dan weet je waar de sleuteltjes liggen. Ik voelde de paniek weer opkomen. Mijn keel voelde dichtgesnoerd. Ik haalde diep adem en sloeg mijn handen voor mijn gezicht. Ik kon me de luxe van instorten nu niet veroorloven.

Uiteindelijk vond ik de sleuteltjes op de grond in mijn slaapkamer. Ze waren zeker uit de zak van mijn spijkerbroek gevallen terwijl ik me uitkleedde.

Peter en ik probeerden Joe te laten zitten, maar zijn poten werkten niet mee. En steeds maakte hij dat droge, kuchende geluid. Ik wilde niet denken aan wat de oorzaak zou kunnen zijn. Peter tilde Joe op en droeg hem naar de auto, en ik rende voor hem uit om het portier te openen. Heel voorzichtig legde Peter Joe op de achterbank, goed oplettend dat Joe's kop niet tegen iets aan stootte.

Peter reed. Ik zat achterin, met Joe's kop op mijn schoot. Joe ging zitten toen we de garage uit reden, maar plofte toen weer neer. Zijn grote bruine ogen stonden glazig, een beetje zoals wanneer hij net wakker was na een dutje. Meestal duurde dat niet lang, maar deze keer ging het niet weg. Hij was versuft. Toen we bij een rood stoplicht naast een motorrijder bleven stilstaan, gromde hij niet eens.

Peter parkeerde vlak voor de kliniek. We hielpen Joe de auto uit, daarna droeg Peter hem weer.

'O, Joey!' kirde Mindy zodra we binnenkwamen. 'Wat is er gebeurd?' Ze rende om de balie heen naar Joe.

'Hij ging opeens trillen,' zei Peter. Ook al was Joe zwaar, toch legde hij hem niet neer. 'Zijn ogen rolden weg. Het was verschrikkelijk.' Ik was heel blij dat hij er was en dat hij het kon vertellen, dat ik er niet alleen voor stond.

'Arme jongen,' zei Mindy terwijl ze Joe's kop streelde. Gauw bracht ze ons naar een onderzoekkamertje.

Peter legde Joe op de onderzoektafel, en ik zakte door mijn knieën om op ooghoogte met Joe te zijn. Hij zette zijn oren overeind, gaf me een lik en jankte eventjes.

'Alex is bijna klaar met een andere patiënt,' zei Mindy. 'Hij komt over een paar minuutjes. Ik zal hem zeggen dat er een spoedgeval is.'

'Dank je,' zei ik. Mijn hart sloeg over toen ze het over Alex had, maar ik maakte me er geen zorgen over wat hij hiervan zou denken. Het enige wat ik wilde, was dat hij mijn hond beter maakte.

Zachtjes schoof Mindy de deur dicht. Peter kwam bij me staan en stak zijn handen uit, alsof hij bang was dat Joe van de tafel zou vallen.

'Ik ben blij dat je mee bent gegaan,' zei ik met trillende stem.

Hij legde zijn hand op mijn schouder. 'Dat spreekt toch vanzelf? We zijn immers vrienden,' zei hij.

De deur schoof open, en Alex stapte naar binnen. Gauw haalde Peter zijn hand van mijn schouder.

Met opeengeklemde kaken las Alex wat er op Joe's status stond. 'Wat is er gebeurd?' vroeg hij kortaf. Hij leunde tegen het aanrecht. Het liefst was ik naar hem toe gelopen, had ik mijn armen om hem heen geslagen en huilend verteld wat er aan de hand was, om hem daarna te smeken Joe beter te maken. Maar hij deed of ik een totale onbekende voor hem was.

'Hij was aan het spelen,' vertelde ik. 'En ineens ging hij trillen.' Ik dacht aan Alex die in bed mijn hand had vastgehouden. Wat was het opeens anders geworden... Ik durfde Alex niet eens meer aan te kijken, daarom hield ik mijn blik maar op Joe gevestigd. Op Joe's bruine ogen. Op Joe's zwarte neus. Op Joe's oren met de pluimpjes. Het moest helemaal goed komen met Joe, dat móést!

'Kun je een beetje duidelijker zijn?' vroeg Alex terwijl hij iets in Joe's dossier schreef. Ik vroeg me af of hij echt iets opschreef, of dat hij net zoals ik alles aangreep om me maar niet te hoeven aankijken.

'Ik weet het niet... Ik was er niet bij,' zei ik.

'Ik was erbij,' zei Peter. Alex en hij keken elkaar even aan, totdat Peter zijn hand uitstak en zich voorstelde. 'Peter Clarke.'

Alex trok zijn wenkbrauwen een beetje op. Hij maakte een brommend geluidje, schudde Peter de hand en keek toen weer in Joe's dossier. 'Kun jij me dan vertellen wat er precies is gebeurd?'

Peter legde alles grondig uit, alsof hij voor de rechter stond, en hij gebruikte dure woorden. Hij gaf zelfs toe dat hij Joe een beetje van de ontbijtgranen had gevoerd.

Ondertussen hield ik Joe's poot vast en streek de pluimpjes tussen zijn nagels glad.

Alex voelde aan Joe's flank en zijn buik. Zachtjes legde ik Joe's poot terug op tafel om Alex de ruimte te geven. Alex haalde een zaklampje uit zijn borstzak en scheen daarmee in Joe's ogen en oren. Joe verzette zich niet toen Alex zijn bek open wrong.

'Hij kucht en likt zijn bek af,' zei ik.

Peter ging in de stoel in de hoek zitten. Elke keer dat ik naar hem keek, glimlachte hij geruststellend.

'Hij heeft op zijn tong gebeten,' zei Alex, en hij wees in Joe's bek. 'Waarschijnlijk loopt er bloed en speeksel in zijn keel.' Hij ging terug naar het aanrecht en noteerde iets in Joe's dossier.

'Het klinkt alsof hij een toeval heeft gehad,' zei Alex, leunend tegen het aanrecht. Hij keek eerst naar mij en vervolgens naar Peter. 'Ik zou hem graag even hier houden om een paar onderzoekjes te doen. Soms hebben honden last van toevallen. En soms is daar een onderliggende oorzaak voor, dus wil ik graag onderzoeken of we die oorzaak kunnen uitsluiten. Als er echt iets met hem is, zou ik dat niet graag over het hoofd zien.' Hij klonk iets vriendelijker. 'Voor de zekerheid wil ik hem graag opnemen,' ging hij verder. 'Is dat goed?'

'Natuurlijk,' antwoordde ik.

'Ik zal Mindy vragen hem mee naar achteren te nemen en

klaar te maken voor de tests. Zodra er veranderingen zijn, bellen we,' zei Alex.

Als er veranderingen zijn, dacht ik. Dus als hij doodgaat, of een hersentumor blijkt te hebben. Alex moest de paniek in mijn ogen hebben gezien, want hij keek me aan en zei: 'We zullen goed voor hem zorgen, Van. Beloofd.' Hij pakte Joe's dossier en liep het kamertje uit.

Ik omvatte Joe's kop en drukte mijn voorhoofd tegen het zijne. 'Het komt allemaal goed,' fluisterde ik. 'Je móét gewoon beter worden, Joe.'

Mindy kwam binnen, en samen met Peter tilde ze Joe van de tafel. Joe stond al steviger, zijn poten waren minder wiebelig. 'Kun je met me mee lopen, Joey?' vroeg ze.

'Ik draag hem wel,' zei Peter. Hij tilde Joe op, moeizaam omdat Joe zo zwaar was.

Ik gaf Joe een zoen op zijn snuit. 'Dag, jongen,' zei ik. Ik kon alleen maar hopen dat dit niet de laatste keer was dat ik hem zag.

Achter Mindy aan liep Peter weg. Ik ging vast naar de auto, stapte in en barstte in tranen uit. Even later stapte Peter in. Hij sloeg zijn armen om me heen. 'Het komt vast goed,' zei hij.

'Maar wat als het niet goed komt?' vroeg ik. 'Ik ben bezig een huis te kopen, speciaal voor hem. Mijn dag draait om wanneer hij moet eten en worden uitgelaten. Hij is altijd blij me te zien. Hij is er altijd wanneer ik hem nodig heb. Hij is de familie die ik niet heb. Wat moet ik zonder hem?'

'Het komt vast allemaal in orde.' Hij streek het haar uit mijn gezicht en veegde mijn tranen weg. 'Kop op, maat,' zei hij, en hij klonk net als zijn vader.

Peter zette me thuis af, en ging toen naar Wegmans en de videotheek. Het was stil in huis. Voordat Joe er was, was ik ook alleen geweest en daar was ik toen aan gewend. Maar nu was het erger. Ik schonk water voor mezelf in, en draaide me om in de verwachting Joe achter me te zien zitten. Ik liep de woonkamer in en zette de tv aan, maar hij was er niet om naast me op de bank te springen. Dus ook al vond ik het onwennig om rond te hangen met Peter, toch was ik blij toen hij terugkwam met chocoladeroomijs en een hele stapel films met Jackie Chan.

'Jackie Chan?' vroeg ik.

'Jackie Chan is de meester van de kungfu-film,' deelde Peter me ernstig mee. 'Vertrouw me nou maar, dit is de beste afleiding.'

Dus gingen we op de bank zitten en keken naar Jackie Chan die allerlei boeven verrot schopte. We deden ook nog een kaartspelletje en sloegen stoere taal uit, en inderdaad leidde dat me af.

Na twee films klonk het muziekje van *Mission Impossible*. Peters mobieltje. 'Dag schat,' zei hij, en hij liep naar de garage om rustig te kunnen spreken.

Ik zette de film op pauze. Ook al wist ik dat ik niet mocht afluisteren, toch deed ik mijn best op te vangen wat Peter zei. Ik kon niet blijven zitten en me afvragen of hij het over mij had, met de kaarten in mijn hand en Jackie Chan die schoppend in beeld hing. Dus haalde ik de film maar van de pauzestand en schudde de kaarten voor een nieuw potje. Na een klein kwartiertje kwam hij terug.

'O, dit is een geweldig stuk!' zei hij, en hij wees naar het beeldscherm. 'Ik zei het toch? Meesterlijk!'

Ik wilde dolgraag weten of hij Janie had verteld dat hij bij mij was, maar hij zei niets over het telefoontje, dus vroeg ik er niet naar. Ik deelde alleen maar de kaarten.

Volgens mij kon Peter aan mijn gezicht zien wanneer ik aan Joe dacht, en probeerde hij me dan af te leiden met een melig grapje of nog meer eten. We aten het ijs op, we bestelden pizza, we bestelden kipnuggets, en we bleven tot laat op. Het was allemaal niet zo onwennig als ik had gevreesd. We kenden elkaar immers al jaren. Alleen was het deze keer makkelijker omdat ik niet naar hem verlangde. Ik maakte me geen zorgen over mijn uiterlijk of dat ik iets stoms had gezegd. Hij was gewoon mijn goede vriend Pete, en hij was nogal een sukkel, maar wanneer ik hem nodig had, was hij er voor me.

38

Ik werd wakker van de telefoon. Ik lag op de bank, onder een deken. Ik kon me niet herinneren dat ik op de bank in slaap was gevallen. Peter moest de deken van mijn bed hebben gehaald. Zelf sliep hij naast me op de grond, gewikkeld in het dekentje waaronder hij de nacht daarvoor ook al had geslapen. Ik klom over hem heen om op te nemen.

'Savannah?' Het was Mindy, ik herkende haar stem.

'Hoe is het met hem?'

'Veel beter. Nog een beetje groggy, maar o, wat is hij een lieverd! Hij zoent iedereen die in de buurt komt,' zei Mindy. 'Als het je schikt, kun je hem vanmorgen om tien uur komen ophalen.'

'Is de uitslag er al?'

'Sorry, dat moet Alex met je bespreken.'

Ik zei dat ik er om tien uur zou zijn.

Peter was rechtop gaan zitten en wreef in zijn ogen. 'Gaat het goed met hem?' vroeg hij.

'Ik weet het niet. Het gaat beter, maar ik weet nog niet wat de uitslag is.'

'Kunnen we hem vandaag ophalen?'

'Om tien uur. Maar je hoeft niet mee, hoor. Je hebt je werk, en Janie, en ik zou niet willen...' Er welde paniek in me op bij de gedachte helemaal alleen in dat kamertje op Alex te moeten wachten, maar ik wilde ook geen misbruik van Peter maken.

'Van, we zouden toch vrienden zijn? Een echte vriend zou meegaan. Ik heb tot maandag vrij, en Janie is bij Diane totdat Diane haar laat gaan. Dus ga ik met je mee om Joe te halen.'

Het ging de goede kant op met hem. Hij zette alles opzij en was de persoon die ik nodig had. Ik was trots op hem. En als hij zo voor mij kon zijn, kon hij hopelijk ook zo zijn voor Janie, zijn hele verdere leven, precies zoals werd geformuleerd in de gelofte die hij had afgelegd. Ik legde zelf ook een gelofte af, namelijk dat ik hem aan zijn gelofte aan Janie zou houden.

We zetten koffie, en Peter at een kommetje ontbijtgranen. Zelf kon ik geen hap door mijn keel krijgen. Ik maakte me zorgen over de uitslag. Ik deed melk in mijn koffie en keek hoe de witte wolk zich met de donkere koffie vermengde, en ondertussen kraakte Peter er lustig op los. Ik vroeg me af wat Janie ervan vond haar hele verdere leven te moeten luisteren naar iemand die zo lawaaiig ontbeet.

39

indy zat aan de telefoon toen we binnenkwamen. Ze zwaaide naar ons.

Peter en ik gingen op een bankje zitten wachten. Ik voelde me misselijk. Stel dat Joe kanker had? Stel dat hij nog slechts een paar weken te leven had? Ik wilde er niet aan denken dat ik hem kwijt zou kunnen raken. Uiteraard besefte ik dat hij niet het eeuwige leven had, maar hij zou nog een heel leven voor zich moeten hebben, vol lange wandelingen, lekkere hapjes en fijne dutjes. Hij mocht nog niet dood. Hij was nog maar een pup.

Peter stootte me aan en wees naar een prent van een beschaamd kijkende dalmatiër met een kersttrui aan. Hij trok zijn wenkbrauwen op.

Mindy hing op. 'Hoi Van,' zei ze. 'Ga maar naar kamer 2, dan komt Alex zo.'

Er stond slechts één stoel in het kamertje.

'Ga jij maar zitten,' zei Peter.

Ik nam plaats. Hij ging tegen de muur staan en keek naar een model van de urinewegen bij de kat. Toen hij de doorzichtige plastic bol aanraakte die de blaas moest voorstellen, stortte het ding in elkaar. Hij was het model nog in elkaar aan het zetten toen Alex binnenkwam.

'Ik zal Joe zo meteen voor je halen,' zei Alex. Hij keek naar Peter, die grote moeite had de pisbuis goed in de blaas te krijgen.

'Wat eet Joe allemaal?' vroeg Alex. Hij maakte een vriendelijker indruk dan de dag daarvoor. De frons was minder diep, hij perste zijn lippen niet op elkaar. Ik vroeg me af of dat betekende dat hij slecht nieuws voor me had. Misschien zag hij zo op tegen het brengen van zo'n vervelende boodschap dat hij niet boos kon blijven.

Peter liet de kattenblaas vallen. Gauw raapte hij die op, legde hem bij de andere onderdelen en schoof de hele boel een eindje weg. Vervolgens stopte hij zijn handen in zijn zakken. 'Sorry,' zei hij.

'Ik geef Joe voornamelijk kip, rijst en worteltjes,' zei ik. 'Ik kook zelf voor hem. Hij had een recept bij zich, ik denk dat hij dat altijd al kreeg. Soms eet hij ook andere dingen, zoals pannenkoek of een omeletje. Maar ik geef hem nooit chocola, ui of druiven. Niets van wat op de lijst staat van dingen die niet goed voor hem zijn.' Ik deed mijn best rustig te blijven, maar mijn handen trilden, en er zat een brok in mijn keel. 'Gaat het goed met hem? Hij heeft toch geen hersentumor?'

Er verscheen een glimlach op Alex' gezicht. 'Nee, hij heeft geen hersentumor. Volgens mij komt het helemaal goed met hem.'

De tranen sprongen in mijn ogen. Ik haalde diep adem om rustig te worden. 'Blijft hij last van toevallen houden?'

'Waarschijnlijk niet,' antwoordde Alex. 'Hij heeft een tekort aan thiamine. Hij krijgt niet voldoende vitamine-B1 binnen.

Dat tekort was de oorzaak van de toeval. We hebben hem injecties gegeven, en als die aanslaan, zou hij geen toevallen meer mogen krijgen.'

'Dus het is allemaal mijn schuld?' zei ik. Ik sloeg mijn handen voor mijn gezicht. 'Ik dacht dat ik er juist goed aan deed voor hem te koken. Hij had dat recept bij zich, en...'

'Het komt allemaal in orde,' onderbrak Alex me. 'Geef jezelf hier alsjeblieft niet de schuld van. Waarschijnlijk had hij dat tekort al toen je hem kreeg. Bovendien kunnen we iets doen aan dit probleem. Ik wil graag dat je hem gewoon hondenvoer geeft, en een voedingssupplement. Ik schrijf de naam wel op van het merk dat ik kan aanbevelen.' Hij krabbelde iets in het dossier. 'Voor zijn tong geef ik hem een antibioticakuurtje van twee weken. Er zit een wondje waar hij in zijn tong heeft gebeten. Het is niet ontstoken, en dat willen we graag zo houden.'

Hij klikte de pen dicht en stopte die in het borstzakje van zijn witte jas. Vervolgens pakte hij het model van de urinewegen van de kat, zette alles netjes in elkaar en plaatste het geheel op de standaard. 'Het is een trucje,' zei hij tegen Peter.

Even keek Alex me aan. Ik dacht dat hij misschien iets over ons wilde zeggen. Misschien wilde hij me nog een kans geven.

'Dank je wel, Alex,' zei ik.

Hij keek weg en schraapte zijn keel. 'Ik zal Joe gaan halen. Je kunt de antibiotica bij Mindy krijgen. Tenzij zijn tong toch ontstoken raakt of hij nog een toeval krijgt, hoef je pas in het najaar terug te komen voor de controle.' Hij pakte Joe's dossier op en liep ermee het kamertje uit.

Het volgend najaar. Hij wilde me pas volgend najaar weer zien. Of misschien zelfs dan niet.

Even later hoorden we enthousiast geklik van hondenpoten op het linoleum. Toen stormde Joe het kamertje in, met Alex achter zich aan, met een smal blauw riempje in zijn hand. Zodra Joe me zag, zette hij zijn voorpoten op mijn schoot en gaf me een lik in mijn gezicht. Zijn bek stond open, het leek net of hij lachte. Hij kwispelde zo krachtig dat we er allebei van schudden. Ik zag alleen nog een massa zwarte vacht. Omdat ik bang was dat hij me omver zou duwen, schoof ik zijn poten van mijn schoot en boog me om mijn armen om hem heen te slaan. 'Ik heb je gemist,' zei ik.

Toen ik opkeek, was Alex verdwenen en hield Peter het riempje vast. 'Hij gaf het me en ging weg,' zei Peter.

'Weet je,' zei ik, 'heel eventjes dacht ik dat hij misschien...'

'Ja.' Hij sloeg zijn armen om me heen. 'Het spijt me. Het spijt me echt verschrikkelijk, Van.'

Ik droogde mijn ogen met mijn mouw. 'Maar met mijn hond gaat het goed. Daar gaat het om.' Ik gaf Peter een schouderklopje. 'Kop op, maat.'

Hij schoot in de lach. 'Ze kunnen allemaal stikken.'

Ik lachte zwakjes, nam Joe's riempje over, en samen gingen we naar de lobby.

'Ben je helemaal beter, Joe?' Mindy hing over de balie om Joe een koekje te geven. 'Je hebt je vast als een engeltje gedragen.'

Er kwam een bejaarde vrouw met een grote grijze poedel binnen. Joe trok aan de riem omdat hij de poedel wilde besnuffelen. De poedel verstopte zich sidderend achter zijn bazin. Ik trok Joe terug.

'Dag, Kim,' zei Mindy. 'Ga maar naar kamer 1. Dokter Brandt komt zo bij je.'

Joe jankte toen de poedel naar kamer 1 vertrok.

'Heeft Alex alles uitgelegd?' vroeg Mindy. Ze pakte Joe's dossier erbij. Het was me opgevallen dat ze tegen de vrouw met de poedel 'dokter Brandt' had gezegd, en tegen mij gewoon 'Alex'.

'Ik dacht het wel,' antwoordde ik. Terwijl ik in mijn tas naar mijn creditcard zocht, liet ik per ongeluk het riempje los. Meteen rende Joe weg en sprong op het bankje om door het raam naar buiten te kunnen kijken.

'Ik ga de medicatie even halen,' zei Mindy, en ze verdween naar achteren.

Peter legde een hand op mijn schouder, boog zijn hoofd naar me toe en fluisterde: 'Ik moet even naar de wc.'

'Kan dat niet wachten?'

'Nee.'

'Eind van de gang, rechts.'

Hij kneep even in mijn arm en verdween.

'Is dat je vriend, Van?' vroeg Mindy toen ze terugkwam met een grote groene pot vol pillen. Ze klonk een beetje zuur.

'Nee, dat is Peter,' antwoordde ik. 'Hij is met mijn beste vriendin Janie getrouwd.'

'Lief van hem om met je mee te komen,' merkte ze op. Het leek erop dat ze in gedachten puzzelstukjes op hun plaats aan het leggen was. Ik vroeg me af wat ze allemaal wist.

Ze rammelde met de pot pillen. 'Nou, Joe moet twee keer per dag zo'n pil. Weet je hoe je hem die moet geven?'

Ik schudde mijn hoofd.

'Laat eens zien...' Ze keek op het etiket. 'Het kan met eten, dus je kunt zo'n pil in een stukje kaas doen.'

'Oké.'

'Knijp de kaas er maar een beetje omheen. Zo doe ik het altijd. Dan eet hij ze vast braaf op.' Ze overhandigde me de pot. 'Als hij ze weigert, moet je me even bellen.' Ze knipoogde naar me, en hield mijn blik een poosje vast. 'Maak je maar geen zorgen, het komt allemaal goed.' Ze tikte tegen haar mopsneusje. 'Ik voel dat soort dingen aan.'

'Dank je wel,' zei ik terwijl ik met de pot speelde. Ik wist niet zeker of ze op de pillen doelde.

'Fijn dat de zon schijnt,' zei ze om de stilte te vullen terwijl ze bezig was met mijn creditcard. 'Ik voel me altijd een stuk opgewekter als het zonnig is.'

'Ik kan me jou alleen opgewekt voorstellen,' flapte ik eruit.

'O, dank je wel, Savannah!' Ze straalde en lachte haar parelwitte tanden bloot. Ze legde het bonnetje op het vel papier met de uitslag en pakte het nietapparaat. 'Wat lief van je...'

We hoorden een harde klap. De deur van een van de onderzoekkamers werd dichtgeslagen.

'Als ik je mening zou willen horen, had ik er wel om gevraagd!' riep Alex.

Mindy verstarde met in de ene hand het nietapparaat en in de andere het vel papier en het bonnetje. We luisterden naar de voetstappen in de gang. Met gebogen hoofd kwam Peter terug. Hij was rood aangelopen.

'Wat heb je gedaan?' Ik pakte Joe's riempje.

'We gaan.'

Eindelijk niette Mindy alles aan elkaar. Ze gaf me mijn bon. 'Een prettige dag verder!' Ze forceerde een lachje en tikte nog eens tegen haar neusje. 'Dag, Joey!'

40

'Wat heb je gedaan?' Ik sloeg het portier veel te hard dicht, de klap bleef door mijn hoofd galmen. 'Heb je soms in de gang een drol gedraaid?'

'Niet zo ordinair,' zei Peter.

'Ordinair?' Mijn handen trilden zo dat ik het sleuteltje niet in het contact kon steken. Ik gaf het op en mepte op het stuur. 'Nou? Wat heb je dan gedaan? Ik snap niet dat een tochtje naar de wc uitmondt in een tierende Alex.'

Joe trok zich niets aan van mijn getier, hij deed zijn best voorin te gaan zitten.

'Van, ik wilde alleen maar...'

'Weet je wat? Hou je kop!' Ik vond het rot om tegen hem tekeer te gaan nadat hij de afgelopen twee dagen zo zijn best had gedaan, maar hij was absoluut over de schreef gegaan, en daar was ik ontzettend boos over. Ik probeerde nog maar eens het sleuteltje in het contact te krijgen, deze keer met succes. Ik startte de motor, reed achteruit, en remde hard. Joe's poten gleden van het dashboard af en hij viel om. Ik liet mijn hoofd op het stuur rusten. 'Volgens mij kun jij beter rijden.' Ik zette de auto op de handrem en stapte uit. Joe sprong ook uit de auto en liep naar me toe. Nadat ik het achterportier voor hem had opengedaan, sprong hij op de achterbank. Ik stapte in aan de passagierskant. Ik kon alleen maar hopen dat Alex niet door het raam gluurde.

Peter nam plaats achter het stuur. Ik drukte mijn wang tegen het raampje en bedekte mijn ogen met mijn hand. Toen ik mijn hoofd even hief, zag ik dat er make-up op het raampje was terechtgekomen; een beige vlek vol stipjes van mijn poriën. Ik probeerde mijn wang op precies dezelfde plek te krijgen.

Eenmaal bij de snelweg merkte ik aan Peter dat hij de route naar mijn huis niet goed wist. Hij gaf geen richting aan en liet een paar auto's voorgaan. Pas na een poosje trommelde hij op het stuur en sloeg toen rechts af.

Terwijl we daar reden, stak Joe zijn snuit tussen de stoelen door en duwde tegen mijn hand. Peter was bezig met de knopjes van de geluidsinstallatie.

'Wat zei hij?' vroeg ik.

'Hij zei dat het hem te veel werd.' Peter zuchtte diep. Het klonk teleurgesteld, alsof Alex het met hém had uitgemaakt. 'Hij is gescheiden.'

'Weet ik.' Ik pulkte aan een velletje bij mijn nagel. 'Wat zei jij?'

'Dat het allemaal met Diane te maken had, en met Janie, en dat jij had gezegd dat je ziek was om hem voor al dat gedoe in bescherming te nemen. Ik zei dat Diane als een soort onweer door je leven dondert, maar dat ze niet in de buurt woont. Ik bedoel, je zou haar nooit meer hoeven te zien als je niet wilt. En Jane en ik kunnen afstand houden.'

Mijn maag draaide zich om. Het was hetzelfde gevoel als

wanneer je aan de rand van een afgrond staat en naar beneden kijkt. Als ik niet wilde, zou ik Diane nooit meer hoeven te zien. Ik stelde me mezelf voor met gespreide armen, springend...

'Het spijt me, Van.' Voorzichtig streek hij over mijn arm. 'Ik heb het alleen maar erger gemaakt.'

'Hij kan de pot op,' zei ik. 'Hij weet niet wat hij mist.' Ik deed mijn best mezelf te overtuigen dat Alex heel wat miste, maar het lukte niet erg.

Peter zette de auto stil op de parkeerplaats van de kroeg met het grote blauwe anker, naast zijn eigen auto. Ik liet Joe in de auto zitten, stapte zelf uit en liep om de auto heen, op weg naar het portier aan de bestuurderskant.

Bij de kofferbak kwamen Peter en ik elkaar tegen. Hij omhelsde me stevig. 'Het spijt me echt verschrikkelijk.' Terwijl hij me vasthield, fluisterde hij in mijn oor: 'Je weet toch dat ik je wilde helpen, hè?'

Ik knikte en haakte mijn vinger in de zijne. We liepen elk een andere kant uit, met onze vingers in elkaar gehaakt tot het echt niet meer kon.

Zijn portier klapte dicht, een leeg en hol geluid. Ik kroop achter het stuur van mijn auto en reed het parkeerterrein af. Ik wilde de eerste zijn die wegging, zodat ik niet het gevoel kon krijgen te zijn achtergelaten.

41

I k stopte bij Wegmans om het hondenvoer te kopen dat Alex had aanbevolen. Ik liet Joe in de auto zitten, met het raampje op een kier. Hij sprong op de bestuurdersstoel en keek me na, met zijn natte neus door het kiertje geduwd. Het was ongelooflijk dat ik hem ook bijna kwijt was geweest, dacht ik, en meteen voelde mijn keel dichtgesnoerd. Terwijl ik door Wegmans beende, op zoek naar dat hondenvoer, probeerde ik er niet aan te denken. Algauw vond ik het eten dat Alex had aanbevolen, biologische kip met rijst en wortel, precies wat ik hem altijd had gegeven, en wat ik ook had gegeten. Ik vroeg me af wat ik nu moest eten. Het was jammer dat er niet ook zulke blikjes voor mensen waren. Ik vond het leuk om voor ons samen te koken, maar alleen voor mezelf zou ik dat vast niet doen. Soms was het makkelijker om voor Joe te zorgen dan voor mezelf.

We kwamen iets over twaalven thuis. Ik deed de ijskastdeur

open om iets voor de lunch te maken, maar er was bijna niets in huis. Dus nam ik maar een augurk uit de pot, wikkelde een stukje keukenpapier om het uiteinde en ging naar boven om te werken. Ik nam plaats achter mijn bureau en sabbelde aan de augurk terwijl ik wachtte totdat de computer was opgestart. Joe zette zijn voorpoten op mijn benen en probeerde een hapje augurk te nemen.

'Je houdt niet van augurk, dat hebben we al geprobeerd.' Ik hield de augurk voor zijn neus zodat hij eraan kon ruiken. Hij snoof, en blies toen, alsof hij die vieze lucht gauw kwijt wilde. 'Nou, wat heb ik je gezegd?' Mijn stem klonk vreemd dunnetjes. 'Ik zei het toch?' Ik had niemand anders om tegen te praten. Ik had niemand meer. Alex wilde me niet spreken, Peter was naar huis om erachter te komen hoe hij een goede echtgenoot moest zijn, en ik praatte tegen mijn hond.

Ik deed mijn best op de subsidieaanvraag, maar ik kon me niet goed concentreren. Na een paar uur gaf ik het op. Ik staarde meer naar het scherm dan dat ik iets tikte. Ik kon het beter een poosje laten rusten.

Ik sloot de computer af en ging naar beneden om Joe's bloed uit het tapijt te krijgen. In het gootsteenkastje zocht ik naar tapijtreiniger, maar ik vond alleen de fles whisky die ik van Agnes had gekregen, en een aangebroken pak schuursponsjes. Die lagen daar vast al toen ik hier introk.

Ik haalde de dop van de fles en hield mijn neus boven de hals. Nadat ik diep had ingeademd, ging mijn neus prikken en liep het water me in de mond. Ik deed een scheut in een glas en liet de whisky rondwalsen. Ik keek naar de wervelende goudkleurige vloeistof.

Joe tikte met zijn poot tegen zijn drinkbak. Die draaide even, wiebelde en viel toen kletterend om. Gauw zette ik mijn glas in de gootsteen en bukte om Joe's drinkbak te pakken. Kwispelend likte hij me in mijn gezicht, blij dat ik had begrepen wat hij wilde vertellen. Ik vulde de drinkbak en zette die neer, en terwijl hij het water oplikte, goot ik de fles leeg in de gootsteen. Borrelend verdween de whisky in de afvoer. Ik spoot afwasmiddel in de gootsteen en liet de kraan lopen totdat de geur was verdwenen en ik alleen nog een kunstmatige citroengeur kon ruiken.

In de badkamer en in de garage was de tapijtreiniger ook al niet. Ik zocht in de garderobekast en zag het flanellen shirt dat ik voor Alex had gekocht op de bovenste plank liggen. Ik pakte het en liet mijn hand over de stof gaan. Die was heerlijk zacht. Toen ik het shirt kocht, had ik me voorgesteld dat Alex het jarenlang zou dragen, totdat het tot op de draad was versleten. Ik had me voorgesteld dat ik al die tijd bij hem zou zijn en hem het shirt dus heel vaak zou zien dragen. Ik had me voorgesteld dat ik erin zou slapen wanneer hij weg was en ik hem verschrikkelijk miste. Nu wist ik niet goed wat ik ermee moest. Moest ik het weggooien, naar een kringloopwinkel brengen, of het in de kast laten liggen zodat ik elke keer dat ik het zag weer van streek zou raken? Voor de allereerste keer had ik gedroomd van een leven met iemand anders dan Peter. Ik drukte het shirt tegen me aan. Ik wilde Alex niet zomaar laten gaan, ik wilde het nog niet opgeven.

Toen Joe zag dat ik mijn schoenen pakte, werd hij helemaal opgewonden. Ik ging op de bank zitten om ze aan te trekken, en hij sprong naast me op de bank en stak zijn kop tussen mijn armen door om me jankend in het gezicht te likken. Ik kon het niet over mijn hart verkrijgen hem thuis te laten.

Joe reed mee op de passagiersstoel. Ondanks de ijzige kou had ik het raampje een klein stukje opengedraaid. Hij stak zijn neus door de spleet en snoof de frisse lucht op. Hij kwispelde, zijn pluimstaart kwam tegen de handrem aan.

Ik wist niet wat ik tegen hem moest zeggen. Inwendig begon ik al aan hele redevoeringen: Alex, je hebt een verkeerde indruk

van me gekregen. En: geef me nog een kans. Het is niet mijn gewoonte ziekte voor te wenden om feestjes te kunnen bouwen.

Tegen de tijd dat ik Alex' straat in draaide, wist ik nog steeds
niets. Met trillende handen stuurde ik de auto Alex' inrit op.
Misschien is hij niet thuis, dacht ik. Mijn hoofd bonsde als een
trommel waar met vlakke hand op wordt geslagen. Als ik alleen was geweest, zou ik het niet hebben gedurfd, maar Joe zat
verwachtingsvol naast me te kwispelen. Zijn staart sloeg tegen
het portier, alsof hij wist dat we iets spannends gingen doen.
Wat er ook zou gebeuren, Joe zou blij zijn me te zien wanneer
ik weer instapte.

Ik liet Joe achter in de auto, met alle raampjes op een kiertje. Dapper liep ik naar de voordeur. Opeens drong tot me
door dat ik hem een paar uur geleden in de praktijk had gezien. Hij is vast niet thuis, dacht ik. Ik laat het shirt wel voor
de deur liggen, en dan bel ik hem om uit te leggen wat het daar
doet. Ik kruiste mijn vingers drie keer achter elkaar, zoals Janie
en ik dat vroeger hadden gedaan om geluk af te dwingen.

Nog voordat ik kon aanbellen, deed Alex de deur open. In
de auto begon Joe te blaffen. Ik hield mezelf voor dat Alex misschien zou denken dat Joe en ik een paar boodschappen aan
het doen waren. Dat we naar het park waren geweest en nu na
een bezoekje aan de dierenwinkel op weg naar huis waren. Hij
kon onmogelijk raden dat ik mijn hond als geestelijke steun
had meegenomen.

'Van.' Ik kon de uitdrukking op zijn gezicht niet duiden. Hij
had niet hoi of hallo gezegd, alleen mijn naam genoemd.

'Hoi,' zei ik met een flauwe glimlach. 'Je bent thuis. Ik dacht
dat je nog wel aan het werk zou zijn.'

'Het is oudejaarsdag,' zei hij. 'Een halve werkdag.'

Ik knikte. Ik had er niet bij stilgestaan dat het oud en nieuw
was.

Hij keek naar de grond en haalde een hand door zijn haar.

Het viel lok voor lok terug in zijn gezicht. 'Ik kan dit niet, Van. Het is te...'

'Maar Alex...'

'Het is me allemaal te ingewikkeld.' Hij ging met beide handen door zijn haar, hij maakte er twee staartjes van. De kortere plukken vielen eruit en hingen voor zijn gezicht. Hij schuifelde met zijn voeten. 'Ik kan het niet.' Hij liet zijn haar los en stak zijn hand uit naar de deur.

De deur was al bijna dicht toen ik eruit flapte: 'Flauwekul!'

Hij deed de deur weer open en staarde me aan. 'Pardon?'

'Sorry, maar het is flauwekul. Alles is ingewikkeld. De rekeningen betalen, huizen kopen. Gewoon boodschappen doen is al ingewikkeld. Niets is makkelijk.' Mijn stem trilde. 'Hoe kom je erbij dat het makkelijk kan? Ik zal je eens iets vertellen, namelijk dat niks makkelijk is. Alles is moeilijk en ingewikkeld, en soms is het hartstikke rot. En soms ook niet.' Ik keek hem recht in de ogen, en deed geen moeite de uitdrukking op zijn gezicht te duiden. 'Jij bent ook de makkelijkste niet, maar ik vind je toch de moeite waard. En ik ben ook de moeite waard. Als je dat niet wilt inzien, als je in een luchtbel wilt blijven leven, dan kan ik er niets aan doen.'

Zonder iets te zeggen keek hij me aan. Het leek uren te duren, hoewel het in werkelijkheid hooguit een minuut zal zijn geweest.

'Hier.' Ik gaf hem het shirt. 'Ik blijf hier niet staan wachten totdat je iets terug zegt.' Ik liep voorzichtig naar mijn auto, mijn blik op de grond gericht om maar nergens over te struikelen. Ik dacht dat ik voetstappen achter me hoorde, maar toen ik omkeek, stond Alex nog in de deuropening, met het shirt in zijn handen en een blik in zijn ogen alsof hij niet wist wat hem was overkomen.

Toen ik was ingestapt, deed Joe zijn best op mijn schoot te gaan zitten en drukte per ongeluk op de claxon. Ik kon wel door de grond zakken. Ik duwde Joe naar zijn eigen plekje, zette de radio aan en reed snel achteruit. Ik was blij dat ik Alex' brievenbus niet omver reed.

'O, Joe! "Jij zit verdomme ingewikkeld in elkaar, ik zit verdomme ingewikkeld in elkaar. Ik ben de moeite waard. Hier is een shirt." Briljant.'

Joe zat weer zoveel mogelijk frisse buitenlucht op te snuiven. Ik gaf een rukje aan zijn staart. Hij draaide zich om en drukte zijn koude neus tegen mijn wang.

Zodra we thuis waren, vroeg ik of Joe zin had in roomijs. Hij spitste zijn oren en rende naar de ijskast. 'Ik heb je goed getraind, Grasshopper,' zei ik, en terwijl ik met één hand met zijn oor speelde, pakte ik met de andere de bak vanilleijs uit de diepvries. Joe schuifelde achteruit naar de bank, zijn blik op het ijs gericht.

Joe kreeg één lepel op mijn vier of vijf. Ik proefde nauwelijks wat ik at. Ik stopte het spul in mijn mond en deed mijn best niet voortdurend de scène voor Alex' huis nogmaals af te spelen. Maar dat was onmogelijk. Ik moest steeds denken aan de uitdrukking op zijn gezicht. Die grote ogen, die frons op zijn voorhoofd. Was het de schok? Was het afkeer? Schaamde hij zich voor me? Ik schaamde me wel. Ik had mijn nek uitgestoken, heel ver, en hij had daar maar gestaan en had me laten weglopen. Alleen.

Ik at door totdat ik er buikpijn van kreeg en de bak leeg was. Ik zette de bak op de grond zodat Joe die kon aflikken en ging op de bank liggen. Ik trok mijn knieën hoog op. Joe sprong op me en klauwde aan mijn benen alsof hij ze wilde openvouwen. Toen ik bleef liggen zoals ik lag, sprong hij van de bank en stormde de trap op. Even later kwam hij terug. Hij sprong weer op de bank en liet het rode rubber bot, zijn lievelingsspeeltje, op mijn hoofd vallen, alsof hij een geweldige grap uithaalde.

Van een oude krant en een elastiekje maakte ik voor Joe een feesthoedje, precies zoals mijn moeder vroeger voor mij had gedaan. Met zijn kop schuddend rende Joe door de kamer, in een poging het hoedje van zijn kop te krijgen. Toen hem dat eenmaal was gelukt, sprong hij ermee op de bank en verscheurde het. We bleven op totdat het nieuwe jaar op tv werd ingeluid. In elk geval heb ik een hond, dacht ik, en ik sloeg mijn armen om hem heen terwijl de menigte op Times Square juichte en met confetti gooide.

42

Toen ik een paar dagen later thuiskwam met wat lege dozen die ik bij de drankwinkel had gehaald, stond Janies zilverkleurige Audi op mijn inrit. Janie zat achter het stuur met een enorme zwarte zonnebril op, en ze dronk ijskoffie door een rietje.

Ik zette mijn auto naast de hare. Ze pakte nog een beker koffie uit het houdertje en hield die op om aan mij te laten zien.

Ik lachte flauwtjes naar haar en klikte de garagedeur open. Zodra ik de auto had weggezet, stapte ik uit en gebaarde haar naar binnen.

Meteen stapte ze uit en holde op een sukkeldrafje de garage in.

'Toen ik met kerst thuis was, heb ik met mijn moeder gepraat,' zei ze terwijl ze me mijn beker ijskoffie overhandigde. Ze schoof haar zonnebril op haar hoofd.

Zij droeg zwartleren handschoenen, maar ik had blote handen en die waren ijskoud, dus gaf ik haar de beker terug.

'Wil jij die mee naar binnen nemen?' vroeg ik. 'Ik moet een paar dozen sjouwen.' Ik had geen zin om het erover te hebben. Ik was er niet klaar voor.

'Oké,' zei ze.

Ik voelde me erg onhandig met al die dozen, die ik het liefst in één keer mee naar binnen wilde nemen. Ik was me maar al te bewust van haar blikken.

'Het spijt me,' zei ze uiteindelijk, en ze nam weer een slok. 'Ze heeft het me verteld. Van die cheque.'

'O ja?' Ik schopte het achterportier dicht en keek Janie vragend aan, of ze de keukendeur wilde opendoen.

'Peter dwong me ernaar te vragen.' Ze drukte haar beker met haar elleboog tegen zich aan terwijl ze de deur opende.

'Echt?' Ik droeg de dozen naar binnen en zette ze op de grond.

'Ze zei dat ze dat geld in de loop der jaren voor je bij elkaar had gespaard. Een appeltje voor de dorst. Ze zei dat het een aardig gebaar was. Maar toen vroeg ik of het moment van overhandigen niet toevallig erg goed uitkwam. Dat ze het misschien wel als aardig gebaar had bedoeld, maar dat ze het tegelijkertijd gebruikte om jou te laten denken... O, Van, het spijt me verschrikkelijk!' Ze gaf me mijn beker. Haar ogen waren vochtig. 'Dat vroeg ik haar, en toen werd ze stil. En toen vroeg ze of ik het hotel in Napels mooi had gevonden, het hotel dat ze voor ons had uitgekozen. Je weet hoe ze is. Voor haar is dat hetzelfde als min of meer toegeven dat ze fout zat.' Ze nam weer een slok. 'Ik vind het zo'n rottig idee... Ze had dat niet mogen doen. Niet op die manier.'

'Het geeft niet,' zei ik. 'Ik bedoel, als je erover nadenkt, is het knap stom om je daarover te beklagen. Want verdomme, het was een heel groot bedrag!'

'Toe, doe niet net alsof het in orde is,' zei ze. 'Het is niet in orde. Zo mag ze niet met je omgaan.'

'Wat moet ik er dan aan doen?'

'Nou, om te beginnen zou je geen afstand tussen ons moeten scheppen,' antwoordde Janie. Met haar tanden trok ze de handschoenen van haar handen om ze vervolgens op het aanrecht te laten vallen.

'Ik heb al een groot deel van dat geld uitgegeven.' Ik voelde me net een kind dat niets van haar zakgeld overhoudt.

'Je hebt dat geld verdiend, Van. Je hebt er recht op. Afgezien van de manier waarop ze het je heeft gegeven, was het voor jou bedoeld. Ik kan me niet voorstellen... Nou ja, het zal niet gemakkelijk zijn geweest.' Ze keek naar beneden, en wreef de vlek op haar schoen af aan haar kuit. 'Ik heb er veel over nagedacht. Ik bedoel, jouw moeder kreeg betaald om voor ons te zorgen.' Ze keek op. 'Maar jij kreeg niets.'

'Ik zorgde immers nergens voor? Mijn moeder deed alles.'

'Je zorgde voor mij.' Zodra ze dat had gezegd, biggelden er dikke tranen over haar wangen.

'Nietes.'

'Welles. Jij zorgde dat ik dingen durfde. Jij zorgde dat ik mezelf kon zijn. Dat ik op kon houden met ballet en bij de scouting ging. Dat ik gewoon in bikini kon lopen. Aan Brown kon gaan studeren. Kunstgeschiedenis nog wel.'

'Dat heb je allemaal zelf gedaan,' reageerde ik.

'Maar zelf zou ik dat nooit hebben gedurfd. Ik zou niet van het voor mij uitgestippelde pad hebben durven afwijken, het pad van een Driscoll.' Ze lachte. 'Mijn vader wilde niet dat ik voor de scouting koekjes ging verkopen, hij wilde dat ik op Harvard aan ballet zou doen.' Ze sloeg haar armen om me heen en liet haar kin op mijn schouder rusten. 'Ik heb je nodig. Ik kan verdomme helemaal niet dansen.'

Het was niets voor haar om te vloeken. Ik schoot in de lach en knuffelde haar.

'Voor mij ben je familie,' zei ze.

We stapten een eindje van elkaar weg, maar ze bleef mijn armen vasthouden.

'Ik ga met Pasen niet bij Diane eten,' zei ik.

'Prima,' reageerde ze lachend. 'Ik ook niet.' Ze veegde weer met haar schoen langs haar kuit. 'Waar is je hond eigenlijk?'

'Die is vandaag in het nieuwe huis, bij Louis, de man van wie ik het huis koop. Dan kan ik hier meer doen.'

'Pete had al verteld dat je bezig bent een huis te kopen.' Ze leunde tegen het aanrecht en sloeg haar enkels over elkaar.

Ik vroeg me af of Pete ook had verteld over die avond dat hij zo dronken was, en over onze bezoekjes aan de dierenarts. Maar dat was mijn zaak niet. Dat was iets tussen Janie en hem, en daar wilde ik me niet mee bemoeien.

'Geweldig!' zei ze. 'Wat is het voor huis?'

'Er moet veel aan worden gedaan. Het ziet er monsterlijk uit,' vertelde ik. Ik kromp in elkaar bij de gedachte Janie het naaikamertje te laten zien, en al die ankertjes, en de oranje en groene muur. 'Ik moet alles nog verven, en ik moet ook nog een keer nieuwe keukenkastjes en zo.'

'Wat volwassen...' Ze trok haar neusje op en lachte naar me met dat kleinemeisjeslachje. 'Je bent op en top volwassen, Van.' Ze gaf me een por tussen mijn ribben.

'Pete en jij hebben ook een huis gekocht,' zei ik. 'Dat is precies hetzelfde.'

'Peters vader heeft een huis voor ons gekocht,' zei ze.

'Nou ja, eigenlijk heeft je moeder mijn huis gekocht.'

'Nee, hoor.' Ze wuifde die gedachte weg. 'Dit is iets groots, Vannie. Je hebt een eigen huis.' Ze maakte zich los van het aanrecht en stapte de woonkamer in. 'Mag ik helpen pakken?'

'Heb je ooit gepakt?' vroeg ik. 'Weet je wel hoe dat moet?'

'Leer het me maar,' zei ze hoofdschuddend, en met een lach.

'Engerd.' Ik stak mijn tong naar haar uit en pakte vervolgens een doos.

'Wat neem je allemaal mee?' Ze keek om zich heen.

'Hoe bedoel je?'

'Wat neem je mee?'

Ik had er helemaal niet bij stilgestaan dat ik niet alles hoefde mee te nemen. Het had misschien weinig zin mijn gammele meubels mee te nemen. De boekenkasten van planken en grijze sierblokken waren de moeite niet waard. Waarschijnlijk had het ook geen zin de blauwwit geruite bank mee te nemen. Die had ik ooit tweedehands gekocht, en hij zakte zo door wanneer je in het midden ging zitten, dat je knieën zowat tegen je borst kwamen. Maar ik wist niet hoe ik me zonder die bank zou moeten redden, en ik had ook erg veel boeken die toch ergens in moesten staan.

'Ik neem alles maar mee,' zei ik. 'Ik heb nog niets anders.'

'Welles,' zei Janie met een geheimzinnig lachje.

'Hè?'

'Een heel koetshuis vol.' Ze ging steeds breder lachen.

'Nee!'

'Jawel!' Ze gaf me een klap op mijn arm. 'Die spullen zijn van jou, Van.'

'Van mijn moeder.'

'Nou ja, in elk geval zijn ze meer van jou dan van mijn moeder. Je zou moeten wonen tussen de spulletjes van Nat.'

Ik dacht aan de salontafel die mijn moeder en ik hadden gemaakt. Op mijn wangen had ze witte hartjes geverfd, en die kregen we er niet meer af. Dat hele weekend had ik rondgelopen met witte crème op mijn gezicht. En toen de verf er dan eindelijk af was geboend, had ik knalrode wangen.

Die salontafel wilde ik hebben, en ook de bank met de tomatensausvlekken van alle pizza's, en onze verzameling romantische boekjes.

Maar ik wilde Diane niet zien. Ik wilde haar er niet om vragen.

Janie moest het aan mijn gezicht hebben gezien, want ze zei:

'We gaan alles samen halen.' Weer sloeg ze haar armen om me heen. 'Samen staan we sterk. Mijn moeder moet maar leren zich te gedragen.' Ze lachte. 'En als ze zich niet gedraagt, hebben we altijd elkaar nog.'

43

Louis had aangeboden op Joe te passen. Zelf had ik een vrachtwagen gehuurd. Janie kwam al vroeg aanzetten, met in haar ene hand een beker koffie, en in de andere een blauwleren reistas van Marc Jacobs. Voor zes uur 's ochtends op een zaterdag was ze behoorlijk opgewekt. Uit haar auto haalde ze nog een beker koffie, voor mij.

'Dacht je soms dat ik je bijrijder wilde zijn als je nog geen koffie had gehad?' vroeg ze hoofdschuddend. 'Ik ben niet achterlijk.'

De stoelen in de gehuurde vrachtwagen waren hard en glad, en de schokdempers waren versleten. Ik verwachtte dat Janie zou klagen, maar dat deed ze niet. Ze hield zich stevig vast aan de kruk van het portier en zat te rommelen met de verwarming. De display daarvan was kapot, en er waren maar twee standen: hoog en uit. Hoog was alsof je achter een straaljager stond die de motor liet draaien. Dus zetten we het ding slechts

af en toe aan om de cabine te verwarmen, en in de stille perio-
des konden we praten.

'Ze hadden alleen deze nog,' vertelde ik. Ik zei er maar niet
bij dat ik nog nooit zoiets groots had bestuurd. Bij elke bocht
was ik doodsbang. Het was beter als Janie haar geloof in mij
niet verloor, nu we samen in deze rammelende doodskist zaten
opgesloten.

'Maakt niet uit,' zei ze. 'Het hoort bij het avontuur.'

'Wie ben je? Wat heb je met Janie gedaan?'

'Wie ben jij, wat heb je met Van gedaan?' Ze lachte. 'Jij, achter het stuur van een vrachtwagen! Nou ja!'

Net voordat we Syracuse bereikten, ging het sneeuwen. Ik
zette de ruitenwissers aan. Ze maakten een piepend geluid waar
ik kippenvel van kreeg.

'Het gaat van kwaad tot erger,' merkte Janie opgetogen op.
De roestvrijstalen koffiebeker rammelde in de houder.

'Wat heb je toch?' vroeg ik. 'Je draagt een spijkerbroek. Je
klaagt niet over de vrachtwagen. Je hebt de stoel niet met een
antibacterieel middel schoongeveegd voordat je ging zitten.'

'Ik ben op reis met mijn beste vriendin,' zei ze lachend. 'Zoiets als dit heb ik nog nooit gedaan.' Ze hield de koffiebeker
vast, en het ratelen hield op.

'Maar je bent al wel honderd keer van en naar Chappaqua
gereden,' merkte ik op.

'Ja, alleen, of met Peter, maar nooit met jou. Peter wil nooit
stoppen bij eettentjes langs de weg, of bij malle souvenirwin-
keltjes. En in mijn eentje durf ik dat niet. Ik zag jou en Nat die
oude auto inpakken, met strandstoelen, een koelbox en was-
manden vol kleren in plaats van met koffers, en dan wilde ik
zó graag mee. Jullie kwamen terug met geweldige verhalen, en
met van die rare koelkastmagneten. Wanneer wij op vakantie
gingen, zaten we in saaie hotels en bezochten suffe musea. Wij
maakten uitstapjes. Jullie beleefden avonturen.'

Ze haalde de koffiebeker uit het houdertje en nam een slok, net op het moment dat we door een kuil reden. De koffie klotste over de rand en belandde op haar schoot.

'Zo, nu ben je gedoopt,' zei ik, en ik gaf haar de rol keukenpapier die ik naast mijn stoel had liggen. Mijn moeder en ik gingen nooit op pad zonder zo'n rol in de auto. 'Nu ben je een echte reiziger.'

Lachend depte Janie de koffie op. Ze zei niets over de vlekken op haar broek en shirt.

Bij Syracuse nam ik de I-81 naar Route 17 in plaats van op de grote weg te blijven, zodat we in een tentje in Roscoe konden gaan lunchen en dan door de Catskills rijden, want dat was veel avontuurlijker.

44

Onderweg ging het best redelijk met me. Janie vertelde dat ze in Venetië in een gondel had gezeten, en dat ze in Florence over de Ponte Vecchio had gelopen. Ik biechtte op dat ik Joe per ongeluk had gekocht. We moesten soms zo hard lachen dat we er buikpijn van kregen. Dit was de oude Janie op haar leukst, zo waren we vroeger geweest. En nu bouwden we iets nieuws op.

Eenmaal op de Saw Mill River Parkway ging mijn hart bonzen en brak het klamme zweet me uit.

'Je ziet bleek, Van,' zei Janie. 'Je wordt toch niet wagenziek?'

'Misschien ben ik Diane-ziek.'

'Ik ook een beetje,' biechtte ze op.

'Echt?'

'Doe niet zo verbaasd! Je weet hoe ze is. En jij hebt haar niet vaak meer gezien sinds... Sinds Nat.' Ze schudde haar hoofd. 'Daar is ze nooit overheen gekomen. Ze is nog wel hetzelfde, maar dan erger, als je begrijpt wat ik bedoel.'

Ik begreep het heel goed. Mijn moeder had Diane in evenwicht gehouden. Zonder mijn moeder was er niemand om Diane af te remmen.

'Hoe kom je nou over zoiets heen?' vroeg ik, en ik dacht aan al die keren dat ik te veel had gedronken, of zo erg had gehuild dat mijn oogleden de volgende dag nog gezwollen waren.

'Dat weet ik niet,' antwoordde Janie. 'Misschien met behulp van zo'n groep waar je in de kring moet zitten en over je gevoelens moet praten.'

'Ha!' riep ik uit. 'Ik zie Diane al in zo'n kring, rokend als een ketter. Ze zou iedereen vertellen dat ze zich niet zo moesten aanstellen en hun haar eens goed moesten laten knippen.'

Janie schoot in de lach. 'Ik zie het al helemaal voor me,' zei ze. 'Dan vertelt een vrouw huilend dat haar echtgenoot ertussenuit is geknepen, en dan zegt mijn moeder dat het geen wonder is dat hij van haar af is, want wie wil er nou iemand met imitatie-designerschoenen?'

We moesten zo lachen bij de gedachte aan Diane in groepstherapie dat we door het plaatsje zoefden en even later het huis van de Driscolls bereikten. Maar toen we over de inrit reden en de vrachtwagen voor het koetshuis tot stilstand kwam, voelde ik me onpasselijk.

'Stel dat ze binnen is?' vroeg ik.

'Niks aan de hand,' antwoordde Janie, maar het klonk niet erg overtuigend.

'Ik wil haar niet zien.' Ik keek door het raampje of er niet ergens sporen van haar aanwezigheid waren.

'Wil je dat ik eerst ga kijken?'

'Nee! Als jij naar binnen gaat, zit ik hier alleen. En als ik hier alleen zit, zou ze kunnen komen en dan ben jij er niet om...'

'Doe niet zo maf,' zei Janie. 'Ze is geen boeman.' Maar zij

had ook geen haast om uit te stappen. Ze bleef gewoon zitten, totdat ik uitstapte.

De sneeuw op het trapje was niet weggehaald, en er stonden voetsporen in. Driehoekjes met daarachter een piepklein rondje. Een stel driehoekjes richting het huis, en een stel de andere kant op. Diane was hier geweest en weer weggegaan. Maar ze zou ook in het koetshuis kunnen zijn geweest toen het begon te sneeuwen, en zijn weggegaan om toch maar weer gauw naar binnen te gaan.

Ik haalde de sleutel uit mijn zak. Ze had een ander slot op de deur kunnen laten zetten, en dan zou ik naar het grote huis moeten en daar op de deur bonken. Gelukkig ging de sleutel heel gemakkelijk in het slot, en toen ik hem omdraaide, sprong het slot met een klikje open.

Ik duwde de deur open. Binnen rook het muf, alsof de geur van Dianes sigaretten ons wilde verjagen. Janie trok een gezicht.

De deur van de badkamer was dicht, en er kwam een beetje licht onderdoor. De douche stond aan.

'Ze is hier,' zei ik.

'Mijn moeder?' vroeg Janie.

'Sst!'

'Hoor eens, Van, we kunnen al die spullen onmogelijk inladen voordat ze onder de douche vandaan komt. Trouwens, ze weet dat we komen.'

'Waarom doucht ze hier?' vroeg ik.

'Weet ik veel,' antwoordde Janie.

'Ze is jouw moeder.'

'Dat wil nog niet zeggen dat ik alles van haar snap.' Janie liet haar hand over de rugleuning van de bank dwalen. 'Jouw moeder was de enige die haar snapte.'

Overal stonden glazen met nog een bodempje whisky erin, glazen die als asbak dienstdeden, en er lagen lege pakjes sigaretten en tijdschriften.

Ik liep de slaapkamer van mijn moeder in. Het bed was beslapen. Op het nachtkastje stond een glas met peuken erin. Ik voelde aan de deuk in het kussen, ik streek de lakens glad. Op de kussensloop zaten stipjes mascara. Naast het kussen lagen verfrommelde papieren zakdoekjes.

'Jemig!' riep Janie in de keuken uit. 'Moet je kijken wat er op de ijskast zit!'

Ik rende de keuken in. Janie hield de koelkastmagneet met de felroze sombrero omhoog. 'Ik vroeg me al af waar die was gebleven,' zei ze.

De douche hield op met klateren. Janie verstarde.

'Ze is nog wel even bezig,' zei ik. 'Ze weet vast dat we er zijn. En ze komt die badkamer pas uit als haar haar goed zit.' Toch was ik zenuwachtig. Ik bedoel, ze moest toch een keer uit de badkamer komen. En dan? Zouden we gaan bekvechten? Zouden we een potje gaan janken? Zouden we elkaar eens flink de waarheid vertellen? Zou ze me verbieden de spullen van mijn moeder mee te nemen? Zou ze dat geld terug willen?

We hoorden de oude haardroger van mijn moeder zoemen. In de keuken stonden we naar de badkamerdeur te kijken, alsof we wachtten op een beer die uit zijn hol moest komen. Janie vulde een glas met water en dronk daar met kleine slokjes van. 'Wat stom dat we zo zenuwachtig zijn,' zei ze. 'Wat kan ze nou helemaal doen? We zijn volwassen, we kunnen dit best aan.' Het kwam er niet erg overtuigd uit.

Janie trok de rommella open, en we snuffelden tussen de bindertjes, de verlopen voordeelcoupons, de plastic soldaatjes en de zegeltjes die hier in de loop der tijd waren beland.

We moesten lachen om een coupon voor ontbijtspul die al sinds 1985 niet meer geldig was. En toen kwam Diane de badkamer uit, gehuld in een peignoir van beige zijde. Er zat geen haartje verkeerd op haar hoofd, en ze had zich keurig opgemaakt.

'Schenk even iets voor me in, Van, als je wilt,' zei ze, alsof er niets aan de hand was.

Ik keek Janie aan. Ze had grote ogen opgezet, en trok haar wenkbrauwen op. Hoofdschuddend schonk ik whisky voor Diane in.

Diane nam plaats op de bank, en haalde van onder de salontafel een sigaret en een aansteker tevoorschijn.

'Je kunt het raam toch wel openzetten?' zei Janie.

'Het is winter,' zei Diane terwijl ze opstak.

'Meeroken is ook dodelijk, mam.'

'Oud worden ook,' reageerde Diane toonloos. 'En toch viert iedereen verjaardagen.'

Geërgerd zette Janie een raam open.

'Er staat pizza in de ijskast,' zei Diane. 'En ik heb ook een hoop films. Deze keer John Cusack.'

Ze wees naar de stapel dvd's naast de tv. *Better Off Dead, Say Anything... The Journey of Natty Gann, True Colors*, en *Grosse Pointe Blank*.

Vroeger had mijn moeder altijd pizza besteld en films uitgezocht. De laatste keer dat we een filmavond hadden gehad, was toen mijn moeder in het ziekenhuis was opgenomen. We hadden op van die plastic roze stoeltjes waarop je plakkerige billen krijgt om haar bed heen gezeten en naar eindeloos veel films van John Hughes gekeken. Zelf kon ze toen geen vast voedsel meer eten, maar ze had toch Janie naar het restaurant beneden gestuurd om pizza voor ons te halen. 'Dan is het echter,' had ze gezegd. Maar er was niets echt geweest aan die laatste filmavond. Overal zaten slangetjes in haar lijf, en haar ademhaling had als die van Darth Vader geklonken.

Ik vroeg me af of Diane de herinnering aan die filmavond wilde wissen door een nieuwe te organiseren. Misschien zou dat ook nuttig voor mij zijn. Dus gingen we films kijken alsof er geen vuiltje aan de lucht was. Janie leek zich er ook aan over te geven, als wij dat zo graag wilden.

We hadden een paar vroege Cusacks gezien toen Janie op de bank in slaap viel, tijdens *True Colors,* ongeveer op het moment dat John Cusack James Spader wurgt. Ik ging naar mijn vroegere slaapkamer om een deken voor haar te halen. Net als vroeger bleef ze stilletjes doorslapen terwijl ik de deken over haar uitspreidde. Wanneer Diane en Janie films waren komen kijken, was Janie altijd als eerste in slaap gevallen.

'Je hebt altijd al goed voor haar gezorgd,' zei Diane, en ze klopte op het plekje naast haar.

Ik ging zitten, en ze stak een sigaret voor me op.

'Ik rook alleen als ik bij jou ben,' zei ik terwijl ik de sigaret aannam. Ik leunde naar achteren en legde mijn voeten op de salontafel.

'Nat en jij hadden een goede invloed op Janie, maar ik had een slechte op jou,' zei ze lachend.

'Nee, hoor, helemaal niet,' reageerde ik spottend. Ik lachte hoofdschuddend naar haar.

Daar zaten we, met onze hoofden tegen de rugleuning pogingen te doen mooie kringen te blazen. Diane was er goed in. Ik niet. Een hele poos bleven we zwijgend zitten, en we keken niet naar elkaar. Het was alsof we erachter probeerden te komen of het in orde was, of we nog wel met elkaar overweg konden.

'Ik mis haar,' zei Diane opeens. 'Ik wist niet dat je iemand zo verschrikkelijk kon missen.'

'Ja...' zei ik. Meteen sprongen de tranen in mijn ogen, en die biggelden uit mijn ooghoeken in mijn haar.

Diane snifte. 'Dit was mijn wereld,' zei ze. 'Met Nat en Janie en jou.' Ze mikte haar peuk in een leeg glas en pakte het glas met whisky op. 'Ik pas niet echt in Charles' wereld. Niet bij die vrouwen op de club, die over iedereen roddelen en ze neersabelen. Ik hoor niet bij hen. Ik hoorde bij Nat.'

Ik dacht aan Diane die op het ziekenhuisbed mijn moeder in haar armen had gehouden. Mijn moeder was toen heel klein en mager geweest, heel erg broos. En toch had ze er toen vredig uitgezien.

Ik was heel even weggegaan. Ik had dagen aan het bed gezeten, ik had haar hand vastgehouden. Janie en Diane hadden in het restaurant eten voor me gehaald, en ik had me gewassen aan de wastafel. En toen was ik even met Janie gaan wandelen, om frisse lucht op te snuiven. En toen we terugkwamen, was mijn moeder dood. Ik had dat Diane heel erg kwalijk genomen. Dat zij de laatste was geweest die mijn moeder in haar armen had gehouden. Dat zij degene was geweest die in die laatste ogenblikken bij haar was. Maar misschien had mijn moeder gewacht totdat ik weg was. Misschien had ze me dat niet willen aandoen, sterven in mijn armen. Misschien had ze me beschermd. En misschien had Diane me ook beschermd.

Ik keek haar aan. Ze zag er harder uit dan gewoonlijk. Ze hield haar kaken op elkaar geklemd. Haar ogen stonden verdrietig. Ik vroeg me af of ze na de dood van mijn moeder nog echt had gelachen.

Samen hadden ze er wat van gekund, ze hadden gelachen totdat ze rood aanliepen, ze huilden van het lachen. Ik kon hen dan niet meer verstaan, maar ik had wel de indruk dat ze elkaar verstonden. Ik luisterde graag naar hun gelach. Ik lag dan in bed en hoorde hen in de woonkamer dubbel liggen.

'Nat was sterk dat ze je vader in de steek liet en het zelf wilde redden,' zei Diane. Ze nam een slokje whisky. 'Ik trouwde met Charles omdat ik dacht dat dat moest. Mijn ouders konden niet mijn hele studie betalen. Ik kon niet terug naar de universiteit, en ik had niks te doen. Charles kwam op de club, hij was ouder en wilde graag een echtgenote. Mijn ouders vonden het verschrikkelijk, maar omdat ik zwanger was, was er weinig meer aan te doen en moesten ze er vrede mee hebben.' Ze liet de whisky ronddraaien in het glas, een goudgele werveling.

'Jij bent ook sterk,' zei ik. 'Mijn moeder zei altijd dat je niet voor de poes was.' Ik had het gevoel dat we voor het eerst als volwassenen met elkaar praatten.

'Ik deed mijn best,' reageerde Diane. 'Maar ik vroeg me altijd af wat er van me zou zijn geworden als ik het leven in mijn eentje had aangedurfd, zoals Nat. Zij was beter dan ik.'

Met haar mouw veegde ze haar tranen weg. Ik had niet eens gemerkt dat ze huilde.

'Daarom zei ik dat dat geld voor jou was,' ging ze verder. 'Een paar aandelen en obligaties. Hier een beetje en daar een beetje, zodat Charles het niet zou merken.'

'Waarom zei je dan dat het geld van de levensverzekering was?'

'Ik wilde niet dat je vond dat je bij me in het krijt stond, en ik wist niet hoe je het zou opnemen als ik je de waarheid vertelde,' antwoordde ze. 'Ik wilde niet dat je zoals ik zou worden. Ik wilde dat je je studie afmaakte. Ik wilde dat je iemand zou vinden van wie je echt kon houden. Ik wilde niet dat je in de val zat. Omdat je hier bent opgegroeid, tussen mensen met geld. Misschien dacht je dat het makkelijker zou zijn om met iemand met geld te trouwen, iemand die goed voor je kon zorgen.' Ze keek me met vochtige ogen aan. 'Ik wilde die hartstocht en die onafhankelijkheid niet gedoofd zien. Wat dat betreft lijk je erg op Nat. Nat is er niet meer, maar jij nog wel.'

'Dank je wel, Diane,' bracht ik met verstikte stem uit. 'Dank je wel!'

Ze veegde haar wangen droog en haalde diep adem. 'Dat geld heb ik met de beste bedoelingen voor je gespaard, maar ik heb het je niet op het juiste moment gegeven. Ik begrijp best dat je boos op me was. Misschien had je wel gelijk.' Ze snifte.

Ik had Diane nog nooit haar excuses horen aanbieden. Aan niemand.

'Je gaf me die foto terug,' zei ik. 'Ik dacht dat je het met me had gehad.'

Met open mond staarde ze me aan. 'Die zat in mijn tasje. Ik dacht dat je het leuk zou vinden. Het was niet...' Ze haalde diep adem. 'Savannah Leone, ik heb het niet met je gehad en dat zal ook nooit gebeuren. Ik heb Nat beloofd dat ik voor je zou zorgen. Dus je zit aan me vast, en daar is niets aan te doen.'

Ik glimlachte.

Ze leegde haar glas. 'Ga naar bed,' zei ze, opeens weer hele-maal zichzelf. 'Morgen komen de verhuizers om alles in te laden. Ze zijn er om acht uur.' Ze stond op, schonk zichzelf nog eens in, liep de slaapkamer van mijn moeder in en sloot de deur.

Ik stond ook op en voor de laatste keer stapte ik in het bed in mijn vroegere kamer. Daar lag ik tussen de versleten flanel-len lakens, en het speet me dat ik mijn moeder en Diane niet in de woonkamer kon horen lachen.

45

Toen wij wakker werden, was Diane al vertrokken. Het was haar gelukt weg te glippen zonder Janie wakker te maken. Ze had zelfs een schaal bagels voor ons achtergelaten, en een briefje.

Ben een dagje weg. Goede reis!
D
PS En een paar bagels zodat je weer weet hoe een échte bagel smaakt!

Ik las het briefje aandachtig door terwijl Janie onder de douche stond. Daarna ging ik naar de slaapkamer van mijn moeder, waar ik op het bed ging zitten en de kreukels uit de kussensloop streek. Even dacht ik dat ik dit Diane niet kon afnemen. Ze gebruikte dit huis als haar eigen, stiekeme onderduikadresje. Misschien had ze zoiets hard nodig.

Ik trok de sprei over mijn schoot. Onder deze sprei had ik me verstopt wanneer ik bang was voor onweer, deze sprei had ik gebruikt wanneer ik een fort in de woonkamer maakte, deze sprei had mijn moeder van haar eerste salaris gekocht. Het drong tot me door dat ik me deze sprei niet door Diane kon laten afnemen. En ik besefte dat zij dat ook niet zou willen.

Ik nam de sprei mee, maar het andere beddengoed liet ik achter. Ik propte alles in de lege wasmand. Het bed nam ik mee, dat zou ik in de kamer met al die ankers kunnen zetten.

Ik nam het nachtkastje ook mee. In de bovenste la lag een dagboekje, roze en glimmend, als dat van een jong meisje. Verder zaten er potjes met pillen in, en brieven, kartonnen bekertjes, bonnetjes, stukjes papier en het boek *Mijn dinsdagen met Morrie*. Dat boek had mijn moeder vast van Diane gekregen. Ik stopte een kussentje in de la zodat de spullen niet konden rondrollen. Al te nauwkeurig wilde ik niet in dat nachtkastje snuffelen, dat vond ik ongepast. Misschien zou ik dat ooit nog eens doen, met een fles wijn erbij en Joni Mitchell op de achtergrond, en met wierookstokjes, alsof het een ritueel was. Nu kon ik het niet.

Vervolgens ging ik naar de keuken en zocht de glazen en borden uit die ik wilde meenemen. Die zette ik op het aanrecht, zodat Janie ook iets te doen had. Ze verpakte ze in oude kranten en deed ze in dozen terwijl ik door de kast van mijn moeder ging. Terwijl ik de truien uitzocht, hoorde ik in de keuken iets breken, maar ik ging niet kijken wat er was gesneuveld. Onze borden pasten toch niet bij elkaar, en als het iets dierbaars was, zoals de glazen van dr. Seuss die we hadden verzameld door maandenlang drilpudding te eten om de punten bij elkaar te krijgen, wilde ik het niet weten.

De grote truien die mij zouden passen nam ik mee, de kleine, die geschikter waren voor Diane, liet ik achter. Ik weet ook niet waarom. Ik kon me niet voorstellen het huis uit te lopen in een trui van mijn moeder, en te kijken of haar geur er nog in was blijven hangen of helemaal was weggewassen. Eigenlijk kon ik me Diane ook niet voorstellen in een katoenen coltrui van Gap. Toch wilde ik de truien verdelen.

De lp's van Boston deed ik onder in een doos, en ik legde er truien op zodat Janie ze niet zou zien. Diane en zij hadden mijn moeder en mij vaak genoeg gepest met Boston. Vervolgens vouwde ik de doos dicht.

'Deze is klaar,' zei ik, en ik droeg hem de woonkamer in en zette hem bij de andere volle dozen.

'Gek dat ze geen afscheid heeft genomen,' zei Janie.

'Ik vind het rot dat ik haar dit afpak,' zei ik.

'Het zijn jouw spullen,' reageerde ze, en ze propte nog een krant in de doos met glazen. Met een van mijn geurpennen schreef ze op die doos: BREEKBAAR. 'Je hoeft je niet rot te voelen. Als ze het echt erg zou vinden, zou ze geen kerels hebben ingehuurd om te helpen verhuizen.'

Janie ging verder met de boekenplanken. Zelf pakte ik een lege doos en trok me terug in de badkamer. Ik liet de handdoeken achter, afgezien van de grote, versleten strandlakens. Ik nam ook het douchegordijn mee, met de geborduurde paarse vissen en oranje luchtbellen. De badmat liet ik achter, ik kon me die niet herinneren.

In de loop der tijd had ik de spullen uit mijn kamer bijna allemaal meegenomen, dus veel was daar niet meer. Ik haalde de posters van de muur. Het blauwe plakspul was verdroogd en liet vlekken achter op de muur. De poster van een dolfijn die over een regenboog sprong gooide ik weg, evenals die van Hello Kitty. Maar die van U2 hield ik, en ook die van Basquiat en Andy Warhol met bokshandschoenen en glanzende broekjes aan, ook al wist ik dat ik die niet meer zou ophangen. Ik rolde ze op en deed er een haarelastiekje omheen.

De pick-up en het antwoordapparaat nam ik mee. Ik haalde

de doos met kerstversiering uit de kruipruimte. En toen Janie even niet keek, stopte ik de koelkastmagneet van de knalroze sombrero in haar tasje.

Janie was klaar met het inpakken van alle romantische boekjes. De tijdschriften lieten we achter in de mandjes onder de salontafel. Toen de verhuizers de salontafel en de bank in de vrachtwagen hadden gezet, bleven alleen die mandjes over in de woonkamer.

Het huis leek ineens erg klein. Hier hadden mijn moeder en ik al die jaren gewoond, in deze drie kamers plus een badkamer. Nooit eerder had het huis klein geleken.

Zodra alles was ingeladen, sloeg Janie haar armen om me heen. 'Het zal nooit meer hetzelfde zijn,' zei ze.

'Het was al niet meer hetzelfde,' reageerde ik.

'Wat denk je dat mijn moeder ermee gaat doen?' vroeg ze.

'Een ruimte om in te mediteren,' antwoordde ik lachend. Ik kon me Diane heel goed voorstellen in kleermakerszit op een kussen, met een zwarte legging, hooggehakte schoenen, haar ogen gesloten. En met in haar ene hand een glas whisky en in de andere een sigaret.

'Een yogastudio,' zei Janie.

'Wat zei ze ook weer over yoga toen mijn moeder daaraan deed?' vroeg ik.

'Ik geloof: newage-onzin voor communisten en hippies,' antwoordde ze lachend.

'Wat is een yogacommunist?'

'Tja...' zei Janie. 'Soms zegt ze maar wat. Soms is het klinkklare onzin.' Ze ging midden in de kamer staan. 'Weet je wat ik hiermee zou doen?'

'Wat dan?'

'Ik zou het precies zo laten als het is en af en toe radslagen komen doen.' Ze hief haar armen en maakte een beetje een scheve radslag.

Ik deed met haar mee. We maakten niet erg volmaakte radslagen totdat we er pijn van in onze polsen kregen, en toen moesten we zo vreselijk lachen dat we niet overeind konden komen.

Naast elkaar lagen we op de vloer en keken naar boven. Ik herinnerde me dat we hier ook hadden liggen kleuren. Janie was altijd netjes binnen de lijntjes gebleven. Ik niet.

Janie schopte zachtjes tegen mijn been. Ik draaide mijn gezicht naar haar toe. Ze zei: 'Ga nooit, maar dan ook nooit, bij me weg.' Ze keek me strak aan. 'Wat er ook gebeurt. Als iemand je een aanbod doet, krijg je van mij het dubbele.' Ze huilde en lachte tegelijk.

'Dat kan voor mij heel gunstig uitpakken,' zei ik, en ik schopte haar zachtjes terug.

'Ik heb je nodig,' zei ze.

'Weet ik. Ik ook.'

'Heb jij jezelf ook nodig?' vroeg ze, en ze liet haar hoofd op mijn schouder rusten.

'Ja,' zei ik. 'Heel, heel erg.' Ik legde mijn hoofd tegen het hare. 'En ik heb jou ook nodig.'

Zo bleven we een poosje zwijgend liggen. Ik moest het allemaal laten bezinken, en ik wist dat dat bij haar ook het geval was. Ik deed ook mijn best me alles goed in te prenten, zoals de lichtval, en het gevoel van mijn blote armen op het tapijt.

Janie stond op en zei dat ze nog iets uit het grote huis moest halen. Maar volgens mij gaf ze me de gelegenheid om in mijn eentje afscheid van het huis te nemen.

Ik sloot mijn ogen en deed mijn best me voor te stellen dat mijn moeder hier ook was, maar daardoor leek ze nog verder weg. Ik dacht aan wat Diane had gezegd over passie en onafhankelijkheid. En ik dacht aan al die avonden dat mijn moeder en ik tot laat opbleven, met bekers warme chocolademelk en Boston op vol volume, en aan de bordspellen die we dan speelden, aan al onze intieme grapjes, aan het knutselen, aan het bij haar in bed kruipen wanneer het onweerde. Dat was er allemaal niet meer. Het was allemaal hier gebeurd en nu was het weg. Ik kon alleen haar spullen meenemen, en de dingen die ze me had geleerd en die ik me van haar herinnerde. Daar moest ik het mee doen. Ik was Alex kwijt, maar ik had wel een eigen leven opgebouwd, en daar kon ik naar terug. Het was een eenvoudig leven, maar het was een begin. Ik had mijn werk, en ik had mijn nieuwe huis. Ik had Peter en Janie, en Agnes, en Louis, en natuurlijk Joe. Mijn moeder zou blij voor me zijn geweest. Ik denk dat ze blij zou zijn omdat ik eindelijk wist hoe ik verder moest zonder haar. En ze zou dol zijn geweest op Joe.

Ik stond op en drentelde nog een laatste keer door het koetshuis. Ik liet mijn hand over de boekenkast glijden, en ik keek voor de laatste keer uit het raam van mijn vroegere kamer.

In de keuken waste ik Dianes glazen met de hand af, met heel veel afwasmiddel. De peuken gooide ik in de vuilnisbak. De schone glazen zette ik netjes op een theedoek op het aanrecht.

Vervolgens deed ik de kast van mijn moeder open, en ik moest op het schoenenrek gaan staan om helemaal achterin iets van de bovenste plank te pakken: de slof sigaretten die mijn moeder daar bewaarde voor als er iets met Diane was, en die zonder sigaretten zou zitten. Ik pakte ook de extra fles whisky die onder de gootsteen tussen de flessen schoonmaakmiddel stond. De fles en de slof liet ik achter op het aanrecht, bij de schone glazen.

Ik pakte mijn tas en viste daar mijn sleutels uit. Met moeite kreeg ik de sleutel van het koetshuis van de bos. Dit was mijn allereerste sleutel geweest, de andere waren er later bijgekomen. Ik wist dat Diane het best zou vinden als ik deze sleutel hield, maar de tijd was aangebroken om die achter te laten. Ik legde hem bij de andere offerandes op het aanrecht.

Waarschijnlijk waren er nog meer dingen die ik had kunnen meenemen, maar zo was het goed. Ik trok de deur achter me dicht en ging op zoek naar Janie.

46

Janie wilde graag terug rijden, en tegen beter weten in liet ik haar dat doen. Ze schakelde erg lawaaiig, en ze reed voortdurend een stuk langzamer dan toegestaan. Ze vond het zo opwindend dat ik het niet over mijn hart kon verkrijgen te zeggen dat we beter van plek konden ruilen.

Ik keek naar de lagen gesteente in de rotswanden waar we langskwamen. Soms was nog goed te zien waar de springstoffen waren geplaatst om deze weg te kunnen aanleggen.

Een hele poos reden we naast een hertenpaadje dat gelijk op liep met de grote weg, heuvel op, heuvel af. Uiteindelijk verdween het in een bos uit het zicht.

We kwamen anderhalf uur te laat terug. Peter en Agnes waren al bij mijn huis, en ze hielpen mijn spullen in te laden in de vrachtauto, zodat alles in één keer naar mijn nieuwe huis kon worden overgebracht.

Nou ja, Peter hielp. Agnes zei dat ze meer als opzichter fungeerde. Dat hield in dat ze voortdurend riep dat we voorzichtig moesten zijn, en dat als ze ons met iets zwaars zag sjouwen, ze ons waarschuwde dat we met onze benen moesten tillen, niet met onze rug. Toch was het fijn dat ze erbij was.

Ik had gedacht dat ik in het nieuwe huis nog mijn handtekening onder het een en ander moest zetten en dat we dan alles naar binnen konden brengen. Maar toen we er aankwamen, stonden er allemaal mensen die ik niet kende in de woonkamer. Louis had er een hele gebeurtenis van gemaakt en heel veel buren uitgenodigd.

'Vannah!' riep Louis uit toen hij ons onze schoenen zag uittrekken om ze bij de verzameling naast de deur te zetten. 'Welkom thuis!' Hij omhelsde me en gaf me op beide wangen een zoen. 'Wie heb je bij je?'

Ik stelde Janie, Peter en Agnes aan hem voor, en hij omhelsde hen ook. Het was duidelijk dat ze niet goed wisten wat ze van hem moesten vinden. Peter lachte een beetje onzeker, Janie staarde hem met grote ogen aan, en Agnes wuifde zich met haar handschoenen koelte toe.

'Kom binnen! Eet iets!' Louis bracht ons allemaal naar de keuken. Omdat de meubels al waren verhuisd, had hij op het aanrecht een soort koud buffet uitgespreid. Er waren drie verschillende pastagerechten, er waren broodjes en worst, en er stond een enorme schaal met paprika in olie.

'Waar is Joe?' vroeg ik.

'O, in de tuin,' antwoordde Louis met een lach. 'Die hond is dolgraag in de tuin.'

Ik liep door de garage en deed de deur naar de tuin open. Joe zat kwispelend voor het schuurtje. Zijn roze tong hing uit zijn bek en hij hield zijn kop schuin. Omdat ik geen schoenen aanhad, wilde ik hem binnenroepen, maar ik was zo blij hem te zien dat ik op kousenvoeten de tuin door rende. Hij blafte toen hij me zag, stormde op me af en gooide me omver. Hij kwispelde zo heftig dat zijn lijf ervan schudde. Nadat hij zijn poten op mijn schouders had gezet, likte hij mijn gezicht grondig. 'Ik heb jou ook gemist!' bracht ik lachend uit, en ik droogde mijn gezicht met mijn mouw.

Toen ik opkeek, kwam Alex achter het schuurtje vandaan met in zijn ene hand een hark en in de andere een frisbee. 'Die lag op het dak.' Met de hark gebaarde hij naar het schuurtje. Vervolgens keek hij naar de grond, en toen naar mij. 'Hoi,' zei hij. Joe sprong op Alex af, rukte de frisbee uit zijn hand en rende ermee naar een rustig hoekje om er eens fijn op te gaan knauwen.

'Hoi,' zei ik.

Alex zette de hark tegen de muur, stak zijn hand uit en hielp me overeind.

Hij bleef mijn hand vasthouden. 'Het spijt me,' zei hij. Hij haalde diep adem. 'Ik wil niet in een luchtbel leven. Ik weet dat je het waard bent, en het spijt me. En dat klonk allemaal veel beter toen ik het repeteerde onderweg hiernaartoe.' Hij liet mijn hand los. 'Mijn ex bezwoer me dat het niet zo was, maar ze had me wel degelijk in de steek gelaten vanwege die ander. En ik had er niks van gemerkt. Ze deed het allemaal stiekem, en ik was niet wantrouwig. Het was niet de oorzaak, maar een symptoom, dat weet ik ook wel, maar het was toch kwetsend. Heel erg kwetsend.' Hij slaakte een zucht. 'Ik wist niet wat ik aan je had, en dat beangstigde me. Ik had er gewoon met je over moeten praten. Ik dacht niet dat ik het nog eens kon, maar dat was niet eerlijk tegenover jou, want jij bent háár niet. Jij bent geweldig, en nog mooi ook. Ik moet aldoor aan je denken. En toen besefte ik dat ik het niet kan. Ik kan je niet in de steek laten, want om heel eerlijk te zijn, vanaf het moment dat ik je leerde kennen...' Hij zweeg en keek me aan. Hij had grote ogen opgezet en zijn wenkbrauwen opgetrokken. 'Ik bedoel, ik ken niemand zoals jij, Van.'

'En dat bedoel je positief?' vroeg ik met een lach.

'Dat bedoel ik heel positief,' antwoordde hij. De uitdrukking op zijn gezicht verzachtte.

Ik sloeg mijn armen om zijn hals en kuste hem.

Meteen sloeg hij zijn armen om mijn middel en tilde me op, zodat mijn voeten de grond niet meer raakten. 'Je hebt geen schoenen aan,' zei hij.

'En nu heb ik ijskoude voeten,' zei ik met een lach.

Met een ruk draaide hij zich om en droeg me naar binnen, met mijn voeten net boven de grond bungelend. Joe kwam achter ons aan.

In de keuken stond Janie naast Louis, die meer eten op een kartonnen bordje schepte dan ze normaal waarschijnlijk in een week at.

'Je moet eten! Er zit geen vlees op je botten. Hou je van paprika?' vroeg hij. Toen hij zag dat Alex me over de drempel droeg, hield hij als verstard zijn lepel in de lucht. 'Ha, dat zie ik graag!' Zijn ogen werden vochtig. 'De mensen van wie ik hou, houden van elkaar,' zei hij tegen Janie, en hij overhandigde haar het overvolle bordje.

Nadat Alex me had neergezet, nam Louis ons allebei in zijn armen. 'Jullie maken een bejaarde man erg gelukkig,' zei hij, en hij legde zijn hand op zijn hart.

Nadat iedereen flink had gegeten, tekenden Louis en ik de overdrachtspapieren. Zodra dat klaar was, hief Louis zijn handen. 'Dat is achter de rug!' zei hij. Iedereen applaudisseerde. Een paar vrouwen huilden zachtjes. Een lange man van Louis' leeftijd, met een pet op, stak zijn vingers in zijn mond en floot.

Louis ging naar de kast en haalde daar een karaf uit die zo te zien met water was gevuld. Hij moest kracht zetten om de rode dop eraf te krijgen, en toen schonk hij een paar kleine glaasjes vol. Die gaf hij aan mij, Alex en de verwonderde notaris. De inhoud rook naar ouwe sokken.

'Grappa,' legde Louis uit. 'Daar krijg je haar van op je borst.'

'Een neef van Louis stookt dat,' vertelde Alex, en hij kneep in mijn hand.

'Op Vannah!' Louis hief het piepkleine glaasje. 'De glazen mag je houden. Moge je er in goede gezondheid uit drinken.'

We klonken. Een beetje grappa kwam op mijn vinger terecht, in een wondje. Het prikte ontzettend. Ik zoog op mijn vinger terwijl Louis zijn glas leegde. Toen hij voor de andere gasten inschonk, goot Alex stiekem zijn glaasje leeg in de gootsteen.

Op de een of andere manier raakten Alex en Peter in gesprek over kleine veeteelt, en de wetten die daarop van toepassing zijn. En als Peter het eenmaal over wetten heeft, is er geen houden meer aan. Ik glimlachte meelevend naar Alex, en ging vervolgens kennismaken met mijn nieuwe buren. Meneer en mevrouw Whitehall woonden aan de overkant, en ze hadden negen volwassen kinderen. Mevrouw McCairn was weduwe en droeg al negenentwintig jaar zwart. Meneer Hewn had een ooglapje voor en leek op een piraat. Mevrouw Murphy wilde Lenore worden genoemd, en noemde Louis: Louie. En meneer en mevrouw Caldwell hadden identieke joggingpakken van de Buffalo Bills aan, met daaronder spierwitte gympen.

Iedereen bleef urenlang plakken. Ze aten en dronken, ze stelden vragen waarvan ik moest blozen, en zeiden dingen als: 'Ik ben zo blij dat Alex een aardig meisje heeft gevonden.' Toen we taart en koffie kregen, wilden ze cafeïnevrije koffie, met zoetjes. Die zakjes zoetstof had Louis vast uit restaurants gepikt.

En toen was het huis van mij. Iedereen ging weg, na mij een natte zoen op de wang te hebben gedrukt, en Louis een schouderklopje te hebben gegeven.

Toen Peter en Janie weggingen, zei Janie: 'Morgen kom ik je helpen met uitpakken.' Ze keek naar Alex en toen weer naar mij. 'Maar ik kom niet heel vroeg.'

Agnes en Louis waren de laatsten die vertrokken. Hij had

haar overgehaald hem een lift naar het huis van Alex te geven, waar hij zou blijven totdat hij naar Florida zou gaan.

'Ha, *bella*,' zei Louis terwijl hij mijn gezicht omvatte. 'Hier zul je gelukkig zijn.' Het klonk als een bevel. Hij wreef over mijn rug en stapte vervolgens de deur uit.

Agnes sloeg haar armen om me heen. 'Die Louis is me er eentje,' fluisterde ze in mijn oor.

Alex deed de deur achter haar dicht en grinnikte. 'Zeg,' zei hij, 'ik heb iets voor je.'

'Een pony? Ik heb altijd al een pony willen hebben.'

'Ja,' zei Alex, en hij knikte. 'Het is een pony. Dat kan hier best.'

'En anders moet je het Peter maar vragen,' reageerde ik.

Alex schoot in de lach. 'Wat kan die praten!' zei hij. 'Maar Janie en hij zijn leuke mensen.'

'Ze zijn geweldig,' beaamde ik. 'Heel goede vrienden.'

Alex ging naar de garage en kwam even later terug met een pot verf en twee kwasten. 'Ik weet wat je van oranje vindt, dus dacht ik dat we de boel een beetje konden opknappen.' Hij haalde een zakmes uit zijn zak en peuterde het deksel open.

'Ogen dicht,' zei hij. Hij haalde het deksel er nog niet af, hij wilde niet dat ik de kleur zag.

Ik sloot mijn ogen en hield mijn handen voor mijn gezicht.

Even later hoorde ik een zacht geluid. *Zwoesj, zwoesj.*

'Oké.'

Alex had de omtrek van een hart op de muur geschilderd, in een prachtige dieprode tint.

'Prachtig!' zei ik. Ik gaf hem een por. 'Versier je zo dames, door harten op de muur te schilderen? Heeft Louis je dat ingefluisterd?'

'Nee,' antwoordde Alex lachend. 'Ik heb het helemaal zelf bedacht.' Hij vulde het hart in met verf. 'Vind je het echt mooi?'

Ik sloeg mijn armen om zijn middel. 'Ik vind het geweldig.'

'Echt? Je mag het best zeggen als je het monsterlijk vindt.'

'Ik zou het zelf nooit hebben uitgekozen, maar het is helemaal top. Ik was waarschijnlijk voor wit gegaan, roomwit of zo.' Ik dacht aan de ramp met de blauwe muur. 'Maar eigenlijk is dat best saai.'

'Deze kleur deed me aan jou denken.'

'Echt?'

'Ja. Ik stond in de doe-het-zelfzaak en deze verf krijste almaar: Savannah! Savannah!' Hij gebaarde er druk bij.

'Wat ben je toch een grapjas,' zei ik lachend. 'Ik denk dat ik je maar hou.'

'Dat is je geraden!' Hij stak zijn hand in mijn kontzak.

'Eigenlijk ben ik niet erg goed in schilderen,' merkte ik op. Ik moest weer denken aan die slordige blauwe muur.

'Nou, daar gaat dan verandering in komen.' Hij duwde de kwast in mijn hand.

'Nu?'

'Het gaat makkelijker als er niet overal meubels staan. Later zetten we alles wel neer.'

Ik rende naar de vrachtwagen om daar de pick-up en de oude lp's van mijn moeder uit te halen.

'O, geweldig!' zei Alex, en hij haalde *Don't Look Back* uit de hoes. 'Ik ben gek op Boston.'

'Ik ook,' zei ik.

We legden de plaat op de draaischijf. Ik had er in jaren niet meer naar geluisterd, maar ik wist nog precies waar de krassen en tikken zaten.

Joe jatte Alex' kwast en zorgde voor verfvlekken op de keukenvloer. We dweilden alles goed schoon, maar in de hoek lieten we een rode pootafdruk staan, voor het nageslacht. En we lachten, en we verfden, en we luisterden naar Boston totdat de hele keuken prachtig rood was.

Dankwoord

Ik ben mijn literair agent, Rebecca Strauss, erg dankbaar voor haar harde werk, haar wijsheid, haar vasthoudendheid, haar geduld en haar geweldige gevoel voor humor. Dank je wel omdat je mijn droom hebt doen uitkomen. En Ian Polonsky en iedereen bij McIntosh and Otis, ook hartelijk bedankt.

Mijn redacteur, Erika Imranyi, ben ik dankbaar voor haar toegewijde begeleiding. Ze was er altijd voor me. En dank jullie wel, Brian Tart, Ava Kavyani, Christine Ball en het geweldige team bij Dutton omdat jullie Van en Joe zo'n goed thuis hebben gegeven.

Ook ben ik dank verschuldigd aan de mensen van mijn schrijfclubje: Joan Pedzich, Melanie Krebs, Jennifer DeVille, Keith Pedzich, Liz Valentine, Darby Knox, Erica Curtis en Eric Brown. Ik kan geen woorden vinden om jullie voldoende te bedanken. Jullie zijn mijn lievelingsauteurs.

Ik wil Neil Gordon bedanken omdat hij geweldig was. En

Corinne Bowen omdat ze ook fictie schrijft, en me verbazend vaak wist te helpen. En Michele Christiano omdat ze me met raad en daad heeft bijgestaan.

Dank jullie wel, geduldige en lieve vrienden en vriendinnen, die al die pakken papier hebben doorgelezen en met opbouwende kritiek kwamen: Dash Hedgeman, Mindae Kadous, Rachel Chaffee, Kim Janczak en Emily Brown. En Kristin Dezen, Brian Herzlinger, Bryan Hoerauf, Jen Bloom, Vince, MMC/KX en MOD, dank jullie wel voor jullie steun, en omdat jullie in mij en mijn boek zijn blijven geloven. Dank je wel, Ben Fountain, omdat je zo lief en gul was.

Ik wil de dames die me hebben geïnspireerd graag bedanken: Sarah Playtis, de rommeligste vriendin die je je maar kunt wensen, Julie Smith, omdat ik alles mocht gebruiken, Brenda Kirkwood, Lisa Malin en Rainbow Heinrichs. Dank jullie wel! Zonder jullie zouden Van en Janie niet zo'n innige vriendschap hebben gekend.

Ik ben ook Form Collective dankbaar: J, Xtian, Chris en Joe, voor alles op internet, en omdat jullie zo goed konden samenwerken. Writers & Books, omdat jullie van Rochester zo'n fijne plek hebben gemaakt om te lezen en te schrijven. Chris Sutton van Wergo, Inc., omdat hij zorgde dat ik sterk bleef en hij me steeds herinnerde aan mijn succes. Armanda en iedereen bij Made You Look, een verrukkelijke oase midden in Rochester. Nick Tebrake en iedereen van The Kittle House. En Dog Holiday, Eastridge Veterinary Hospital, Cornell Companion Animal Hospital, Wooftown Doggie Daycare, en de speelgroep voor Duitse herders, waar mijn grote vrienden blij, gezond en actief blijven.

Dank jullie wel, The Greenists: Melissa, Mickey, NPW, A Free Man, Noelle, Made By Rachel, The Modern Gal, Stefanie, Dianne, Dingo en vooral Courtney Craig. David Quilty van The Good Human omdat hij mijn grote voorbeeld bij het bloggen was, en Vera Sweeny van I'm Not Obsessed omdat ze me inwijdde in de wondere wereld van het blog. En dank jullie allemaal, vrienden en vriendinnen op mijn blog, op Facebook en op Twitter voor de respons.

Sarah Freligh, dank je wel dat je alles met twee woorden in gang hebt gezet, en me zo hebt geholpen met een aantal tips en trucs voor het schrijven van fictie. Bill Waddell, voor al je hulp, bemoedigende woorden en het gemberbier. Sarah, Bill, Mary Ann Donovan, Jonathan Rich, James Lohrey en MJ Iuppa, dank jullie voor jullie inspirerende steun als docent, en om me deel uit te laten maken van de creatieve club van St. John Fisher College. Jack Hrkach, Barbara Anger en Susannah Berryman van Ithaca College omdat jullie me hebben geleerd een personage neer te zetten. Marty Heresniak, omdat hij zo geïnteresseerd is in hoe ik leer. Mevrouw Beverly Lewis, omdat ze me heeft geleerd een werkstuk te schrijven en me een uitstekende basis heeft gegeven. Dank jullie wel, Bea Matz, Beverly Lewis en John Cuk. Bira Rabushka, omdat je me een omgeving hebt gegeven waar creativiteit en vriendschap als hoogste goed gelden. Al mijn docenten van NWCA, vooral Ray Girardin, Jan Callner, Joan Thundhorst, Bobbie Bramson, Christine Kluge, Roger Baumann, Alysa Haas, en natuurlijk de ongelooflijke Joe Tomasini. Dank jullie allemaal.

En dank jullie, familie Larkin: Doug, Terry, Jacob, Amanda, Jason, Jackson, Emma, en vooral Michele, voor jullie grenzeloze steun, en omdat ik de naam Larkin mocht zetten op een boek met lelijke woorden erin.

En dan het allerbelangrijkste: dank je wel, Jeremy, voor je niet-aflatende steun, je grenzeloze liefde en geduld, en omdat je nog beter bent dan de man van mijn dromen. Jij hebt dit allemaal mogelijk gemaakt. En ook nog heel veel dank aan Ez, Stella en natuurlijk mijn trouwe hond Argo.